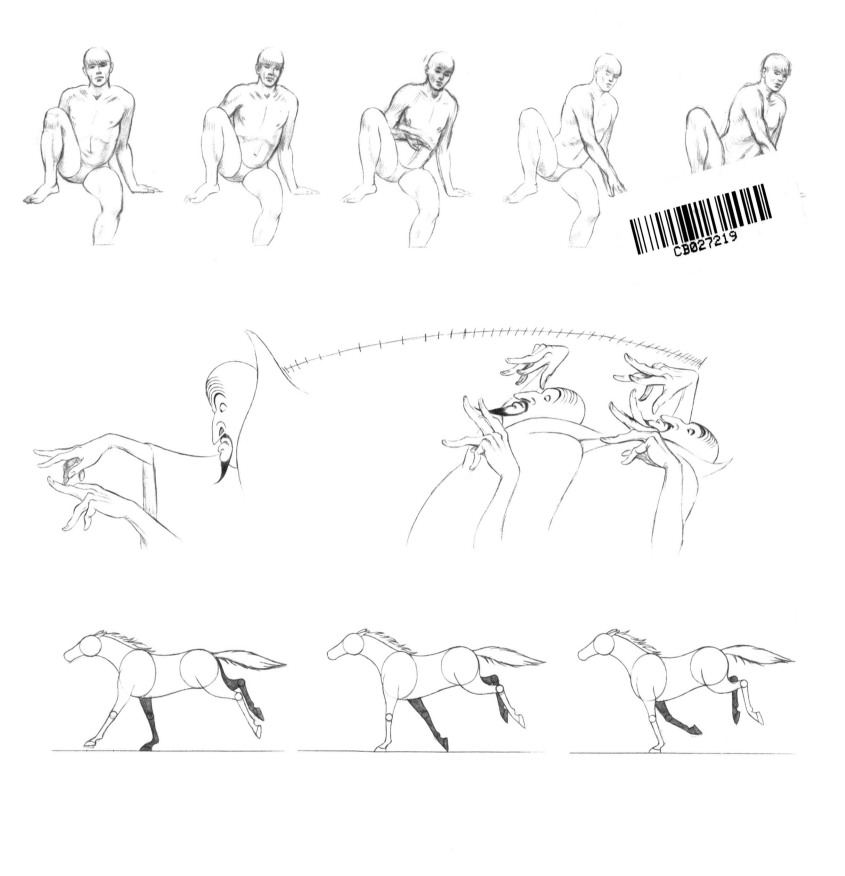

manual de
ANIMAÇÃO

Manual de métodos, princípios e fórmulas
para animadores clássicos, de computador,
de jogos, de stop motion e de internet

Dados Internacionais de Catalogação na Publicação (CIP)
(Jeane Passos de Souza – CRB 8ª/6189)

Williams, Richard
    Manual de animação: Manual de métodos, princípios e fórmulas para
    animadores clássicos, de computador, de jogos, de stop motion e de
    internet / Richard Williams; tradução de Leandro de Mello Guimarães
    Pinto – São Paulo: Editora Senac São Paulo, 2016.

    Título original: The animator's survival Kit™.
    ISBN 978-85-396-1050-1

    1. Animação 2. Desenho – Técnicas I. Pinto, Leandro de Mello
    Guimarães II. Título.

16-370s   CDD-778.5347
                                                   BISAC PER017000

Índice para catálogo sistemático:
1. Animação   778.5347

RICHARD WILLIAMS
Diretor de animação de *Uma cilada para Roger Rabbit*

Tradução: Leandro de Mello Guimarães Pinto

manual de ANIMAÇÃO

Manual de métodos, princípios e fórmulas para animadores clássicos, de computador, de jogos, de stop motion e de internet

Editora Senac São Paulo – São Paulo – 2016

ADMINISTRAÇÃO REGIONAL DO SENAC NO ESTADO DE SÃO PAULO
Presidente do Conselho Regional: Abram Szajman
Diretor do Departamento Regional: Luiz Francisco de A. Salgado
Superintendente Universitário e de Desenvolvimento: Luiz Carlos Dourado

EDITORA SENAC SÃO PAULO
Conselho Editorial: Luiz Francisco de A. Salgado
Luiz Carlos Dourado
Darcio Sayad Maia
Lucila Mara Sbrana Sciotti
Luís Américo Tousi Botelho

Gerente/Publisher: Luís Américo Tousi Botelho
Coordenação Editorial: Verônica Pirani de Oliveira
Prospecção: Dolores Crisci Manzano
Administrativo: Verônica Pirani de Oliveira
Comercial: Aldair Novais Pereira

Edição e Preparação de Texto: Adalberto Luís de Oliveira
Coordenação de Revisão de Texto: Marcelo Nardeli
Revisão de Texto: Gabriela L. Adami, Carolina Hidalgo Castelani
Projeto Gráfico: Faber & Faber Limited
Coordenação de Arte: Antonio Carlos De Angelis
Editoração Eletrônica: Manuela Ribeiro
Coordenação de E-books: Rodolfo Santana
Impressão e Acabamento: Maistype

Esta edição ampliada foi publicada pela primeira vez em 2009
sob o título *The Animator's Survival Kit*™ por
Faber & Faber Limited
Bloomsbury House, 74-77 Great Russell Street, Londres WC1B 3DA
© Richard Williams e Imogen Sutton, 2001, 2009

Proibida a reprodução sem autorização expressa.
Todos os direitos desta edição reservados à
Editora Senac São Paulo
Av. Engenheiro Eusébio Stevaux, 823 – Prédio Editora
Jurubatuba – CEP 04696-000 – São Paulo – SP
Tel. (11) 2187-4450
editora@sp.senac.br
https://www.editorasenacsp.com.br

© Edição brasileira: Editora Senac São Paulo, 2016

Para Imogen,

Minha co-conspiradora e esposa, sem a qual este livro certamente não existiria
– e o autor provavelmente não estaria aqui para escrevê-lo.

Desejo que este livro mostre com clareza o que descobri serem os melhores métodos de trabalho, para que a animação se torne melhor e mais fácil de fazer.

Há aqui várias fórmulas, princípios, clichês e esquemas para ajudá-lo, mas o que gostaria realmente de compartilhar é a "forma de pensar" a animação, de maneira a liberar a mente para fazer o melhor trabalho possível.

Aprendi com os melhores do ramo, e resumi tudo em uma ordem de trabalho sistemática. Isso transformou meu trabalho – espero que seja útil para você também.

SUMÁRIO

1	POR QUE ESTE LIVRO?
11	DESENHANDO NO TEMPO
23	HORA DE DESENHAR
35	TUDO É UMA QUESTÃO DE TEMPO E DE ESPAÇO
41	LIÇÃO Nº 1
46	**RETROCEDENDO A 1940**
47	História do gráfico e da intervalação
48	Extremos e poses de passagem
57	Poses-chave
61	Três maneiras de animar
68	Testando, testando, testando
70	A folha de exposição
75	No fim das contas…
76	O melhor sistema de numeração

78	A grande batalha "em uns" *versus* "em dois"
80	A batalha entre pinos em cima e pinos embaixo

84 MAIS SOBRE O ESPAÇO

88	Erros clássicos de intervalação
90	Cuidado com seus arcos
92	Obtendo mais movimento dentro da massa
96	A intervalação alongada
99	O maior erro do principiante
99	A abordagem rascunhada
101	Quanto devemos deixar para o assistente?
101	Pegue o atalho longo

102 CAMINHADAS

106	Entendendo o peso
109	Defina o ritmo
111	A pose de passagem ou *breakdown*
115	Dois jeitos de planejar uma caminhada
118	O duplo quique
120	Descontraindo
128	Indo mais fundo nas caminhadas
135	Não há nada como experimentar
136	O calcanhar
136	Ação do pé
142	Espaçamento normal da caminhada
146	Deslocamento de peso
147	A linha da cintura
148	Movimento dos braços
156	Ação contrária
163	A receita
167	Caminhadas furtivas
173	Passos furtivos na ponta dos pés

176 CORRIDAS, SALTOS E PULOS

189	A fórmula da corrida de 4 desenhos
192	A corrida de 3 desenhos
195	A corrida de 2 desenhos
200	A receita

201	Correndo, pulando com uma perna, saltitando e saltando com as duas
209	Saltitando
212	Pulando
213	Peso em um pulo

217 FLEXIBILIDADE

218	Primeiro, a pose de passagem
223	Sobreposição simples
226	Sobreposição de ações
230	Ação contrária simples
231	Quebra de articulações para dar flexibilidade
246	Flexibilidade no rosto
249	Sobreposição de ações no rosto
251	Leitura instantânea: perfis para dar legibilidade

256 PESO

262	Pressão e peso
264	Quanto esforço temos de despender?
269	Dançando
272	Regras gerais para sincronia de ações

273 ANTECIPAÇÃO

282	Antecipações surpresa
283	Antecipações invisíveis

285 SURPRESAS E ÊNFASES

295	Uma ênfase abrupta volta até se acomodar
295	Uma ênfase suave continua em frente

297 USO DO TEMPO EM TREMULAÇÕES, ONDULAÇÕES E CHICOTADAS

297	Tempo das tremulações
299	A fórmula de vibração lado a lado
301	Ação de chicotada
301	Ação de ondulação

304 DIÁLOGO

305	Fraseado

310	Sincronia entre imagem e som	346	Um saltitar à la Hollywood
311	Ênfases	348	Contraste e "mudança"
314	Atitude	348	Frasear o diálogo
314	O segredo	349	Usando filmagens reais como referência
315	**ATUAÇÃO**	352	Flexibilidade animal
320	Mudanças de expressão	353	Ação de um cachorro correndo
321	Procure o contraste	356	Como um cavalo realmente anda?
323	Apontamento sobre atuação	358	Cavalo trotando
324	Linguagem corporal	359	Cavalo galopando
324	Simetria ou "espelhamento"	360	Pássaros
325	Roube!	361	Uma tarefa desafiadora em "realismo" e peso
325	Olhos	368	Pausas
327	**AÇÃO ANIMAL**	369	O grande debate em torno do "realismo"
328	Referência do mundo real	371	A solução
330	Padrão básico de caminhada animal	373	Sim, mas…
333	**DIREÇÃO**	374	A conclusão até agora
334	O briefing	376	Minha conclusão
334	O rolo Leica	377	Desenho de modelos-vivos para animação
334	Separe os personagens	**381**	**AGRADECIMENTOS**
335	Cause uma boa impressão	**382**	**SOBRE O AUTOR**
335	Selecionando os animadores		
335	Fazendo mudanças		
335	"Fale! Fale!"		
335	Gravação de voz		
335	Continuidade		
335	Pesquisa		
335	Edição		
335	Acredite em seu material		
338	**UMA REVISÃO**		
338	O procedimento		
339	Os ingredientes		
340	**A EDIÇÃO AMPLIADA**		
342	"Primeira lição" sobre flexibilidade		
343	Atrasando partes e progredindo na ação		
344	Ponha a ação onde você pode vê-la		

POR QUE ESTE LIVRO?

Quando eu tinha 10 anos, comprei um livro, *Como fazer desenhos animados*, de Nat Falk, publicado em 1940. Há muito já não é mais impresso, mas me serviu como um guia de referência bem útil para estilos de desenhos animados hollywoodianos dos anos 1940 quando concebi os personagens e dirigi a animação de *Uma cilada para Roger Rabbit*.

O mais importante para mim, no entanto, é que o livro era claro e objetivo; a informação básica sobre como filmes animados eram feitos ficou registrada no meu cérebro de 10 anos e, quando eu comecei a levar a animação a sério, aos 22 anos de idade, essa informação ainda estava lá à minha espera.

Eu estava morando e pintando na Espanha quando as incríveis possibilidades da animação tomaram minha mente. Planejei meu primeiro filme e levei para Londres o dinheiro que sobrava das minhas pinturas de retratos. Passei um tanto de fome, mas finalmente encontrei trabalho animando comerciais de televisão e consegui custear *A pequena ilha* — uma discussão filosófica de meia hora, sem palavras, que ganhou vários prêmios internacionais.

A pequena ilha, 1958.

Três anos mais tarde, quando terminei o filme, tive a desagradável constatação de que na verdade eu não sabia muita coisa sobre articulação na animação, isto é, sobre como mover as coisas. Para treinar, copiei o traçado da animação que Ken Harris fez de uma bruxa em um desenho do Pernalonga (*Bruxa Pernalonga* — 1955, dirigido por Chuck Jones). Isso só confirmou quão pouco eu entendia de movimento.

Enquanto estava fazendo *A pequena ilha*, assisti a um relançamento de *Bambi*, mas já que eu me considerava um revolucionário no campo da animação, rejeitei o filme por achá-lo muito convencional. Mas depois que terminei meu filme, vi *Bambi* de novo e quase saí me arrastando de quatro do cinema. "Como eles conseguiram fazer isso?" Eu tinha aprendido o suficiente para perceber que não sabia era de nada!

Mestre animador Ken Harris e aspirante, 1969.

Então, como e onde obter conhecimento dos especialistas? Eu estava trabalhando na Inglaterra como autônomo e não queria ir para a "fábrica de desenhos" de Hollywood. Eu queria as duas coisas: minha liberdade artística, mas também o conhecimento.

A obra *How to Animate Film Cartoons (Como fazer animação para filmes)*, de Preston Blair, estava disponível, mas como me sentia desestimulado pelo estilo elástico dos anos 1940, foi mais difícil para mim captar os princípios que buscava — apesar de esta ser uma obra sólida e Preston ser um grande animador da "Era de Ouro". É irônico que, quarenta anos depois, eu me tornasse conhecido por meu trabalho em *Uma cilada para Roger Rabbit* desenhando precisamente no mesmo estilo que me desencorajou a aprender com Preston.

Muito mais tarde, consegui trabalhar com Ken Harris, o primeiro "verdadeiro" mestre de animação que conheci, e cuja bruxa em *Bruxa Pernalonga* eu imitei. É consenso que ele era o mestre animador na Warner Bros. Certamente, era o principal do diretor Chuck Jones.

Em 1967, pude trazer Ken para a Inglaterra e minha verdadeira educação em articulação e atuação em animação começou ao trabalharmos juntos. Eu tinha quase 40 anos na época e, com um grande e bem-sucedido estúdio em Londres, já estava animando há dezoito anos, tendo ganhado mais de cem prêmios internacionais.

Depois de sete ou oito anos trabalhando próximo a Ken, ele me disse, "Ei, Dick, você está começando a desenhar as coisas no *lugar* certo".

"É, eu estou mesmo aprendendo com você, não é?", perguntei.

"Sim", ele disse pensativamente, "sabe… você poderia ser um *animador*".

Depois do choque inicial, percebi que ele estava certo. Ken era o maioral, enquanto eu só estava fazendo um monte de desenhos bonitinhos em estilos variados, que eram funcionais, mas não possuíam os mesmos ingredientes "mágicos" para fazê-los realmente viver e atuar de forma convincente.

Então redobrei meus esforços (sobretudo no domínio das "poses de ênfase" nas cabeças e nas mãos) e no ano seguinte Ken declarou: "Ok, você é um animador".

Alguns anos depois disso, um dia ele me comentou: "Ei, Dick, você poderia ser um *bom* animador".

Quando ele estava com 82 anos, eu ia ao *trailer* onde Ken morava, em Ohai, Califórnia, e fazia com ele o *layout* das cenas que depois ele iria animar. Ele geralmente tirava uma sesta de meia hora e eu continuava trabalhando.

Um dia ele apagou por três horas e, quando acordou, eu já tinha praticamente animado a cena. "Desculpe, Dick", ele disse, "sabe… é que eu já estou tão *velho*." (longa pausa) "Oh… vejo que você já animou a cena…".

"Sim", eu disse, "não sabia mais o que fazer".

"Belos desenhos…", ele disse, depois apontou: "Ei, isso está errado! Você cometeu um erro aqui". E é claro que ele estava certo.

"Maldição, Ken", eu disse. "Trabalho com você faz treze anos e ainda não peguei o seu 'lance'. Acho que ele vai morrer com você."

"Ééééé…", ele prendeu o riso e falou: "Bem, não se preocupe, você já tem um 'lance' muito bom acontecendo aqui". E abafou outra risada.

Ken era um trabalhador muito ágil, e eu vivia sugando mais e mais cenas dele, e fazendo-o animar mesmo quando o táxi já estava lá fora esperando para levá-lo ao avião de volta para os Estados Unidos.

Quando ele morreu, em 1982, com 83 anos, meu verdadeiro arrependimento foi que, quando ajudei a carregar o caixão, não tive a coragem de meter um lápis na mão dele no caixão ainda aberto. Ele teria adorado isso.

No momento em que comecei a trabalhar com Ken, tínhamos acabado de completar as sequências de animação que acontecem durante todo o longa épico de Tony Richardson, *A carga da Brigada Ligeira*, e eu pensava que estava ficando bem competente. Quando Ken viu as cenas no cinema, ele disse: "Deus, Dick, como vocês fizeram esse trabalho todo? (pausa) Claro, a animação não se *move* muito bem…".

Mas ainda não tenho vergonha do nosso trabalho naquele filme.

Depois disso fomos ver o desenho animado dos Beatles, *Submarino amarelo*. Apesar de ter gostado do estilo do designer Heinz Edelman, o jeitão trêmulo "começa-para, para-começa" da maior parte da animação fez com que, depois de meia hora, a maior parte do público já tivesse saído para o saguão. Não importa quão estilosa ou inventiva ela seja, uma animação trêmula ou irregular parece só ser capaz de segurar o público por uns 25 minutos. Apesar de *Submarino amarelo* ter tido um séquito entusiasmado, formado por gente das agências de publicidade e do meio universitário, o público em geral evitou o filme. Isso matou o mercado de animações não Disney por anos.

Minhas sequências animadas para o longa épico de Tony Richardson, *A carga da Brigada Ligeira*, 1968.

Um alto executivo da United Artists que distribuiu o *Submarino amarelo* comentou: "Isto é Beatles no auge de sua popularidade e *ainda assim* as pessoas ficam longe de animação que não seja Disney". Os produtores executivos de cinema na época diziam sobre animação: "Se não levar o nome Disney, ninguém vai assistir". Mas o ponto é que não era só o nome da Disney — era a perícia da Disney que cativava o público e o segurava por 80 minutos.

Quase na mesma semana, a Disney lançou *Mogli, o menino lobo*, e este virou imediatamente uma sensação. Fui assisti-lo, relutante, pensando (já que ainda me considerava um inovador) que, embora pudesse haver algo interessante lá, provavelmente seria um filme previsível.

Foi assim que começou — com lobos comuns adotando o bebê fofinho. Lembro-me do menino Mogli cavalgando uma pantera negra que se movia e agia de modo clichê — até que ele desmontou... E, subitamente, tudo mudou. O desenho mudou. As proporções mudaram. As ações e a atuação mudaram. A pantera ajudou o menino a subir em uma árvore e tudo progrediu para um nível soberbo de entretenimento. A ação, o desenho, a performance, até as cores eram primorosas. Então a cobra apareceu e tentou hipnotizar o garoto e o público entrou em transe. Eu estava embasbacado.

O filme continuou nesse nível, e quando o tigre entrou, pesando mais de trezentos quilos — e era tanto o tigre *quanto* o ator que fez sua voz (George Sanders) —, me dei conta de que sequer sabia *como* aquilo era feito, e que muito menos conseguiria fazer o mesmo. Voltei chocado para o meu estúdio e, durante a noite, escrevi uma longa carta de fã.

Naquelas cenas pensei ter reconhecido a mão do grande gênio da Disney, Milt Kahl, de quem Ken Harris falara com entusiasmo. O primeiro nome nos créditos de direção de animação *era* o de Milt Kahl, então presumi que era dele a obra que tinha me deixado assombrado. No fim das contas, era sim — a não ser por uma tomada que foi feita por Ollie Johnston. Ele e Frank Thomas fizeram várias outras cenas maravilhosas no filme.

Milt dizendo que *Mogli* foi o ponto alto da mais pura execução de uma animação, e que achava que não seria possível a ninguém de fora da Disney atingir esse ápice.

Ocorreu que Milt disse que aquela foi a melhor carta que eles tinham recebido — e melhor ainda, que ele conhecia um tanto o meu trabalho e queria me conhecer.

Uma ambição irreprimível fez mudar minha opinião de que *somente* eles poderiam chegar a tais alturas; imaginei, penso que corretamente, que, dado o talento, a experiência, a persistência — mais o conhecimento dos especialistas —, por que razão não seria possível fazer tudo?

Não conseguia mais me conter. Tinha de saber *tudo* sobre essa arte e dominar todos os seus aspectos. Tomado de humildade, fiz visitas anuais a Milt e Frank Thomas, Ollie Johnston e Ken Anderson na Disney.

Uma das coisas mais importantes que Milt disse foi: "Nossa animação é diferente da de qualquer outro porque é crível. Os objetos têm peso, os personagens têm músculos e nós damos a ilusão de realidade".

Mas como torná-la crível? Eu não fui lá para ficar babando em Milt ou para saber o que Frank Thomas tomava

Foto de Frank Herrmann

Uma usina de conhecimento sobre animação. A partir da esquerda: Ken Harris, Grim Natwick e Art Babbitt, com os estudantes Richard Purdum e eu, em frente ao meu estúdio em Soho Square em Londres, 1973.

no café da manhã. Eu ia para disparar minha lista de questões cuidadosamente preparadas e depois anotar tudo que eles diziam. Esses admiráveis virtuoses tornaram-se meus amigos e foram incrivelmente generosos em sua ajuda. Como Milt disse, "se você perguntar, vai descobrir o que quer saber. *Se* tiver sorte o bastante de perguntar a alguém que saiba".

Também tive sorte suficiente para alistar o maravilhoso e lendário animador Art Babbitt como colaborador e professor. Babbitt havia desenvolvido o Pateta e animado a "Dança dos cogumelos" em *Fantasia*. Ele despejou seu conhecimento ao longo de vários seminários, ministrados em estúdio, que duravam meses inteiros, além de trabalhar comigo em meus estúdios de Londres e Hollywood por muitos anos.

Em 1973, eu contratei o oitentão — mas ainda brilhante — Grim Natwick como tutor em meu estúdio de Londres. Grim fez seu nome com o design da Betty Boop e animando a maior parte da própria Branca de Neve em *Branca de Neve e os Sete Anões*. Também trabalhei de perto com Emery Hawkins, a quem Ken Harris considerava o animador mais imaginativo de todos. Emery era tremendamente criativo e vivia transitando de um estúdio para o outro. Eu também pude trabalhar por um curto período de tempo com Abe Levitow, Gerry Chiniquy e Cliff Nordberg. Dick Huemer, um dos animadores pioneiros de Nova York, e mais tarde um dos principais roteiristas da Disney (*Branca de Neve e os Sete Anões*, *Dumbo*, *Fantasia* e todos os primeiros filmes da Disney), também me forneceu um panorama bem claro dos primórdios da animação.

A maioria já se foi, mas este livro está repleto do conhecimento e da arte de todos eles.

Londres, junho/1973.

Rabisquei este Milt quando ele estava dando uma palestra em meu estúdio. Ele está dizendo: "Não ouçam o Dick, ele é muito técnico".

Milt estava sempre me encorajando a desenvolver o meu trabalho pessoal, pouco convencional, do qual ele gostava — mas eu queria o conhecimento primeiro.

Na foto ao lado, dois gênios tutoram o autor ao mesmo tempo — Frank Thomas de pé e Milt Kahl na mesa, no início dos anos 1970.

Reproduzido com permissão de Disney Enterprises, Inc.

7

"A lenda arturiana" foi um formidável professor que considerava as aptidões profissionais de um animador como equivalentes àquelas de um pianista em um concerto.

Art em ação: seu primeiro seminário de um mês no meu estúdio em Londres foi como água no deserto para nós.

Nas aulas avançadas de três dias que ministrei ultimamente, alguns profissionais experientes sentem a princípio que estamos dedicando muito tempo a um material com o qual eles já têm bastante familiaridade. Então, no meio do seminário o estudo se aprofunda e, no último dia, tudo subitamente se conecta. Alguns até descrevem o momento como uma epifania. Bem, certamente foi para mim, quando eu finalmente compreendi como funciona.

Então, por favor, leia o livro todo.

Animação é simplesmente fazer um monte de coisas simples — *uma de cada vez!* Um monte de coisas bem simples encadeadas, fazendo uma parte de cada vez em uma ordem que tenha sentido.

O ator Scott Wilson ficou o tempo todo sentado durante os três dias do meu curso em São Francisco. Para minha surpresa, ele veio até mim no final e disse: "É claro que você se dá conta, Dick, de que *a coisa toda* foi sobre atuação".

Eu disse: "O quê?", e Scott continuou: "Estes são *exatamente* os mesmos métodos, exercícios e análises que nós, atores, fazemos em nossas oficinas".

Então a atuação é intrinsecamente parte do todo. E se você não consegue desenhar ou articular movimentos, como vai conseguir chegar à atuação?

Uma vez alguém perguntou a Milt Kahl: "Como você planejou a reação que usou naquela personagem?".

Milt esbravejou: "Esse é o jeito errado de ver a questão! Não pense nela assim! Eu só me concentro em realizar a performance — *isso* é o que é importante! A encenação é o negócio. Você vai se enrolar todo se pensar nela de um jeito técnico!".

É claro que ele está certo. Se um músico conhece as escalas, ele pode se concentrar em realizar a performance e evocar as ideias inerentes à música. Mas se precisa constantemente pensar na mecânica do que está fazendo — aí ele mal consegue tocar.

Portanto, se conhecemos e compreendemos toda a base, então temos as ferramentas para criar. Só *então* podemos realizar a performance!

Este livro é um curso de anatomia em animação. Tal como um curso de anatomia com modelo-vivo, ele apresenta como as peças estão dispostas e como elas funcionam. Este conhecimento vai liberar você para dar vida à sua própria expressão.

Isso leva tempo. Não encontrei Ken Harris até ter quase 40 anos, e ele, 69. Eu tinha de *contratar* a maioria dos meus professores para poder aprender com eles.

Contratei Ken para ficar abaixo dele e ser seu assistente; assim, fui ao mesmo tempo seu diretor e seu assistente. Não sei se isso é original, mas finalmente descobri que para aprender ou "entender" eu tinha de "estar abaixo" daquele que sabe, para colher as gotas de sua experiência.

Há um conto sobre um velho e decrépito mestre zen lutador. Um jovem lutador, brilhante e em muito boa forma, pede ao velho mestre que o aceite e lhe mostre seus 99 truques.

O velho diz: "Olhe para mim; eu estou velho e decrépito e não estou interessado".

O jovem continua importunando o velho, que diz: "Olhe, filho, sou frágil agora, e quando eu lhe mostrar os 99 truques, você vai me desafiar, todos sempre desafiam — e olhe para mim, você vai me transformar em carne moída".

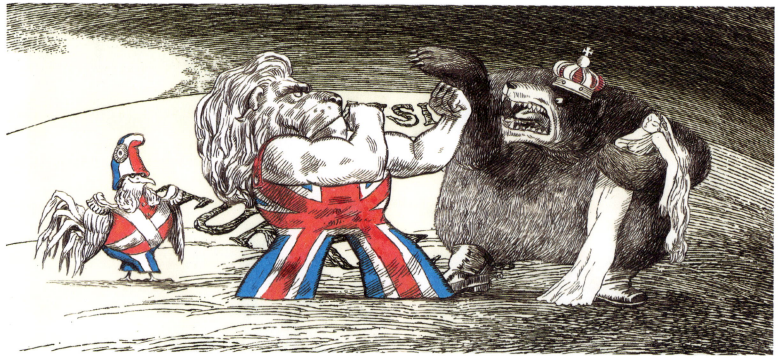

A carga da Brigada Ligeira, 1968.

"Por favor, oh, por favor, mestre", suplica o poderoso jovem. "Prometo que nunca vou desafiá-lo! Por favor, ensine-me os 99 truques."

Então, relutante, o velho ensinou tudo, até que o jovem tivesse dominado os 99 truques. O jovem tornou-se um lutador famoso, e um dia levou o mestre para um aposento, trancou a porta e o desafiou.

O velho disse: "Sabia que você faria isso — é por isso que desde o princípio eu não queria ensinar a você".

"Ora, vamos, velho, só há você e eu aqui", disse o jovem, "vamos ver do que você é feito".

Eles começaram e logo de cara o velho atirou o jovem pela janela. O jovem derrotado resmungou lá de baixo na rua, "Você não me mostrou esse!".

O velho disse: "Este é o número cem".

Este livro são os 99 truques. O centésimo chama-se talento.

Eu me tornei um repositório de várias vertentes de tradições em animação, juntei tudo isso e acrescentei minha própria visão. O objetivo aqui é dominar a mecânica de modo a fazer coisas novas. Absorva a mecânica em sua corrente sanguínea para que ela se torne uma segunda natureza e você não tenha de pensar nela, podendo se concentrar em realizar sua performance.

Lembro-me de dizer uma vez a Emery Hawkins (um extraordinário e não celebrado animador): "Temo que meu cérebro esteja em minha mão".

Emery disse: "Onde mais ele estaria? É uma linguagem de desenho. Não é uma linguagem de fala".

Portanto, tudo o que sei sobre animação, que posso expressar em palavras, rabiscos e desenhos, está aqui neste livro.

DESENHANDO NO TEMPO

Por que animar? Todos sabem que é um trabalho bem árduo fazer todos aqueles desenhos e posições. Então, qual é o lance? Por que fazer isso?

Resposta: nosso trabalho acontece no *tempo*. Nós pegamos nossas "poses" e saltamos para uma outra dimensão.

Desenhos que *andam*: ver uma série de imagens que fizemos ganhar vida e começar a perambular por aí é bem fascinante.

Desenhos que andam e *falam*: ver uma série de nossos desenhos falando é uma experiência bastante surpreendente.

Desenhos que andam, falam e *pensam*: ver uma série de imagens que fizemos passar por um processo de raciocínio — e parecer estar pensando — é o verdadeiro afrodisíaco. Além disso, criar algo que seja singular, que nunca tenha sido feito antes, é infinitamente fascinante.

Sempre estivemos tentando fazer imagens se moverem; a ideia de animação é milênios mais antiga que os filmes ou a televisão. Eis uma breve história:

Há mais de 35 mil anos pintávamos animais nas paredes das cavernas, às vezes desenhando quatro pares de pernas para expressar movimento.

Em 1600 a.C., o faraó egípcio Ramsés II construiu para a deusa Ísis um templo que tinha 110 colunas. Engenhosamente, cada coluna tinha uma imagem da deusa pintada em uma pose progressivamente modificada. Para os cavaleiros e as carruagens que passavam, Ísis parecia mover-se!

Os gregos antigos algumas vezes decoravam vasos com imagens em estágios sucessivos de ação. Girar o vaso criava a sensação de movimento.

A primeira tentativa de que se tem conhecimento de projetar desenhos em uma parede foi feita em 1640 por Athanasius Kircher com sua "lanterna mágica".

Kircher desenhou cada figura da cena em peças de vidro separadas, as quais colocou em seu aparato e projetou em uma parede. Então ele movia os vidros a partir de fios presos em sua parte superior. Um deles mostrava a cabeça de um homem dormindo e um rato. O homem abria e fechava a boca e, quando abria, o rato corria para dentro dela.

Embora a fotografia tenha sido descoberta nos anos 1830, a maioria dos aparatos para criar a ilusão de movimento foi feita usando-se desenhos, não fotos.

Em 1824, Peter Mark Roget descobriu (ou redescobriu, já que era conhecido desde os tempos clássicos) o princípio vital da "persistência retiniana". Esse princípio consiste no fato de que nossos olhos retêm temporariamente a imagem de qualquer coisa que tenhamos acabado de ver. Se não fosse assim, nós nunca teríamos a ilusão de uma conexão contínua em uma série de imagens, nem filmes ou animação seriam possíveis. Muitas pessoas não se dão conta de que os filmes não se movem de fato, e que são imagens congeladas que parecem mover-se quando são projetadas em série.

O princípio de Roget rapidamente deu origem a vários dispositivos óticos:

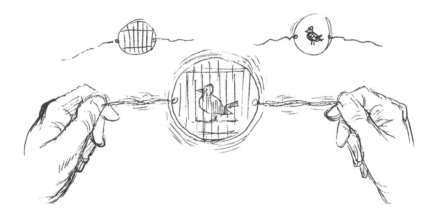

O *taumatrópio:* um disco de papelão com uma imagem diferente em cada lado, seguro entre dois pedaços de fio. Em um lado do disco, temos o desenho de uma gaiola; e no outro, o de um pássaro. Quando os fios são enrolados e depois esticados, o disco gira, as imagens se sobrepõem e o pássaro parece estar dentro da gaiola.

O *fenaquistoscópio:* dois discos montados em uma haste — o disco da frente tem frestas ao longo das bordas e o de trás tem uma sequência de desenhos. Alinhe os desenhos com as frestas, olhe através das aberturas e, quando o disco roda, temos a ilusão de movimento.

A "roda da vida" (ou *zootrópio*): apareceu nos Estados Unidos em 1867 e era vendida como um brinquedo. Longas tiras de papel contendo uma sequência de desenhos eram inseridas em um cilindro com frestas em suas paredes. Gire o cilindro, olhe pelas frestas e a criatura parece se mover.

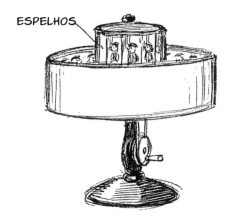

O *praxinoscópio*: elaborado pelo francês Émile Reynaud em 1877. Ele foi o primeiro a criar sequências curtas de ação dramática, fazendo desenhos em uma tira de cerca de 9 metros de comprimento de uma substância transparente chamada "cristaloide". Isso abriu caminho para os tremendos avanços que viriam.

O folioscópio: em 1868 uma novidade chamada "*flipper book*" (bloco de folhear) surgiu no mundo todo, e tornou-se o aparato mais simples e popular. É só um bloco de desenhos presos por uma das bordas, como um livro. Segure o bloco em uma mão pela borda presa e com a outra mão folheie rapidamente as páginas para ver os desenhos em movimento. O resultado é animação — a ilusão de ação contínua. Desenhos no tempo.

Isto é o mesmo que as crianças fazem na escola, ao desenhar nos cantos dos livros de matemática e folhear as páginas.

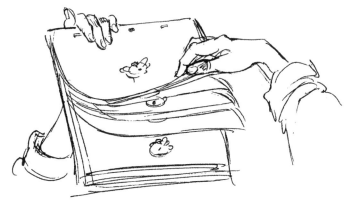

Ainda hoje, o animador "clássico" passa seus desenhos como em um bloco de folhear antes de testar no vídeo ou na câmera filmadora. Ele coloca os desenhos em sequência, com os números menores por baixo, e então folheia toda a ação, de baixo para cima. Com o tempo ele deve ficar bom o bastante para se aproximar do tempo real da tela e identificar quaisquer erros nos desenhos que precisem de alteração. Como hoje em dia temos câmeras de vídeo com reprodução instantânea dos desenhos em velocidade de filme, nem todos aprendem a folhear.

Em 1896, um cartunista do jornal de Nova York, James Stuart Blackton, entrevistou o inventor Thomas Edison, que estava fazendo experimentos com imagens em movimento. Blackton fez alguns esboços de Edison, que ficou impressionado com sua velocidade e facilidade para desenhar e lhe pediu para fazer alguns desenhos em sequência. Depois, Edison fotografou-os — a primeira combinação entre desenhos e fotografia. Em 1906, eles publicaram *Fases cômicas de faces engraçadas*. Um homem baforava um charuto e soprava alguns anéis de fumaça em sua amiga, ela rolava os olhos, um cachorro pulava por um aro e um malabarista atuava. Blackton usou cerca de 3 mil "desenhos tremeluzentes" para realizar seu primeiro filme animado — o antecessor dos desenhos animados. A inovação provocou explosões de risos e virou sucesso instantâneo.

Um ano depois, Émile Cohl produziu e exibiu seu primeiro filme animado na casa de espetáculos Folies Bergère, em Paris. As imagens eram infantis — linhas brancas sobre fundo preto —, mas a história era relativamente sofisticada: o conto de uma garota, um amante ciumento e um policial. Ele também deu movimento aos postes e casas, com emoções e temperamento próprios. A obra de Cohl prefigurou o que viria a ser um ditado da animação: "Não faça o que uma câmera pode fazer — faça o que uma câmera não pode fazer!".

Winsor McCay, brilhante criador da popular tirinha *Pequeno Nemo da Terra dos Sonhos*, foi a primeira pessoa a tentar desenvolver a animação como forma de arte. Inspirado por seu filho, que trouxe para casa alguns blocos de folhear, fez 4 mil desenhos do "Pequeno Nemo" moverem-se. Eles foram um grande sucesso quando exibidos em uma tela no teatro Hammerstein em Nova York, em 1911.

Em um outro experimento, McCay desenhou um curta-metragem bizarro, *How a Mosquito Operates (Como opera um mosquito)*, que também foi recebido com entusiasmo.

Então, em 1914, desenhou *Gertie, o Dinossauro*, e o próprio McCay atuou "ao vivo" diante da animação projetada, segurando uma maçã diante de Gertie, convidando-a a comer. Gertie baixou seu longo pescoço e engoliu a fruta — causando assombro na plateia. Essa era a primeira animação de "personalidade" — os primórdios da individualidade nos desenhos animados. Era tão realista que a plateia conseguia identificar-se com Gertie. Foi uma sensação.

Nas palavras de McCay: "Entrei neste negócio e investi milhares de dólares desenvolvendo esta nova arte. Isso exigiu tempo, paciência e reflexão consideráveis — *calculando os tempos e desenhando* as imagens [grifos meus]. Esta é a obra mais fascinante que já fiz — este negócio de tornar desenhos animados vivos na tela".

McCay também fez o primeiro desenho animado dramático, *O naufrágio do Lusitania*, em 1918. Um filme-propaganda de guerra que expressava a indignação com a catástrofe, a obra foi um imenso passo em direção ao realismo e ao drama — o filme animado mais longo feito até então. Foram necessários dois anos de trabalho e 25 mil desenhos.

Mais tarde, já um homem mais velho e celebrado pelos jovens animadores de desenhos cômicos do ramo, McCay criticou-os, dizendo que havia desenvolvido e lhes dado uma nova forma de arte que eles desvalorizaram e transformaram em um negócio tosco, que só servia para dar dinheiro.

O episódio define bem o interminável e desconfortável relacionamento entre o artista/idealista pioneiro e a indústria da animação — que trabalha sob fórmulas confortáveis e previsíveis.

Ainda hoje a batalha perdura...

Nos anos 1920, o Gato Félix tornou-se tão popular quanto Charlie Chaplin. Essas curtas animações do Félix eram visualmente inventivas, fazendo o que uma câmera não podia fazer. Mas mais importante, uma verdadeira personalidade emergiu dessa enxurrada de desenhos silenciosos em preto e branco, e o próprio Félix conectou-se com plateias do mundo todo.

As animações do Félix levaram diretamente ao advento de Walt Disney e, em 1928, Mickey Mouse decolou com sua aparição em *Steamboat Willie (O vapor Willie)* — o primeiro desenho animado com som sincronizado.

O brilhante Ward Kimball, que animou o Grilo Falante em *Pinóquio* e os corvos em *Dumbo*, uma vez me disse "Você *não faz ideia* do impacto que foi para as plateias daquela época ver esses desenhos subitamente falarem e produzirem sons. As pessoas ficavam doidas com isso".

Logo depois de *Steamboat Willie*, Disney trouxe *The Skeleton Dance (A dança dos esqueletos)*. Pela primeira vez, a ação foi coordenada com uma trilha musical adequada. Esta foi a primeira *Silly Symphony (Sinfonia Boba)*. Uh Iwerks foi animador-chefe em ambos os filmes e muito da ação vista em *A dança dos esqueletos* é sofisticada ainda para os padrões de hoje.

Em 1932, Disney deu um salto com *Flowers and Trees (Flores e árvores)* — o primeiro desenho animado totalmente em cores.

Um ano depois ele prosseguiu com *Os três porquinhos*. O desenho teve um tremendo impacto devido ao pleno amadurecimento de sua animação de "personalidade" — personagens distintos claramente definidos e críveis atuando de forma tão convincente que a plateia podia identificar-se e torcer por eles. Mais um pioneiro.

Surpreendentemente, somente quatro anos depois, Disney lançou *Branca de Neve e os Sete Anões*, o primeiro longa-metragem totalmente animado, que elevou os desenhos animados ao nível de arte e manteve a plateia fascinada por 83 minutos. Um feito realmente assombroso, realizado em um espaço incrivelmente curto de tempo. (Dizem que muitos dos artistas programaram antecipadamente suas internações no hospital para se recuperarem do esforço que fariam para completar o filme.)

O tremendo sucesso de público e de crítica de *Branca de Neve e os Sete Anões* tornou-se a fundação da produção de Disney e deu início à "Era de Ouro" da animação: *Pinóquio*, *Dumbo*, *Bambi* e *Fantasia*, assim como as *Silly Symphonies* e os curtas do Pato Donald e do Mickey Mouse.

Em torno do potente centro da empresa Disney estavam os estúdios satélite: Max Fleischer com seus dois filmes — *As viagens de Gulliver* e *Bugville, a vila dos insetos* — e os curtas do Popeye; Warner Bros com seus Looney Tunes e Merrie Melodies com Pernalonga, Patolino, Gaguinho; MGM com Tom e Jerry, Droopy e os grandes curtas anárquicos de Tex Avery, e Walter Lantz com Pica-pau. Alimentado pelo conhecimento e *expertise* originários do centro de treinamento Disney, o humor muito mais selvagem desses estúdios era em geral uma reação ou rebelião contra o "realismo" da Disney.

No entanto, depois da Segunda Guerra Mundial a situação mudou.

A chegada da televisão e seu apetite voraz por um conteúdo produzido rapidamente exigiu trabalhos mais simples e grosseiros. A estilização dos anos 1950 deu início aos estúdios UPA, em Hollywood, que criaram Mr. Magoo e Gerald McBoing Boing. A abordagem da UPA foi considerada, graficamente, mais sofisticada que a da Disney, e fez uso de uma animação "limitada" e muito menos realista. Ao mesmo tempo, houve no mundo todo uma abundância de filmes animados autorais, experimentais e "de arte", feitos de novas maneiras, com muitas técnicas diferentes e conteúdo muito diferenciado do produto de Hollywood. Os animadores estavam reinventando a roda em termos estilísticos, mas ignoravam o conhecimento estrutural desenvolvido na "Era de Ouro" de Hollywood.

Esse conhecimento, embora residisse nas mãos de seus criadores originais, foi na maior parte das vezes ignorado como sendo "fora de moda", ou foi esquecido pelos trinta anos seguintes.

Entretanto, nos últimos anos, o renascimento da animação como forma de entretenimento de massa está fazendo ressurgir o antigo conhecimento. As inovações incrivelmente bem-sucedidas da animação computadorizada estão ajudando a transformar a animação — em todas as suas formas multifacetadas — em uma parte significativa da indústria de entretenimento. Paralelamente a isso está ocorrendo uma explosão da indústria de jogos de computador.

Se a animação "clássica" é uma extensão do desenho, então a animação por computador pode ser vista como uma extensão do teatro de marionetes — marionetes de alta tecnologia. Ambos compartilham os mesmos problemas sobre como oferecer uma performance que contenha movimento, peso, *timing* e empatia.

O antigo conhecimento aplica-se a *qualquer* estilo ou método de abordagem, não importa quanto avance a tecnologia. A maior parte dos métodos e esquemas de trabalho neste livro foi desenvolvida e refinada nos estúdios de animação de Hollywood entre 1930 e 1940.

Organizei o que aprendi dessas várias abordagens, e apresento o resultado aqui, baseado em minha própria experiência com o meio da animação — e suas ilimitadas possibilidades de imaginação.

Emery Hawkins me disse: "A única limitação na animação é a pessoa que a faz. Fora isso, não há limites para o que se possa fazer. Por que não fazer o que você quiser?".

Pintei este pôster, meticulosamente, para o Festival de Filmes de Londres, de 1981. Todo mundo dizia: "Ah, eu não sabia que você fazia colagem".

HORA DE DESENHAR

Na verdade esta seção é para animadores clássicos. Porém, não é surpresa que a maioria dos principais animadores de computador desenhe muito bem, portanto, pode ser interessante para eles também. Com certeza é muito útil ser capaz de pôr no papel suas ideias — mesmo que seja com bonequinhos de palito. Para o animador clássico, é crucial.

Desenhar deve tornar-se uma segunda natureza para que o animador possa se concentrar nas ações propriamente ditas e nos tempos delas, e dar vida à atuação.

Quando você está fazendo desenhos animados o tempo todo, é muito fácil cair na armadilha das fórmulas. Durante a produção de *Uma cilada para Roger Rabbit,* eu encontrei alfinetado em nosso quadro de avisos o seguinte:

• EPITÁFIO DE UM ARTISTA INFELIZ •

*ELE ACHOU UMA FÓRMULA
PARA DESENHAR
COELHOS ENGRAÇADOS:*

*ESTA FÓRMULA PARA
DESENHAR COELHOS
ENGRAÇADOS PEGOU,*

*NO FINAL ELE
NÃO PÔDE
MUDAR OS
HÁBITOS DESGRAÇADOS*

*QUE ESTA FÓRMULA PARA
DESENHAR COELHOS
ENGRAÇADOS DEIXOU.*

– ROBERT GRAVES –

Desenho de modelo-vivo é o antídoto para isso.

Quando você está desenhando modelos-vivos, você está totalmente só. Um dos principais motivos pelos quais os animadores — uma vez que se tornam animadores — não gostam de passar suas noites e seu tempo livre fazendo desenhos de modelo-vivo é que isso não é uma atividade colaborativa.

Geralmente, a animação é um esforço realizado em grupo, e cada um tem o estímulo da interação constante, tanto competitiva quanto cooperativa, com suas condições adversas, altos e baixos, facções que se formam tanto para reclamar quanto para se inspirar, e todas as tensões, ansiedades, recompensas e emoções de uma produção em grupo.

No desenho de modelo-vivo não há ninguém para admirar seus esforços — na verdade, é exatamente o contrário. É sempre chocante descobrir que você não é tão avançado ou habilidoso quanto achava que fosse, e, sendo uma das atividades mais difíceis de se fazer sem recompensas que não a própria atividade, não é de se espantar que poucos dediquem tempo a ela.

A maioria dos animadores está exausta ao fim de um dia de trabalho, e há os familiares que reclamam sua presença. Além disso, é preciso praticar *muito* o modelo-vivo para se chegar a algum lugar — não só algumas vezes, aqui e ali.

O fato é que não há substituto para o treino árduo em desenho de modelo-vivo.

Mas há uma recompensa, e ela é significativa — a melhoria gradual e fundamental de todo o seu trabalho.

Winsor McCay uma vez disse: "Se eu começasse tudo de novo, a primeira coisa que faria seria um estudo minucioso de desenho. Eu aprenderia perspectiva, depois a figura humana, com e sem roupas, e por fim completaria com um cenário adequado".

E Milt Kahl disse: "Acho que é impossível ser um animador de primeira sem ser um excelente desenhista. Você precisa cair de cabeça, sabe, tem de conhecer a figura humana. Conhecer bem o bastante para poder se concentrar em uma pessoa em particular — na *diferença* —, no por que essa pessoa é diferente de outra. A habilidade de desenhar e ser capaz de modificar as coisas, e a destreza, o *conhecimento* que lhe permite caricaturar e exagerar na direção certa e enfatizar a diferença entre elas, é isso o que você está cultivando o tempo todo. Toda vez que você está executando um bom desenho, de qualquer coisa, ele só é bom porque você está retratando a *diferença* entre essa coisa e qualquer outra. Você precisa dessa base em desenho de figura humana para poder ficar afiado. Todo animador deveria ter essa base e muitos infelizmente não têm! Nunca se sabe o bastante. Se vai caricaturar alguma coisa, ou fazer uma sátira, é preciso compreender o jeito sério antes. Isso lhe dá um ponto de partida. Dá a você um contraste. Você só precisa praticar, praticar… e praticar!".

Art Babbitt é mais contundente: "Se você não sabe desenhar — esqueça. É só um ator sem braços ou pernas".

Mas podemos *aprender* a desenhar. Existe o mito de que um desenhista já nasce desenhista. Errado! Obviamente, talento natural é uma grande ajuda e o *desejo* é essencial, mas desenho é algo que pode ser ensinado e aprendido. É melhor já ter feito uma tonelada de desenhos em uma escola de arte para incorporar os fundamentos logo cedo. Mas isso pode ser aprendido a qualquer momento. É só agir.

Eis três conselhos que me foram dados — e que guardei comigo.

Quando eu tinha 15 anos — e muita vontade de ser animador —, fiz uma viagem de cinco dias de ônibus de Toronto a Los Angeles, e perambulei ao redor dos estúdios Disney por dias na esperança de poder entrar. Finalmente, um publicitário amigo da minha mãe viu meus desenhos e ligou para o departamento de relações públicas da Disney, e eles me acolheram no estúdio por dois dias; foram muito gentis comigo e até escreveram uma matéria sobre mim.

Foi lá que recebi meu primeiro grande conselho. Richard Kesley (roteirista e designer/ilustrador da Disney) disse: "Antes de mais nada, rapaz, aprenda a desenhar. Essa parte da animação pode ficar para mais tarde".

Eu queria desesperadamente me tornar animador, e produzi rascunhos de personagens Disney, que estavam quase no nível de um Roger Rabbit, já que eu era um sujeitinho bem precoce. Dick Kelsey olhou para eles e disse: "Sim, mas eu quis dizer aprender *realmente* a desenhar".

Richard Kelsey e um jovem esforçado. Estúdios Disney, 1948.

Meu trabalho comercial, aos 17 anos.

Semanas depois, quando estava tomando um ônibus de volta para casa, em Toronto, liguei para Dick e perguntei de novo: "O que você acha que devo fazer?" — "Aprenda a desenhar!", ele repetiu.

Um grande arrependimento que carrego em minha vida é que, quarenta anos mais tarde, quando era diretor de animação em *Uma cilada para Roger Rabbit*, avistei de rabo de olho Dick no refeitório da Disney, mas estava tão envolvido na política da produção que não pude dar uma escapada para ir lá e agradecê-lo. Nunca mais tive outra chance.

Depois da viagem de ônibus, fui direto para uma faculdade de arte e recebi meu segundo conselho, de um grande diretor e soberbo desenhista, Eric Freifield, que na época lecionava na Faculdade de Arte de Ontario. Ele deu uma olhada em meus desenhos de modelos-vivos e disse: "Bem, temos aqui um espertinho que nunca viu nada". Eu perguntei: "O que devo fazer?". Ele respondeu: "Vá à biblioteca e estude Albrecht Dürer por dois anos". Eu fui. E, não foi de se estranhar, meu interesse por animação desapareceu por anos.

Paguei minha faculdade rabiscando anúncios de ração de cachorro com jeitão da Disney, como esse ali em cima — ao mesmo tempo produzindo "realismo social", como essa litografia de um encontro de congregação chamada "Onde fluem as águas da cura".

Depois disso morei na Espanha por alguns anos, fazendo pinturas como essas ao lado, até que fui inesperadamente picado pelo bichinho da animação. Quarenta anos mais tarde, um dos principais executivos de *Uma cilada para Roger Rabbit* iria referir-se a mim como "espalhafatoso" ou "pretensioso". Como ele poderia saber? Deve ter sentido o cheiro, já que não havia nenhum sinal disso em minha animação.

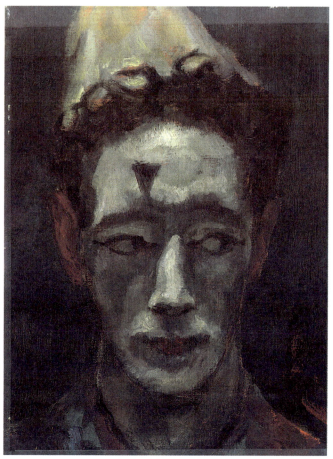
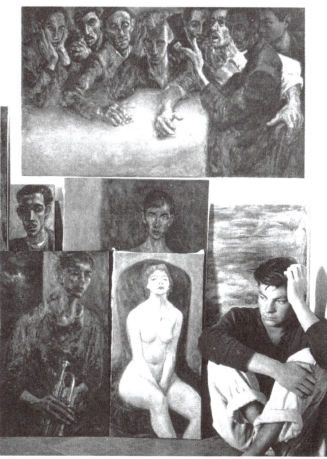

O terceiro conselho sobre desenhos me veio muitos anos depois, quando já era bem-sucedido — eu tinha 50 anos —, e veio de um homem bem mais jovem. Meu talento é essencialmente "linear", o que torna fácil fazer desenhos caricatos. Entretanto, como animadores tendem a fechar suas formas com linhas, há uma tendência em traçar somente os contornos externos — como figuras de livros de colorir. Em outras palavras, animadores não costumam desenhar de dentro para fora, como faz um escultor. Escultura sempre foi meu ponto mais fraco — apesar de eu já ter feito um bocado de desenho de modelos-vivos e ter boa base em anatomia elementar.

John Watkiss — então com 23 anos de idade, autodidata, brilhante desenhista e anatomista — dava suas próprias aulas de modelo-vivo em Londres. (Foi um dos principais designers de *Tarzan*, da Disney.) Eu costumava contratar John esporadicamente para fazer a produção da arte-final, e éramos amigos. Frequentei suas aulas noturnas de modelo-vivo e, um dia, John, que era cruelmente honesto, apontou para o meu desenho e disse: "Ei! Você pulou uma etapa!". Eu me senti como uma borboleta encurralada em uma parede. Ele estava certo. Eu sabia exatamente o que ele queria dizer. Estava fraco do ponto de vista escultural. Estava muito linear.

Anos depois, quando deixei a parte "industrial" da animação, reestudei anatomia e trabalhei no desenho de dentro para fora. Avancei de trás para a frente e completei a etapa que me faltava.

Mostrei à minha mãe, ex-ilustradora, vários desses modelos-vivos quando ela estava de cama, pouco antes de morrer. "Andei trabalhando na reconstituição de mim mesmo, mãe, com todos esses desenhos." Ela olhou cuidadosamente para eles por algum tempo, e depois disse: "Muito bom, muito bom… nada novo". Conselho de dentro — de alguém da família — de alguma forma não tem o mesmo impacto que o de alguém de fora. No entanto, minha mãe uma vez disse: "Quando você entrar para a faculdade de arte, vai ver todo mundo sentado praticando como fazer a própria assinatura", e, de fato, lá estavam eles, alguns fazendo justamente isso.

Ela também me deu este grande conselho: "Não tente desenvolver um estilo. Ignore o estilo. Apenas concentre-se no desenho e o estilo vai acontecer".

É claro que há um ponto de vista oposto a toda essa história de "ter de aprender a desenhar".

O grande Tex Avery, mestre da habilidade de conseguir o impossível na animação e fazer o irreal ganhar vida — e o primeiro diretor do Pernalonga e Hortelino — disse:

"Nunca fui um grande artista. Percebi lá no estúdio Lantz que quase todos aqueles camaradas estavam séculos à minha frente. Eu pensei, 'Cara, por que brigar contra isso? Eu nunca vou conseguir o mesmo! Tome uma outra via'. E ainda bem que eu tomei. Nossa, eu curti muito mais do que teria curtido se ficasse animando cenas a vida toda".

Tex parou de animar e se tornou um grande diretor, original e inovador. A seu respeito, o biógrafo John Canemaker disse: "Ao passo que Disney, nos anos 1930, estava tentando convencer a plateia da 'realidade' de seus personagens em seu mundo cinematográfico, criando uma 'ilusão de vida', Tex foi na direção oposta, celebrando o desenho animado como tal, explorando o potencial desse meio em favor do surrealismo". Ele nunca deixava as plateias esquecerem que estavam assistindo a um filme animado.

Tex teve uma carreira de vinte anos com sua abordagem extremamente engraçada, mas viu que era impossível sustentá-la. "Estou esgotado", ele disse. Seu colega, o animador Mike Lah, comentou: "Ele não tinha mais para onde se expandir. Tinha explorado tudo ao máximo".

Eu amo as animações de Tex Avery — seus desenhos e designs de personagens. Seu Droopy é meu personagem animado favorito. Uma das coisas boas ao fazer *Uma cilada para Roger Rabbit* foi emular o humor de Avery — "Mas não tão brutal!", foram minhas instruções. Embora, como disse Milt, "Você precisa cair de cabeça".

Estou convencido de que se os conhecimentos de um animador em desenho são fortes, ele vai ter a versatilidade para ir em todas as diferentes direções possíveis. Será capaz de desenhar qualquer coisa — desde os personagens mais difíceis e realistas aos mais selvagens e insanos. E nem tão cedo vai exaurir seus recursos e sofrer esgotamento.

Por causa de sua excelente habilidade em desenho, Milt Kahl geralmente era encarregado de animar "o Príncipe" ou os personagens mais "sóbrios" da Disney — que, claro, eram os mais difíceis de fazer. Sempre que alguém criticava seu trabalho, ele dizia "Ok, você pode fazer o Príncipe". E a pessoa sumia de vista.

Artistas mais "cartunescos" começaram a comentar que "Milt desenha lindamente, mas só consegue fazer personagens sérios e não dá conta de coisas mais bobas". Então, entre dois longas, Milt animou boa parte de *Um tigre da pesada*, um curta do Pateta. Todos se calaram, e se mantiveram calados. Seu trabalho é um clássico da animação tresloucada.

"Se você consegue desenhar engraçado já é o bastante" é um mito da animação que existe há muito tempo, e parece ainda persistir. Isso porque alguns dos primeiros animadores careciam de habilidades de desenho sofisticado — mas ainda assim eram bem inventivos e excelentes em captar a essência do drama e da atuação.

O mito era que só o que eles precisavam era ter um bom desenhista como assistente para fazer os desenhos finais e tudo estaria bem. Mas, em meados dos anos 1930, quando a nova onda de jovens animadores com melhores habilidades em desenho entrou em cena e aprendeu com os veteranos, o terreno logo ficou repleto de animadores desempregados, que só eram capazes de fazer os desenhos mais grosseiros. A nova leva de desenhistas tirou seus empregos. Se a atual expansão do meio algum dia sofrer contração, é certo que os artistas mais habilidosos serão os sobreviventes.

Bill Tytla — famoso pela animação de Stromboli em *Pinóquio*, do Diabo em "Uma noite no monte Calvo" de *Fantasia*, e de Dumbo com sua mãe — uma vez disse: "Há momentos em que você vai ter de animar coisas que simplesmente não podem ser fofas e bonitinhas. Esses são os momentos em que você vai ter de saber algo sobre desenho. Quer seja chamada de forma, força ou vitalidade, não importa, você terá de incorporá-la a seu trabalho, pois ela será o que você sente, e o desenho é seu meio de expressá-la".

Obviamente, tudo isso não se aplica tanto a animadores de computação gráfica, já que a "maquete" do personagem está plantada na máquina, pronta para ser manipulada. Mas, como a maioria dos principais animadores de computação desenha relativamente bem, muitos trabalham suas poses em pequenos rascunhos, e, claro, os artistas e designers de planejamento, *layout* e storyboard desenham exatamente como seus equivalentes clássicos.

Tive uma experiência angustiante no Canadá quando um amigo me pediu para dar uma palestra de 1 hora em um grande encontro de estudantes de animação digital do ensino médio. Eles tinham uma aparelhagem impressionante de computadores caros, mas, pelo que vi de sua arte, nenhum deles parecia ter qualquer noção de desenho. Durante a palestra enfatizei a importância do desenho e a séria escassez de bons desenhistas.

Um professor grisalho e de ar descontraído interrompeu-me para indagar: "O que quer dizer? Todos nós aqui desenhamos muito bem".

Faltaram-me palavras.

Ao fim da palestra, mostrei-lhes como fazer uma caminhada básica, e, como resultado, fui assediado na saída — os estudantes suplicando-me desesperadamente que os ensinasse mais. Consegui escapar, mas temo que assim esteja a situação por aí — uma carência de treinamento formal e ninguém para passar adiante o "conhecimento".

Você não sabe o que você não sabe.

Um dos problemas que nos assolam hoje é que, no fim dos anos 1960, o desenho realista foi, de forma geral, considerado fora de moda pelo mundo da arte, e ninguém se incomodava mais em aprender.

A Escola de Belas Artes Slade, em Londres, costumava ser famosa em todo o mundo por formar excelentes desenhistas. Um distinto pintor britânico que lecionava na Slade perguntou-me: "Como você aprendeu a fazer animação?". Respondi que tive bastante sorte de ter feito muitos modelos-vivos na faculdade de arte, então, sem me dar conta, adquiri o tino para o peso, que é tão vital para a animação.

Logo depois eu perguntei: "Por que estou lhe contando isso? Você ensina na Slade e ela é famosa por seus desenhos de modelo-vivo e excelentes desenhistas".

"Se os alunos quiserem fazer *isso*", ele disse, "vão ter de se juntar e contratar um modelo e desenhar em suas próprias casas". A princípio eu pensei que ele estivesse brincando — mas não! A disciplina de modelo-vivo não existia mais havia anos. Não estava sequer no currículo!

Tive um amigo de juventude que se tornou uma grande personalidade nos círculos de educação artística. Ele organizava conferências internacionais de artes. Há uns dezesseis anos convidou-me para ir a Amsterdã para uma conferência de reitores das maiores faculdades americanas de arte. Ele sabia bem que eu era inclinado a dizer coisas controversas, por isso fui convidado.

Em minha palestra, lamentei a falta de artistas treinados e talentosos, e disse que o trabalho, no meu próprio estúdio, enfrentava obstáculos porque não conseguíamos encontrar artistas treinados para contratar. Os portfólios dos candidatos eram repletos de texturas, colagens abstratas, rabiscos, e às vezes fotos nuas de si mesmos ou de amigos. Nenhum desenho de verdade. Eu não percebia o quanto isso me afetava e, enquanto falava, quase me vi em lágrimas.

Meu projeto para a campanha publicitária de *The Graduate (A primeira noite de um homem)*, de Mike Nichols. A base em modelo-vivo foi valiosa na hora de desenhar esta simples perna para o logo do filme.

EU SIMPLESMENTE NÃO CONSIGO ENFATIZAR O BASTANTE A IMPORTÂNCIA DO DESENHO DE MODELOS-VIVOS NA ANIMAÇÃO...

Critiquei os reitores das escolas de arte por falharem em seu dever de propiciar habilidades adequadas a seus alunos. Surpreendentemente, quando terminei, os reitores convocaram uma reunião de emergência, para a qual fui convidado. "Veja, Sr. Williams", disseram, "você está certo, mas nós temos dois problemas. O primeiro: já que o desenho clássico foi rejeitado anos atrás, não temos professores treinados que possam desenhar ou ensinar desenho convencional, já que *eles mesmos* nunca aprenderam isso. E o segundo: nossos alunos mais ricos — com quem contamos para obter fundos — não *querem* aprender a desenhar. Preferem ornamentar a si mesmos como obras de arte vivas — e é exatamente o que fazem".

Então eu disse: "Vejam, tudo o que sei é que não consigo encontrar gente para contratar ou treinar; fora isso, não sei o que vocês podem fazer".

Eles responderam: "Nem nós".

Ultimamente a coisa melhorou um pouco. O chamado desenho clássico parece estar voltando, mas com uma abordagem fotográfica hiper-realista, porque os artistas capacitados estão em escassez. Sombreado não é desenho, nem é realismo.

Desenhar bem não é copiar a *superfície*. Tem a ver com compreensão e expressão. Não queremos aprender a desenhar bem só para sermos obrigados a ostentar nosso conhecimento em articulações e músculos. Queremos captar o tipo de realidade que uma câmera *não consegue*. Queremos acentuar e suprimir aspectos da personalidade do modelo para torná-lo mais vívido. E queremos desenvolver a coordenação para sermos capazes de transferir nosso cérebro para a ponta do lápis.

Muitos cartunistas e animadores dizem que a razão de fazerem desenhos caricatos é a de *se distanciar* do realismo e do mundo real em direção aos mundos livres da imaginação. E salientam, corretamente, que muitos dos animais de desenhos animados não parecem animais — são designs, construções mentais. Mickey não é um camundongo, Frajola não é um gato. Eles parecem mais palhaços de circo do que animais. Frank Thomas sempre dizia: "Se você visse a Dama e o Vagabundo andando pela rua, de jeito nenhum acharia que são cães de verdade".

Mas, para fazer esses designs funcionarem, os *movimentos* têm de ser críveis — o que nos leva de volta ao realismo e às ações reais, os quais, por sua vez, nos levam de volta ao estudo da figura humana e animal para a compreensão de sua estrutura e dos movimentos. O que queremos alcançar não é o realismo, é a *credibilidade*.

Ainda que Tex Avery tivesse liberado o animador de uma abordagem mais literal a fim de fazer o impossível, ele só foi bem-sucedido porque sua animação era feita em maior parte por egressos da Disney que já possuíam "o conhecimento Disney" sobre articulação, peso, etc. Então, ironicamente, sua rebeldia, sua atitude de "tomar uma outra via" teve base no conhecimento subjacente do realismo.

Mas não confunda um desenho com um mapa! Estamos animando *massas*, não linhas. Portanto, temos de entender como a massa funciona na realidade. Para que possamos sair da realidade, nosso trabalho precisa ser baseado *na própria* realidade.

34

TUDO É UMA QUESTÃO DE TEMPO E DE ESPAÇO

Conheci Grim Natwick (nascido Myron Nordveig) em um porão de Hollywood quando ele já tinha seus 80 anos. Grim era o mais velho dos grandes animadores, estando já em seus 40 anos quando animou 83 cenas da Branca de Neve em *Branca de Neve e os Sete Anões*, da Disney. Antes, ele havia feito o design de Betty Boop para Max Fleischer, serviço pelo qual não recebeu nada, o que o deixou furioso até o dia de sua morte, aos 100 anos.

Nunca vou me esquecer da imagem desse grande americano norueguês sentado à luz do crepúsculo dourado, estendendo seus longos braços e mãos de espátula, dizendo…

Uma bola quicando diz tudo.

O bom e velho exemplo da bola quicando geralmente é usado porque mostra vários aspectos distintos da animação.

Uma bola vai quicando,

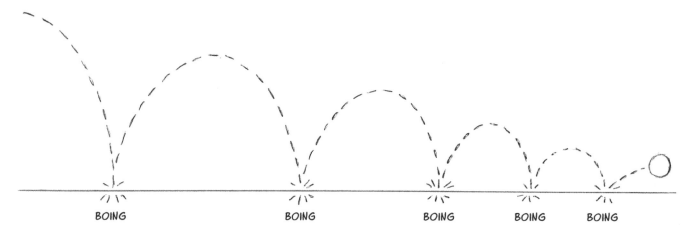

e os pontos onde ela toca o chão — os "boings" — marcam o *tempo*. Os impactos — onde a bola está atingindo o chão — são o *tempo* da ação, o ritmo em que as coisas acontecem, em que as "ênfases" ou "batidas" ou "quiques" acontecem.

E há também o *espaço*.

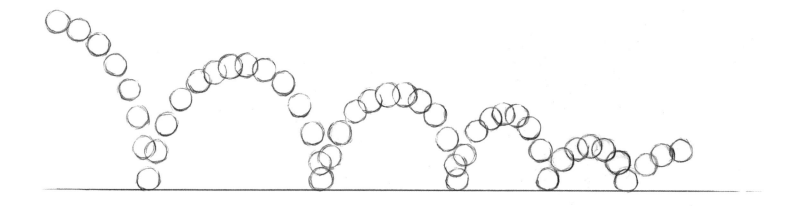

As representações da bola se sobrepõem na parte mais lenta do arco, mas quando ela cai rapidamente, a distância entre essas representações aumenta. Isso é o *espaçamento*, que também é demarcado pela distância entre um arco e outro. E é isso. Simples, mas importante. O espaçamento é a parte capciosa. O bom uso do espaço na animação é algo raro.

Então temos:

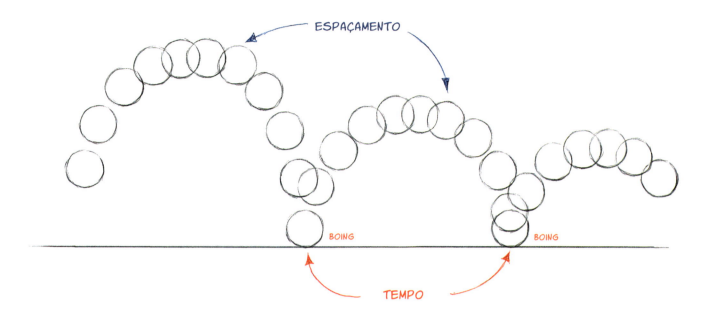

Os dois elementos básicos da animação.

Para ter uma experiência concreta, pegue uma moeda e filme-a frame a frame com uma câmera de vídeo.

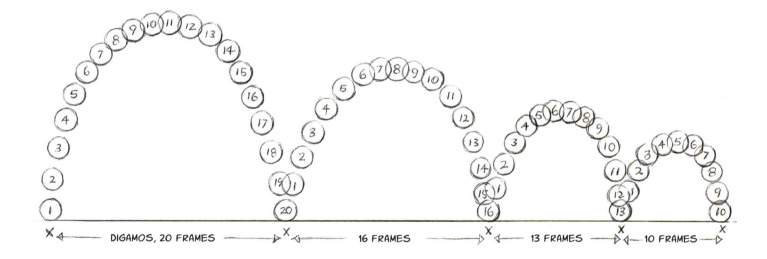

Primeiro, planeje os *tempos* — os pontos em que você quer que a moeda atinja o chão. Então, mova-a um pouco — tirando uma foto a cada posição — e observe o que parece mais correto ou equivocado. Experimente diferentes tempos e espaços. Você já está animando. Já está lidando com os fundamentos importantes, sem nem ter feito ainda um desenho sequer. Está fazendo pura animação sem qualquer desenho.

37

Implícito nesse simples teste está o peso do objeto — é leve ou pesado; do que é feito? Ele é grande ou pequeno, move-se rápido ou devagar? Tudo isso vai vir à tona se você fizer vários testes — que só levam alguns minutos para fazer. A importância do tempo e do espaço será óbvia.

E porque foi *você* quem animou, um pouco de sua personalidade vai permear a ação — se o objeto é resoluto, lento, vivaz, irregular, cauteloso, até mesmo otimista ou pessimista.

Tudo isso antes que você tenha feito um único desenho. O que revela quão importante e determinante é o uso do tempo e do espaço. Mesmo se as posições fossem desenhadas em detalhes por Michelangelo ou Leonardo da Vinci, o tempo e o espaçamento dos desenhos ainda seriam predominantes.

Outra maneira interessante de experimentar a diferença entre tempo e espaço é assim:

Vamos colocar uma moeda sob uma câmera de vídeo e movê-la de um lado a outro da tela em um segundo — 24 frames de uma câmera padrão. Este vai ser nosso *tempo*.

Vamos espaçá-los em intervalos iguais — e isso vai ser nosso *espaçamento*.

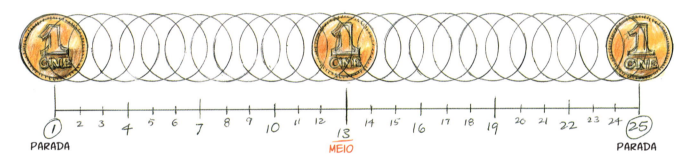

Agora vamos manter o mesmo *tempo* — novamente levando um segundo para a moeda mover-se ao longo da tela. Mas vamos mudar o *espaçamento*, acelerando aos poucos a partir da posição nº 1 e desacelerando gradualmente até a posição nº 25.

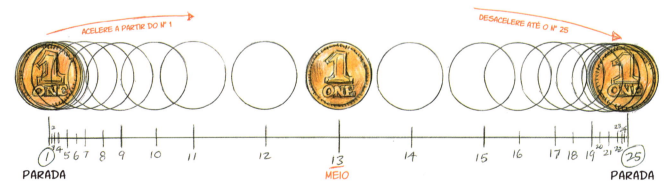

Ainda leva um segundo para a moeda chegar até a posição nº 25. O tempo é o mesmo — mas o movimento é bem diferente do primeiro, porque o uso do espaço é diferente. As duas ações começam juntas — e ambas chegam ao meio juntas — mas o espaçamento é outro. Por isso, a ação é bem diferente.

38

Pode-se dizer que a animação é a arte do uso do tempo (ou *"timing"*). Mas poderíamos dizer isso de qualquer filme.

Os mais brilhantes mestres do *timing* foram os comediantes do cinema mudo: Charles Chaplin, Buster Keaton, Laurel e Hardy.

Certamente, para um diretor de cinema, o bom uso do tempo é a coisa mais importante. Para um animador, é só metade da batalha. Precisamos do espaço também. Podemos até ter um senso natural de *timing*, mas temos de aprender os espaços que as coisas exigem.

Mais um detalhe: o exemplo da bola que quica costuma ser usado ainda para mostrar "achatamento e alongamento" na animação — isto é, a bola alonga-se ao cair, fica achatada com o impacto no chão e depois volta à sua forma normal no trecho mais lento de seu arco.

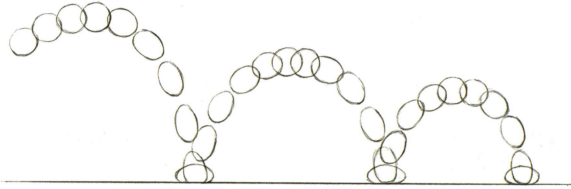

Ela *poderia* alongar-se e achatar-se dessa maneira se fosse uma bola bem mole sem muito ar por dentro, mas o que descobri é que você pode conseguir um efeito suficientemente bom com uma moeda rígida — *desde que* seu espaçamento esteja correto —, então essa técnica extra nem sempre é necessária. Certamente, uma bola rígida de golfe não vai ficar achatando-se por aí. Em outras palavras, se você abusar do "estica e puxa", tudo vai ficar muito "molenga", como se fosse feito de borracha. A vida não é assim. Pelo menos não a maior parte dela. Falaremos mais sobre isso depois.

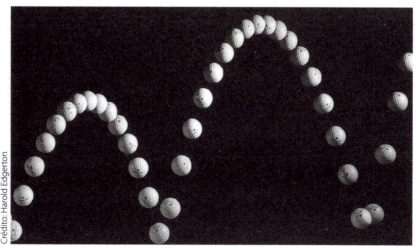

Bola de golfe quicando, 1951.

Tendo estabelecido esses pontos, vamos à lição nº 1:

Fotogramas de *Um conto de Natal*, de Charles Dickens, 1972. Começando a ficar melhores. Eu ganhei meu primeiro Oscar com esse filme de meia hora, feito diretamente para a TV. Ninguém diria que a maior parte do curta foi desenhada por animadores do Pernalonga! Ele não poderia ter sido feito sem Ken Harris, que carregou o fardo de animar o personagem Scrooge. Perto do fim, Chuck Jones (o produtor executivo) concedeu-nos Abe Levitow, pouco conhecido, mas grande animador com qualidades majestosas. Tivemos também a ajuda dos alunos da Disney, George Nicholas e Hal Ambro. Meus leais escudeiros foram Richard Purdum, Sergio Simonetti e Roy Naisbitt.

LIÇÃO Nº 1

DESCONECTE-SE!

Desconecte-se! Tire seus fones de ouvido! Desligue o rádio! Retire o CD! Feche a porta.

Assim como muitos artistas, eu tinha o hábito de ouvir música clássica ou jazz enquanto trabalhava. Em uma de minhas primeiras visitas a Milt Kahl, inocentemente perguntei:

Já que partiu de um gênio, deixou uma baita impressão em mim. Depois disso, aprendi a encarar o silêncio e a pensar antes de sair rabiscando. Minha animação melhorou imediatamente.

E foi o caso de muitos artistas quando passei esse conhecimento adiante. Recentemente, dois animadores de computação gráfica que antes eram viciados em som ficaram chocados ao constatar que seus colegas super conectados zombavam deles por não terem fios saindo de suas orelhas. Mas ficaram ainda mais surpresos com a melhoria gritante em seu trabalho.

…fim da primeira lição.

"Animação é concentração". Retrato do artista depois de receber a lição nº 1.

TM & © Warner Bros.

RETROCEDENDO A 1940

Vamos retroceder para abordar o ponto em que os animadores estavam durante a "Era de Ouro". E vamos adiante a partir daí — para podermos fazer coisas novas.

Precisamos começar do básico.

Todo mundo quer decorar a casa com peças interessantes antes de construir os alicerces e suportes. Todo mundo quer pular para a parte sofisticada — passando por cima do velho e monótono trabalho de base.

Mas é a compreensão profunda do básico que produz a verdadeira sofisticação.

Como disse Art Babbitt:

"O conhecimento usado para fazer pequenos desenhos ganharem vida está nos primórdios da Disney. Ninguém nos ensinou como articular aqueles personagens fantásticos. Tivemos de descobrir a mecânica por nós mesmos e propagá-la entre nós. Existem muitos estilos, mas a mecânica da velha animação Disney permanece".

Eles já tinham solucionado tudo em 1940, na época em que *Pinóquio* foi lançado.

Era um sistema maravilhoso — preciso e *simples*.

Primeiro vamos estudá-lo parte por parte — e depois vamos juntar tudo.

HISTÓRIA DO GRÁFICO E DA INTERVALAÇÃO

Ocorreu algo muito interessante quando trabalhávamos com Grim Natwick. Ele era tão velho que a cada dia tendia a retroceder a um período profissional diferente de sua vida: um dia chegava e fazia animação circular e "borrachuda" dos anos 1920; no dia seguinte, estava em uma fase "Branca de Neve", de 1936, fazendo um monte de movimentos suaves; no outro dia, eram ações físicas e bem definidas, com várias poses estáticas, de seu período "Mr. Magoo" da UPA de 1950; depois, fazia tão poucos desenhos quanto possível, como se estivesse animando um comercial de TV dos anos 1960, e no outro dia voltava ao estilo afetado de *Fantasia*.

Um dia eu o encontrei desenhando em um estilo antigo — algo assim:

Ele não estava só mostrando o arco da ação — estava indicando todos os diferentes espaçamentos em seu desenho.

Subitamente, percebi que esta era provavelmente a origem dos gráficos que os animadores punham nas beiradas de seus desenhos.

Ex.:

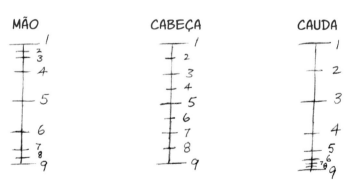

Perguntei: "Ei, Grim, esses gráficos foram simplesmente se movendo para o canto da página, para longe dos desenhos?".

Um olhar distante apareceu em seus olhos — "… Sim…".

Nos anos 1920, os animadores faziam a maior parte do trabalho por conta própria. Dick Huemer era o maior animador de Nova York e estava trabalhando para Max e Dave Fleischer em sua série *Mutt e Jeff*. Dick contou-me que disseram a ele: "Seu trabalho é excelente, mas não conseguiremos ter o suficiente a tempo". Então Dick lhes disse: "Deem-me alguém que faça os intervalos entre os desenhos e eu vou fazer o triplo do trabalho". E esta foi a invenção do cargo de "intervalador".

Dick contou mais tarde em uma entrevista que o intervalador foi ideia dos Fleischer e que ele só concordou com ela. Mas *para mim* disse que na verdade foi ele quem inventou a intervalação e o intervalador (que é o ajudante ou assistente).

Os desenhos principais ou poses das extremidades receberam o nome de *extremos*, e os desenhos entre os extremos foram chamados de *intervalos*.

O gráfico mostra o espaçamento.

Vamos inserir três intervalos igualmente espaçados entre os extremos.

O número 3 está exatamente a meio caminho entre o 1 e o 5. Depois, colocamos o número 2 bem no meio de 1 e 3 — e o número 4 entre 3 e 5. Assim obtemos intervalos espaçados igualmente.

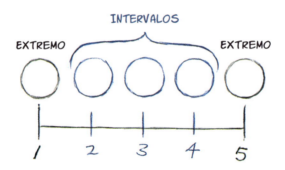

EXTREMOS E POSES DE PASSAGEM

Vejamos o exemplo de um pêndulo que balança: os extremos são os pontos em que há uma mudança na direção — as extremidades da ação, onde a direção muda.

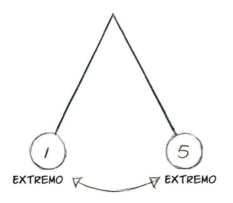

Como o fio do pêndulo mantém seu comprimento à medida que balança, a posição do meio cria um arco na ação. Podemos ver quão importante será para nós esta posição do meio entre os dois extremos.

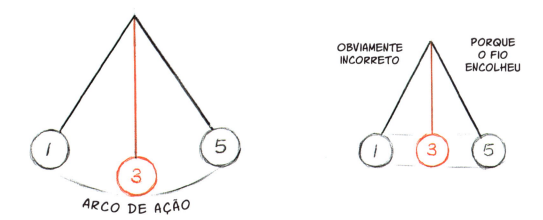

A importância dessa posição do meio é óbvia. Nos anos 1930, ela foi chamada de *"breakdown"*, ou "pose de passagem" entre dois extremos.

Vamos adicionar dois intervalos.

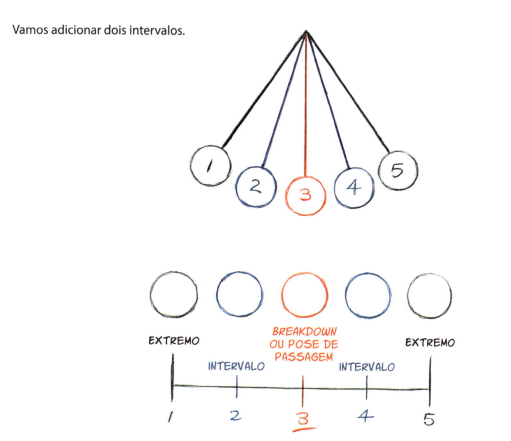

Alguns animadores sublinham a pose de passagem (ou *breakdown*), porque ela é muito importante para a ação. Eu tenho o hábito de fazer isso por ser uma posição crucial para nos ajudar a inventar. Vamos fazer um tremendo uso dessa posição intermediária logo mais...

Se quisermos fazer nosso pêndulo acelerar e desacelerar considerando as posições extremas, vamos precisar de mais alguns intervalos:

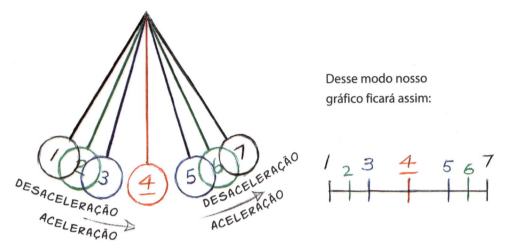

Desse modo nosso gráfico ficará assim:

O que estamos fazendo é acelerar a partir do primeiro extremo e desacelerar até o último. A terminologia clássica é *"slowing in"* para desaceleração e *"slowing out"* para aceleração, mas eu prefiro os termos dos animadores digitais de hoje, *"ease in"* (desaceleração) e *"ease out"* (aceleração).

Para tornar ainda mais lenta a ação nos extremos, vamos adicionar mais alguns intervalos.

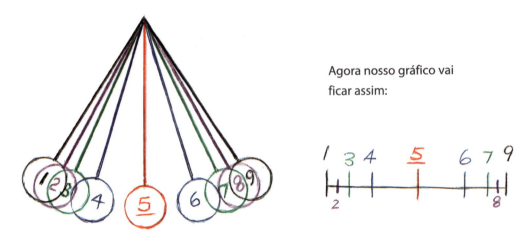

Agora nosso gráfico vai ficar assim:

Ken Harris sempre chamava isso de "amortecimento" — o que é um bom jeito de sintetizar o que vemos.

O mestre animador Eric Larson — que se tornou instrutor dos jovens animadores da Disney — diz que o que a animação deve apresentar é uma mudança na forma.

Então, vamos mudar de uma mão fechada para um dedo que aponta.

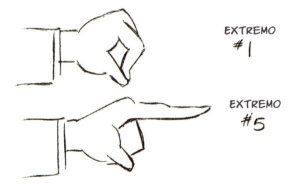

Se acelerarmos a partir do nº 1 para apontar no nº 5, o gráfico vai ser:

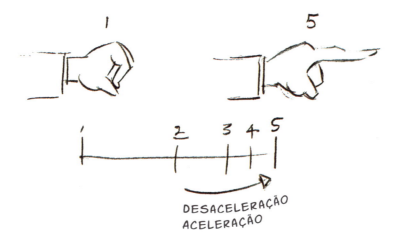

Por outro lado, se começarmos subitamente, a partir da mão fechada, e formos desacelerando ou "amortecendo" até o dedo que aponta, o gráfico vai ser:

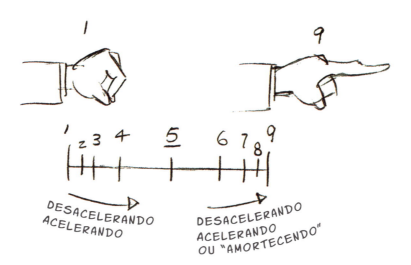

Para uma ação mais lenta e relaxada, poderíamos acrescentar mais intervalos e acelerar a partir da mão fechada, aumentar a velocidade no meio, e depois desacelerar até a mão que aponta.

O animador pode se safar ao desenhar só as duas posições extremas e fazer um gráfico para o assistente preencher todos os intervalos.

Eu fui mal-acostumado por ter aprendido com animadores de Hollywood, maravilhosos e esforçados, e tive alguns choques quando fui trabalhar com alguns meros mortais.

Eis aqui como um animador de Hollywood cheio de macetes driblaria o trabalho:

Um personagem entra à esquerda da tela…   … e sai pela direita.

Andar ao longo da tela vai levar 4 segundos — 96 frames. Aí o animador faz os desenhos n° 1 e n° 96, dá o gráfico para seu assistente e sai para jogar tênis. No dia seguinte, volta e culpa o assistente pelo terrível resultado.

Pode parecer exagerado, mas isso de fato acontece.

Prosseguindo — sabemos que os extremos e as poses de passagem são cruciais para o resultado, mas os intervalos também são bem importantes.

O cálculo do computador gera intervalos perfeitos, mas, para as pessoas que desenham, conseguir bons intervalos pode ser um verdadeiro problema.

Grim Natwick entoava constantemente: "Intervalos ruins podem matar a melhor das animações".

Em 1934, quando o novato Milt Kahl — que acabava de entrar na Disney — conheceu o grande Bill Tytla, ele disse a Tytla que estava trabalhando no departamento de intervalação. Tytla ladrou: "Ah, é? E quantas cenas já estragou até agora?".

Assim como a maioria dos principiantes, eu fazia todos os meus intervalos. Um dia consegui meu primeiro emprego "oficial" animando na UPA, em Londres. Eles me deram um assistente inexperiente, que desenhava bem, mas... eis o que aconteceu:

Tínhamos um personagem simples da época, uma menininha chamada Aurora, que anunciava o suco de laranja Kia Ora. "Onde está o Kia Ora, Aurora?"

Ela tinha esta carinha.

Fiz os desenhos 1, 3 e 5, e meu assistente completou com os intervalos 2 e 4.

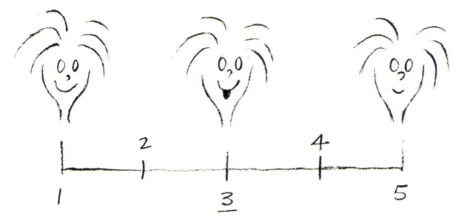

Ele tinha ambições como designer e não gostava de olhos ovais, assim:

Gostava de olhos circulares, como *estes*:

Então seus intervalos ficaram todos assim:

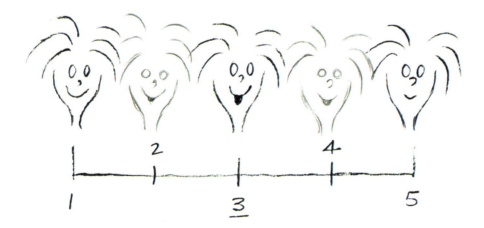

O resultado na tela, claro, foi este:

Muita tremedeira.

53

Como acontece muito em produções nas quais estamos correndo contra o prazo, acabamos por contratar qualquer um na rua que saiba segurar um lápis. E é isto o que acontece:

Digamos que um ator real esteja segurando um copo de café —

Um intervalador assim não entende de perspectiva simples — então a borda curva do copo é desenhada de forma *reta* nos intervalos.

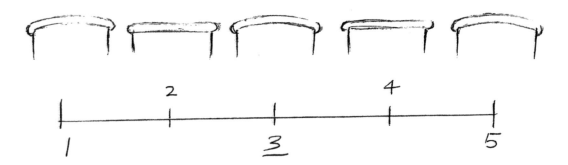

Resultado: muita oscilação. Tremedeira. Muita tremedeira.

E se já é trêmulo assim com uma coisa simples, imagine como ficaria ao lidarmos com desenhos complexos. Todas as formas vão entrar em uma dança de espasmos. Por isso, o trabalho do assistente ou intervalador na verdade é o *controle do volume*.

Muitos assistentes preocupam-se com a qualidade de seu traço — buscando deixá-lo no mesmo nível de qualidade do traço do animador. Eu sempre ressalto que não liguem para a qualidade do traço — mas que acertem nos volumes. Manter consistentes as formas e os volumes = controle do volume! Quando dermos o colorido, o que veremos são as formas — são elas que predominam.

Nos momentos em que estávamos sob pressão e sem ajudantes capacitados, descobrimos que quando o número de desenhos bons supera os ruins em uma proporção de três para dois, conseguimos obter, raspando, um resultado aceitável.

Quando temos só dois desenhos bons para três ruins, os ruins superam os bons e o resultado é detestável.

Se a pose de passagem (*breakdown*) estiver incorreta, todos os intervalos estarão também.

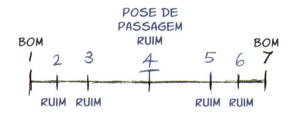

Quando não somos precisos, eis o que acontece: o animador fornece um gráfico e pede intervalos igualmente espaçados. Aqui estão eles no lugar certo.

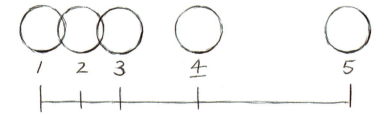

Mas digamos que o assistente coloque a pose de passagem (*breakdown*) levemente afastada do lugar correto —

55

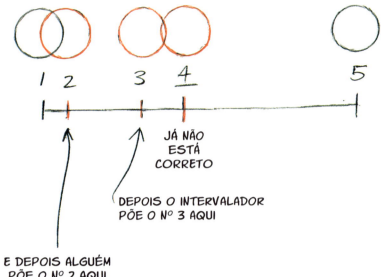

Então: 4 está incorreto.

3 piora o erro.

2 agrava o erro ainda mais.

E em vez de terminarmos com ações fluidas, como esta —

— vamos acabar com essa coisa toda bagunçada.

Algo que um animador *nunca* deve fazer é deixar que seu assistente faça "terços".

Se precisarmos dividir o gráfico em terços —

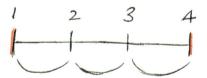

— o animador deve fazer ele próprio um dos intervalos —

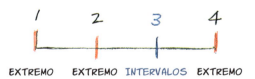

— para que o assistente coloque só a posição restante no meio.

Deixar terços para o assistente é cruel e é pedir para ter problemas — mas é razoável fazer um gráfico como este, que pede um intervalo bem próximo a um extremo:

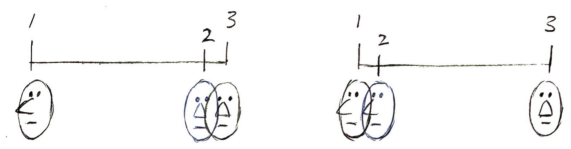

FAÇA UM INTERVALO PRÓXIMO AO 3   FAÇA UM INTERVALO PRÓXIMO AO 1

FAÇA UM INTERVALO PRÓXIMO AO 1   FAÇA OUTRO INTERVALO PRÓXIMO AO 4

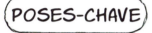

POSES-CHAVE

E agora chegamos à "grande doença dos círculos". Por algum motivo, os animadores simplesmente adoram círculos. Gostamos de circular os números em nossos desenhos. Talvez seja porque, como dizia o velho Grim Natwick, "curvas são bonitas de olhar". Ou talvez seja só um lance criativamente lúdico.

Uma vez trabalhei com um animador polonês que circulava todos os desenhos que fazia!

"É animação, cara! Circular, circular, circular!"

Você vai notar que até agora eu não circulei *nenhuma* posição extrema. Nesse sistema bem simples de trabalho desenvolvido nos anos 1940, os extremos *não* são circulados, mas o desenho-chave *sim*. Os desenhos que *são* circulados são chamados "poses-chave".

Pergunta: o que é uma pose-chave?

Resposta: o desenho que conta a história. O desenho ou desenhos que mostram o que está acontecendo na cena.

Se um homem triste vê ou ouve algo que o deixa feliz, precisaríamos somente de duas poses para contar a história.

Essas são as poses-chave e nós as circulamos.

Esses são os desenhos que fazemos primeiro. Como passar de um a outro de uma forma que seja interessante é justamente o assunto deste livro.

Tomemos um exemplo mais complexo:

Digamos que um homem caminha em direção a um quadro, pega um giz no chão e escreve algo nesse quadro.

Se fosse uma tirinha em quadrinhos ou se quiséssemos mostrar o que está acontecendo em um storyboard, precisaríamos somente de três posições. Vamos usar bonecos de palitos simples para não nos perder em detalhes. Essas três posições serão nossas poses-chave e nós vamos circulá-las.

As poses-chave contam a história. Todos os outros desenhos ou posições que teremos de fazer para dar vida ao boneco serão extremos (não circulados): os contatos dos pés no chão, as poses de passagem e os intervalos.

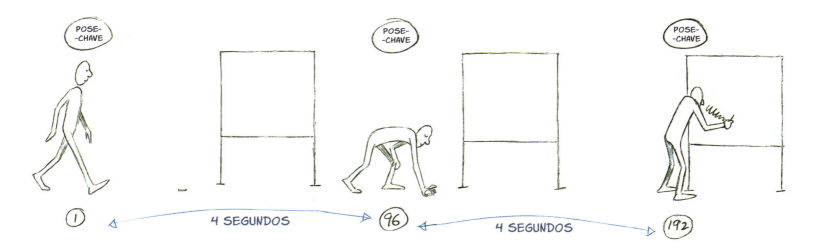

Se contarmos em um cronômetro o tempo dessa ação, vamos ver que nossa primeira pose-chave no início vai ser o desenho nº 1. Digamos que andar e entrar em contato com o giz no chão leve 4 segundos — nós circularíamos como a segunda pose-chave o desenho nº 96. E quando ele levantar, andar mais e escrever algo, isso deve levar mais 4 segundos — então nossa terceira pose-chave pode ser o último desenho da cena — nº 192. A tomada inteira levaria, no caso, 8 segundos.

Não precisamos, evidentemente, decidir o tempo primeiro, mas antes de mergulharmos no "País da Animação" com todo esse material, temos de definir claramente com nossas poses-chave o que é que vamos *fazer* — e poderemos testar nossos três desenhos em filme, vídeo ou computador.

Não lidamos ainda com a questão de como o personagem se movimenta — se é velho ou jovem, gordo ou magro, alto ou baixo, preocupado ou alegre, bonito ou feio, rico ou pobre, cauteloso ou confiante, erudito ou iletrado, veloz ou lento, recalcado ou desinibido, manco ou em forma, calmo ou desesperado, preguiçoso ou enérgico, decrépito ou doente, bêbado ou assustado, ou se é um vilão sem coração ou uma pessoa simpática — em outras palavras, tudo o que diz respeito à atuação, além dos adornos — roupas, expressões faciais, etc.

Mas o que nós *fizemos* foi tornar bem claro o que *acontece* na cena antes de começarmos.

Se criássemos um gráfico esquemático da cena toda, ele ficaria assim:

Os animadores importantes são chamados de animadores-chave, e o que dizem por aí é que eles só desenham as poses-chave — qualquer coisa que desenhem é uma pose-chave — e os assistentes escravos completam o resto de acordo com os pequenos gráficos fornecidos por eles. Errado. Um animador-chave é simplesmente como um executivo — um executivo importante.

Muitos bons animadores chamam seus extremos de "poses-chave" — eu costumava chamar. Mas a vida fica muito mais fácil se você separa as poses-chave dos extremos. De fato, nunca ouvi Ken Harris chamar um desenho de pose-chave, mas ele dizia: "Desenhe *este* primeiro. *Este* é um desenho importante". E era uma pose-chave, na verdade.

Já trabalhei com toda espécie de sistemas, bons, ruins ou meia-boca, e a experiência me convenceu de que é melhor — até mesmo crucial — separar as chaves que contam a história dos extremos e de todo o resto. (Claro, em nosso exemplo anterior, as três poses-chave servem também como extremos.) Fazer essa separação ajuda a evitar que fiquemos enrolados ou percamos de vista o sentido da cena, à medida que mergulhamos em uma miríade de desenhos e poses.

Pode haver muitas poses-chave em uma cena — ou talvez só uma ou duas — dependendo da cena (do que ela trata) e de qual é a sua duração. As poses-chave são tudo o que for necessário para esclarecer a cena, para prever o que está para ocorrer.

Você pode dedicar tempo a essas poses-chave.

Lembro que uma vez visitei Frank Thomas e ele estava desenhando um gato. "Maldição", ele disse, "passei o dia todo trabalhando nesse desenho — tentando acertar sua expressão".

Fiquei chocado. O dia todo! Uau! Foi a primeira vez que vi alguém trabalhando com tanto esmero em um único desenho. Como ele iria sequer terminar a cena? Finalmente, a ficha caiu. "É claro, estúpido, é uma *pose-chave*! A coisa mais importante na cena! *Esse* desenho ele tem de acertar!"

Foi encorajador ver alguém tão genial lutando para conseguir tal precisão!

TRÊS MANEIRAS DE ANIMAR

1. O modo natural, chamado de **ANIMAÇÃO DIRETA**

Simplesmente começamos a desenhar e vemos o que acontece — como uma criança desenhando nos cantos das páginas de um livro escolar — e depois escrevemos os números.

O diretor e animador Woolie Reitherman, da Disney, disse: "Quando não sabia o que estava fazendo em uma ação, eu sempre fazia animação direta. Começava animando 'em uns'. Metade do tempo eu não sabia o que estava fazendo. Para mim, é divertido. Você descobre algo que não descobriria de outra forma".

VANTAGENS

— OBTEMOS UM FLUXO NATURAL DE AÇÃO FLUIDA E ESPONTÂNEA.

— TEMOS A VITALIDADE DO IMPROVISO.

— É MUITO "CRIATIVO" — SEGUIMOS UM FLUXO, CONDUZINDO TODA A AÇÃO À MEDIDA QUE VAI SURGINDO.

— A MENTE SUBCONSCIENTE COSTUMA MANIFESTAR-SE: COMO OS AUTORES QUE AFIRMAM QUE SEUS PERSONAGENS LHES DIZEM O QUE VAI ACONTECER.

— PODE PRODUZIR SURPRESAS — "ENCANTAMENTO".

— É DIVERTIDO.

DESVANTAGENS

— OS ELEMENTOS COMEÇAM A VAGAR SEM RUMO.

— O TEMPO SE EXPANDE E A CENA FICA MAIS E MAIS LONGA.

— PERSONAGENS AUMENTAM E DIMINUEM.

— TENDEMOS A PERDER DE VISTA O SENTIDO DA CENA E NÃO CHEGAR AO LUGAR CERTO NO MOMENTO DEVIDO.

— O DIRETOR NOS ODEIA PORQUE NÃO PODE VER O QUE ESTÁ ACONTECENDO.

— DÁ MUITO TRABALHO LIMPAR A BAGUNÇA DEPOIS — E É DIFÍCIL DAR ASSISTÊNCIA.

— SAI CARO — E O PRODUTOR NOS ODEIA POR ISSO.

— PODE SER DESAFIADOR PARA ARTISTAS COM NERVOS À FLOR DA PELE E EM MOMENTOS DE CRISE NERVOSA, ESPECIALMENTE COM PRAZOS PAIRANDO SOBRE NÓS — JÁ QUE EM TERMOS CRIATIVOS ESTAMOS NOS DEBATENDO NO VAZIO.

2. O modo planejado, chamado de (**POSE A POSE**)

Primeiro, decidimos quais são os desenhos mais importantes — os que contam a história, as poses-chave — e os fazemos. A seguir, decidimos quais são as próximas posições mais importantes que devem estar na cena. Estes são os extremos, e nós os acrescentamos — e também qualquer outra pose importante. Depois, pensamos em como ir de uma pose a outra, encontrando a melhor transição entre as duas. Estes são os *breakdowns* ou poses de passagem. E por fim podemos construir objetivamente gráficos bem definidos para amortecer, acelerar e desacelerar as posições e acrescentar os toques finais ou indicações para o assistente.

Para ilustrar quão eficaz é o método pose a pose, o brilhante diretor de arte e designer da Disney, Ken Anderson, contou-me que, quando estava fazendo desenhos de *layout* dos personagens para os animadores de *Branca de Neve e os Sete Anões*, desenhou várias e várias poses-chave do Zangado para cada cena. Os desenhos de Ken foram dados a um dos animadores do Zangado. Ken descobriu mais tarde que o sujeito só colocou os gráficos nos desenhos, entregou-os a seus assistentes e saiu para almoçar, e ganhou o crédito por algo que, na verdade, era a excelente animação de Ken.

VANTAGENS

— OBTEMOS CLAREZA.

— O OBJETIVO DA CENA É DISTINTO E CLARO.

— É ESTRUTURADO, CALCULADO, LÓGICO.

— TEMOS DESENHOS BEM FEITOS E EM POSIÇÕES CLARAMENTE LEGÍVEIS.

— TUDO FICA EM ORDEM — AS COISAS CERTAS ACONTECEM NO MOMENTO E NO LUGAR CERTOS DENTRO DO TEMPO TOTAL PREVISTO.

— O DIRETOR NOS AMA.

— É FÁCIL DAR ASSISTÊNCIA.

— É UM JEITO RÁPIDO DE TRABALHAR E NOS LIBERA PARA FAZER MAIS CENAS.

— O PRODUTOR NOS ADORA.

— MANTEMOS A SANIDADE, NÃO FICAMOS O TEMPO TODO DE CABELO EM PÉ.

— GANHAMOS MAIS DINHEIRO, JÁ QUE SOMOS VISTOS COMO PESSOAS RESPONSÁVEIS E NÃO ARTISTAS MALUCOS.

— PRODUTORES PRECISAM ENTREGAR DENTRO DO PRAZO E DA VERBA, PORTANTO, BRILHANTISMO NÃO É TÃO BEM RECOMPENSADO QUANTO CONFIABILIDADE. FALO POR EXPERIÊNCIA PRÓPRIA, TENDO TRABALHADO DOS DOIS LADOS DA MESA. ELES NÃO NOS PAGAM PELA "MAGIA". PAGAM-NOS PELA ENTREGA.

DESVANTAGENS

— PORÉM — E ESTE É UM GRANDE PORÉM: PERDEMOS O SENSO DE FLUIDEZ.

— A AÇÃO PODE FICAR UM POUCO PICOTADA, NÃO MUITO NATURAL.

— SE CORRIGIRMOS ISSO ADICIONANDO MUITAS AÇÕES SOBREPOSTAS, PODEMOS FACILMENTE IR NA DIREÇÃO OPOSTA E DEIXAR TUDO MUITO BORRACHUDO E MOLENGA — IGUALMENTE ARTIFICIAL.

— PODE FICAR LITERAL DEMAIS — UM TANTO FRIO, SEM SURPRESAS.

— ONDE FICA A MAGIA?

Então é bem óbvio que o melhor modo de trabalhar será:

3. **UMA COMBINAÇÃO ENTRE ANIMAÇÃO DIRETA E POSE A POSE**

Primeiro, planejamos em pequenos rascunhos o que vamos fazer. (Também é uma boa ideia fazer o mesmo com os outros dois métodos.)

A seguir, fazemos os desenhos principais — os que contam a história, as poses-chave. Depois, acrescentamos outros desenhos importantes que *precisam* estar lá, como antecipações ou contatos das mãos e dos pés, e os extremos. Agora temos a estrutura, tal como no sistema pose a pose.

Mas agora usamos estas poses-chave e extremos importantes como *guias* para os objetivos que queremos alcançar. Depois de ter o esquema geral, comece novamente. *Faça uma coisa de cada vez.* Vamos fazer animação direta por cima desses desenhos-guia, improvisando livremente à medida que avançamos.

Vamos fazer *várias* passagens de animação direta em partes diferentes, atacando o mais importante primeiro. Podemos ter de alterar e revisar partes das poses-chave e extremos enquanto progredimos, apagando alguns pedaços e redesenhando-os ou substituindo-os.

Ou seja: fazemos uma passagem de animação direta em uma parte principal.

Depois, pegamos uma parte secundária e fazemos animação direta.

A seguir, tomamos uma terceira parte e fazemos também animação direta.

Depois a quarta parte, etc.

E adicionamos cabelos ou rabos ou roupas largas ou partes frouxas no final.

VANTAGENS

— TRABALHAR DESSA FORMA COMBINA O PLANEJAMENTO ESTRUTURADO DA ANIMAÇÃO POSE A POSE COM O FLUXO NATURAL E LIVRE DA ABORDAGEM DIRETA.

— É UM EQUILÍBRIO ENTRE PLANEJAMENTO E ESPONTANEIDADE.

— É UM EQUILÍBRIO ENTRE SANGUE FRIO E PAIXÃO.

DESVANTAGENS

— NENHUMA QUE EU SAIBA...

Vejamos novamente nosso homem indo para o quadro negro.

O que eu faço primeiro?

Resposta: as poses-chave — os desenhos ou posições que contam a narrativa e *têm* de estar lá para mostrar o que está acontecendo. Coloque-as onde você pode ver… para que sejam *legíveis*.

O que fazemos a seguir?

Resposta: quaisquer outros desenhos que *precisem* estar na cena. Evidentemente, ele precisa dar alguns passos para chegar até o giz, então inserimos as posições de "contato" dos pés, nas etapas em que os pés começam a tocar o chão.

Não há peso aplicado a eles ainda — o calcanhar está começando a entrar em contato com o chão. Assim como os dedos tocando o giz — eles não se fecharam sobre o giz ainda.

Se encenarmos a ação, podemos descobrir que ele precisa de cinco passos para chegar ao giz e se abaixar. Reparei que, quando enceno, automaticamente puxo para cima a calça da minha perna esquerda quando vou abaixar, e ponho a mão no joelho antes que a outra mão toque o giz. Eu faria um extremo onde a mão toca a perna — antes de puxar a calça.

Esses serão nossos extremos. Estamos só rascunhando as coisas de leve — embora já tenhamos desenhos--chave bem caprichados. (Não estão aqui, porque estou mantendo a simplicidade para fins de clareza.)

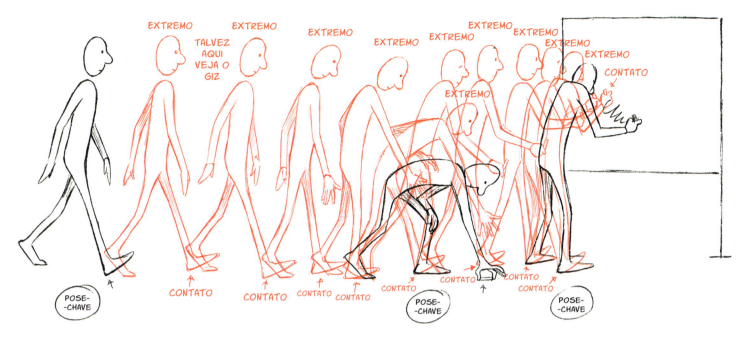

Poderíamos encenar a ação, medindo o tempo dos passos e numerando os extremos, ou poderíamos deixar a numeração para mais tarde. Provavelmente eu colocaria os números agora e faria um teste de vídeo para sentir o *timing* à medida que seus passos ficam mais curtos — e iria fazendo os ajustes.

E depois?

Vamos esmiuçar a animação, rascunhando de leve nossas poses de passagem ou *breakdowns*. Não vamos fazer nada muito sofisticado — essa parte vem mais tarde no livro. Por ora, vamos só fazer a cabeça e o corpo subirem e descerem levemente nas poses de passagem de cada passo, como acontece em uma caminhada normal.

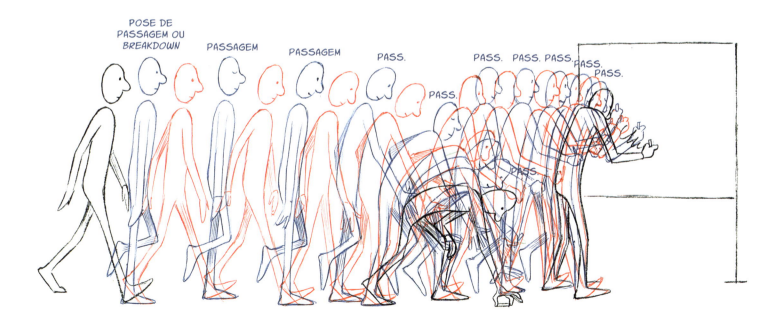

Provavelmente a essa altura teremos números nos desenhos e, quando testarmos, vamos ter 3 ou 4 posições a cada segundo — então fica fácil saber qual é o nosso *timing* e fazer os ajustes necessários. E se o diretor quiser ver como estamos indo, o desenho já parece quase animado.

Agora vamos realizar várias passadas de animação direta nas diferentes partes — usando nossos extremos e poses de passagem como guias — e alterando-os, ou parte deles, se necessário, enquanto avançamos. Considere uma coisa por vez e faça a animação direta.

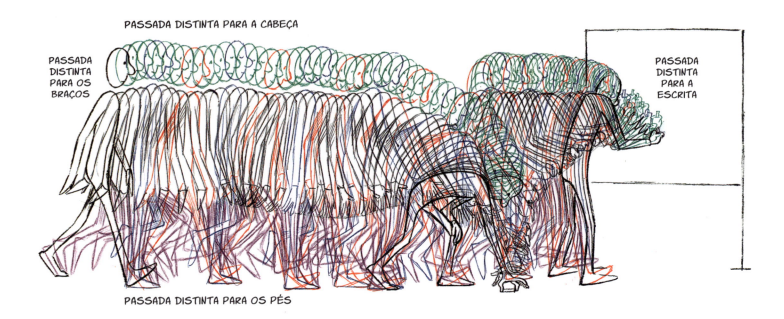

Talvez ele esteja murmurando para si mesmo, talvez esteja falando — talvez sua cabeça balance cheia de amor-próprio. O que quer que seja, vamos tratar do detalhe em questão como uma passada distinta de animação direta, trabalhando por cima do que já temos.

Vamos fazer outra passada de animação direta nos braços e nas mãos. Talvez eles balancem livremente em um movimento em forma de 8 ou como um pêndulo; ou talvez mal se movam antes de ele chegar ao giz. Talvez ele puxe a calça enquanto se move — ou coce ou sacuda os dedos nervosamente, ou estale os ossos das mãos. Quando ele chegar à nossa pose-chave, podemos apagar o braço e alterá-lo para se adequar à nova ação. Ou atrasar sua cabeça. Ou erguê-la um pouco antes para ele olhar para o quadro.

Podemos fazer várias coisas interessantes com as pernas e os pés, mas por ora só queremos que eles fluam suavemente. (Estou evitando a questão do peso neste ponto, porque o movimento para cima e para baixo que temos na cabeça e no corpo já são adequados, e o personagem não vai parecer flutuar no percurso.)

Vamos tratar separadamente a parte em que ele escreve no quadro. Se ele tiver cabelos longos ou rabo de cavalo, vamos fazer uma animação direta separada para isso. Suas roupas podem ser uma outra animação distinta, calças largas acompanhando o movimento. Se ele tivesse uma cauda, esta seria a última coisa que acrescentaríamos.

Mostrei esses detalhes em cores diferentes para ser o mais claro possível. No meu trabalho, uso lápis de cores diversas para cada passada diferente — e junto tudo com preto no final. Fiquei encantado ao descobrir que o grande Bill Tytla costumava usar cores diferentes para partes distintas, e juntava tudo em uma cor depois.

Recapitulando:

Fazemos as poses-chave, inserimos os extremos, depois acrescentamos as poses de passagem ou *breakdowns*. Agora que temos o principal, começamos de novo, ocupando-nos de uma coisa de cada vez.

Primeiro, o que for mais importante.

Depois, o que estiver em um segundo nível de importância.

Depois, o que estiver em terceiro.

Depois, em quarto, etc.

E depois, todas as partes que balançam — movimentos de roupas, cabelo, gordura, seios, caudas, etc.

O princípio geral é:

Depois que tiver feito por alto o principal, recomece. Faça uma coisa de cada vez (testando à medida que avança). Depois junte tudo e parta para os ajustes finos. Desenhe gráficos claros o bastante para que o assistente possa compreender ou faça tudo por conta própria.

Vai ficar assim:

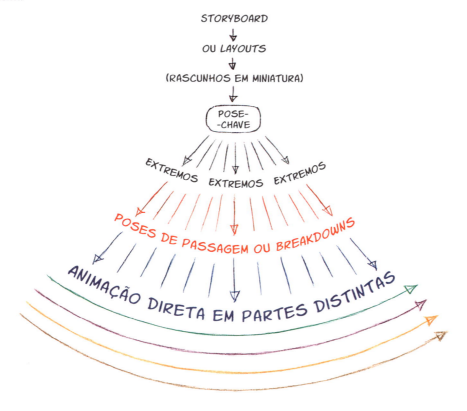

Claro, você pode trabalhar da forma que quiser. Não há regras — só métodos. Você pode ignorar tudo o que leu e trabalhar só com animação direta ou só com pose a pose, ou começar de um jeito e mudar depois para o outro — por que não?

O que nos impede de reinventar a roda? Há muita gente ocupada fazendo isso. Por outro lado, por que nos incomodar?

Esse método de ação foi desenvolvido por meio de intensas tentativas e erros feitos por gênios, e é uma excelente base sobre a qual proceder. Tendo usado praticamente toda abordagem que existia — incluindo até mesmo sistema nenhum —, encontrei esse que, disparado, é o melhor método de trabalho. Tenha esse método correndo nas veias, e ele vai liberá-lo para se expressar como quiser. Use essa técnica para transcender a técnica!

Milt Kahl trabalhava assim. Perto do fim de sua vida eu lhe disse: "Agora que já trabalho há um bom tempo da mesma forma que você, acho mesmo que — talento, raciocínio e habilidades à parte — 50% da excelência do seu trabalho vêm do seu método: a *maneira* como você pensa a ação, e a *maneira* como procede com ela".

"Sim…", disse ele pensativo, "você tem razão. Ei, você ficou bem esperto!". Milt me disse muitas vezes que, quando estava com a ação toda planejada desse modo, já tinha a cena praticamente animada — incluindo até mesmo a sincronia labial. Depois ele terminava colocando números nos desenhos, adicionava alguns detalhes e fazia gráficos minuciosos para o assistente — acelerando e desacelerando tudo. Ele reclamava que nunca chegava a animar porque, quando terminava de aplicar todas as coisas mais importantes, a cena *estava* animada. Ele já tinha o trabalho feito.

Nada mais a declarar.

TESTANDO, TESTANDO, TESTANDO…

Sempre uso o vídeo para testar o progresso de cada uma de minhas etapas — até mesmo os primeiros rabiscos têm seus tempos medidos e testados. Nos anos 1970 e 1980, Art Babbitt ficava louco comigo por causa disso — "Maldição, você está usando esse vídeo como uma muleta!". "Sim", eu dizia, "mas não é verdade que foi Disney o primeiro a estabelecer os *pencil tests*,[1] e não foi isso que transformou e desenvolveu a animação? E você não diz sempre que os *pencil tests* são os nossos ensaios?".

Grunhido de afirmação.

"E o que é melhor: entregar correndo um teste para o operador de câmera no fim do dia, quando ele está tentando ir para casa — e mesmo que ele fique, o laboratório só entrega a prova impressa no meio da manhã do dia seguinte, quando o editor estará ocupado com as tomadas principais e, se quisermos que ele veja o teste, teremos de interrompê-lo — ou usar o vídeo atual e conseguir um teste em 10 minutos?"

Art virava as costas, "Não sou um ludita". (Destruidores de máquinas que protestavam contra a Revolução Industrial.)

---

1   Testes de vídeo preliminares feitos somente a partir dos rascunhos a lápis. (N. do T.)

Sempre que Ken Harris tinha de animar uma caminhada, rascunhava um ciclo rápido e nós o filmávamos, metíamos o negativo em uma bandeja de revelação, pegávamos o negativo úmido (filme preto com linhas brancas), fazíamos um *loop* e o passávamos na moviola.

"Fiz centenas de caminhadas", Ken dizia, "todos os tipos de caminhadas; mas ainda quero testar meu rascunho básico antes de desenvolvê-lo".

Bill Tytla dizia: "Se você fizer um trecho de animação e rodá-lo vezes suficientes, deverá ver o que há de errado nele".

Na verdade, creio que o vídeo e o computador salvaram a animação!

O sucesso de *Uma cilada para Roger Rabbit* certamente contribuiu muito para o renascimento da animação, e ter um vídeo para testar tudo à medida que avançávamos foi crucial para nós. Tínhamos muitos jovens talentosos, mas inexperientes, e com um punhado de animadores líderes éramos capazes de dar instruções: "Exclua este desenho, mude aquele, ponha mais desenhos aqui", etc. Isso permitiu que nos aprimorássemos durante a própria correria, e assim fomos capazes de, juntos, alcançar nosso objetivo.

Milt sempre dizia que não fazia questão de olhar os próprios testes. "Diabos, eu sei como ficaram — eu mesmo os *fiz!*" Ele esperava para ver várias de suas cenas agrupadas em sequência, mas só para ver "como estão ficando".

Esse era o jeito dele. Eu nunca alcancei esse estágio e provavelmente nunca vou alcançar. Eu testo tudo à medida que avanço, e isso ajuda muito. Estamos construindo grandes atuações, então por que não testar as bases e estruturas e elementos decorativos durante o processo? E já que isso revela nossos erros — erros são muito importantes, já que *aprendemos* com eles —, podemos fazer as correções e melhorias na mesma hora.

Claro, no meu estágio atual já não tenho problemas para fazer meu trabalho sem testá-lo — mas por que proceder dessa forma?

O vídeo e o computador estão aí, então vamos usá-los.

Uma coisa interessante que percebi é que, quando os animadores envelhecem, sua percepção de tempo fica mais lenta. Eles se movem mais devagar e fazem animações mais lentas. Os jovens chicoteiam as coisas para lá e para cá. Portanto, o vídeo é um corretivo útil para nós, macacos velhos. E para os jovens também, quando tudo fica rápido *demais*.

Antes de mergulharmos em caminhadas e articulações, há algumas outras técnicas de câmera que devemos conhecer.

A FOLHA DE EXPOSIÇÃO

Na página seguinte há uma folha de exposição "clássica", conhecida no meio como "*X-sheet*" ou "folha de instruções de câmera" — uma rápida olhadela é garantia de fazer artistas principiantes desistirem do negócio. Quando era criança e vi uma dessas, pensei: "Ah, não, não quero mais ser animador. Vou só fazer os designs para outra pessoa animar".

Mas, na verdade, fica tremendamente fácil depois que você faz amizade com ela.

A folha nada mais é que um formulário simples e eficiente no qual os animadores anotam a ação e o diálogo (ou ritmos de música) para uma cena ou tomada — mais a informação necessária para filmá-la.

Cada linha horizontal representa um frame de filme (também chamado de quadro).

As colunas de 1 a 5 mostram cinco níveis de acetato que podemos usar para a animação se precisarmos (geralmente usamos apenas um ou dois).

AÇÃO	DIÁL.	5	4	3	2	1	CEN.	CÂMERA

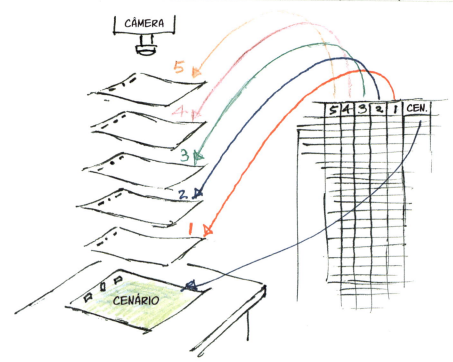

A coluna **AÇÃO** serve para planejarmos nosso *timing* — quanto tempo queremos atribuir às ações.

A coluna **DIÁL.** é usada para medir o diálogo pré-gravado e às vezes para decompor a música em ritmos, etc.

Essa folha de exposição "clássica" é projetada para conter 4 segundos de ação (1 segundo = 24 frames).

Ela tem linhas mais escuras para mostrar o comprimento em "pés" de filme (1 pé = 16 frames). Muitos animadores sempre numeram os pés de cima a baixo da página.

Também coloquei números no mostrador da câmera — os números de cada frame na coluna da câmera.

Alguns animadores medem o tempo pensando em segundos. Outros medem em pés = 2/3 de um segundo.

Ken Harris pensava em pés, e batia de leve a ponta do lápis ao fim de cada pé. Eu raciocino tanto em segundos quanto em pés, mas segundos são mais fáceis para mim.

Também é possível pensar em meios segundos = 12 frames. É um tempo de marcha, bem fácil de imaginar.

(Animadores digitais, tenham um pouco de paciência comigo aqui — vocês obviamente têm seus próprios sistemas de medição do tempo.)

SEQUÊNCIA — CENA — NOSSOS DESENHOS — NÚMEROS DO MOSTRADOR DA CÂMERA — FOLHA

Colunas: AÇÃO | DIÁL. | 5 | 4 | 3 | 2 | 1 | CEN. | INSTRUÇÕES PARA A CÂMERA

Texto vertical na coluna DIÁL.: USAMOS ESTA COLUNA PARA O DIÁLOGO E OU MÚSICA

Marcações à esquerda: 1 SEG. — 1 PÉ; 2 SEG. — 2 PÉS; 3 SEG. — 3 PÉS; 4 PÉS; 4 SEG. — 5 PÉS; 6 PÉS

Coluna CEN. (cenário): CENÁRIO

Instruções para a câmera:
- O OPERADOR DE CÂMERA SEGUE O QUE INDICAMOS E NESTA COLUNA INSERIMOS TODOS OS MOVIMENTOS DE CÂMERA.
- COMO APROXIMAR A CÂMERA OU DAR ZOOM
- OU PANORÂMICAS
- PARA LESTE
- OU OESTE
- OU AGITAÇÕES DE CÂMERA, ETC.
- PARA O NORTE
- SUL
- LESTE
- OESTE, ETC.

Numeração do mostrador da câmera: 1 a 96

Vamos planejar nossa ação usando a coluna de ações.

Ken Harris sempre dizia: "Vamos lá, você pode se divertir com os desenhos mais tarde, vamos agora cuidar da parte importante primeiro — medir o tempo de tudo".

Então usávamos um metrônomo ou cronômetro e eu atuava diversas vezes, e marcávamos na folha os pontos em que as coisas iriam acontecer.

Vamos retomar nosso homem caminhando para pegar o giz.

Decidimos que ele vai dar cinco passos para chegar ao giz.

Quando ensaiei a atuação, os dois primeiros passos ocuparam mais ou menos 16 frames ($^2/_3$ de um segundo).

Então, durante o passo 3, ele vê o giz, e seu passo é ligeiramente mais rápido — 14 frames.

Seu quarto passo é o mais rápido — 12 frames.

No passo 5 ele desacelera um pouco — 14 frames, e começa a se abaixar, o que leva 2 pés de comprimento de filme até que sua mão entre em contato com o giz.

Eu o fiz puxar de leve a calça com a mão, um pouco acima do joelho, à medida que abaixa — vai levar de 8 a 10 frames abaixando.

Claro, podemos alterar tudo isso ao longo do nosso trabalho, mas essas medidas tornam-se nosso guia e os pontos de referência conforme avançamos.

Agora podemos inserir na folha os números desses desenhos, tal como fiz aqui.

A propósito, apesar de os números 1 e 96 serem poses-chave e nós os termos circulado, na folha de exposição nós não os circulamos.

SEQUÊNCIA	CENA							
AÇÃO	DIAL.	5	4	3	2	1	CEN.	
						1		1
ENTRA EM CENA								2
								3
								4
								5
								6
								7
								8
								9
								10
								11
								12
								13
								14
								15
								16
(1) PASSO 1						17		17
								18
								19
								20
								21
								22
								23
								24
								25
								26
								27
								28
								29
								30
								31
								32
(2) PASSO 2						33		33
								34
VÊ O GIZ X								35
								36
								37
								38
						34		39
								40
								41
								42
								43
								44
								45
								46
PASSO 3						47		47
								48
(3)								49
								50
								51
								52
								53
								54
								55
								56
								57
								58
X PASSO 4						59		59
								60
COMEÇA A SE ABAIXAR								61
								62
								63
								64
(4)								65
								66
								67
								68
								69
								70
								71
								72
X PASSO 5						73		73
								74
PUXA A CALÇA								75
								76
								77
								78
								79
								80
(5)								81
								82
								83
								84
								85
								86
								87
								88
								89
								90
								91
								92
								93
MÃO TOCA O GIZ								94
								95
(6) X						96		96

Os cinco níveis de células disponíveis na folha de exposição servem para tratarmos cada personagem ou elemento separadamente.

Por que cinco níveis diferentes? Por que não escrever tudo em um único nível?

Resposta: você pode fazer isso; mas e se quiser alterar o *timing* em uma ou duas partes da ação e manter as outras como estão? Claro, para fins de simplicidade, é uma boa ideia tentar limitar-se a um ou dois níveis.

Se quisermos usar todos os cinco níveis, vamos começar com a ação principal no nível 1. Digamos que um homem entra em cena a partir de um lado e um gato entra vindo do outro. Vamos animar a ação principal, o homem, no nível 1, e o gato no nível 2, acrescentando um "G" depois dos números do gato: 1-G, 2-G, 3-G, etc., para não os confundirmos com os do homem. Os desenhos do homem, ou nossa ação principal, não precisam de uma letra identificadora.

Se uma mulher passa em frente a eles, podemos colocá-la no nível 3, adicionando um "M" depois de seus números. Se um caminhão para na frente deles, podemos usar o nível 4 e um "Ca" em seus desenhos.

Se estiver chovendo, vamos pôr os desenhos da chuva no nível 5, com um "Ch" depois dos números.

Sua folha de exposição vai ficar assim:

		CHUVA	CAMINHÃO	MULHER	GATO	HOMEM		
AÇÃO	**DIÁL.**	**5**	**4**	**3**	**2**	**1**	**CEN.**	**INSTRUÇÕES PARA A CÂMERA**
		1 – CH	1 – CA	1 – M	1 – G	1	CEN.# 1	1
		2	2	2	2	2		2
		3	3	3	3	3		3
		4	4	4	4	4		4
		5	5	5	5	5		5
CAMINHÃO X		6	6 ·	6	6	6		6
PARA		7		7	7	7		7
		8		8	8	8		8
		etc.	etc.	etc.	etc.	etc.		9

O sistema acima possibilita que o operador de câmera empilhe os níveis corretamente — trabalhando de baixo para cima — e crie um fotograma com todos os números de uma linha ajustados ao número na coluna de instruções para a sua câmera.

Mas há um ponto muito importante aqui:

VOCÊ É UM MEMBRO DO K.I.S.S.?

Keep It Simple, Stupid![2]

Use sequências numéricas simples! Animação já é algo complicado o suficiente para que tentemos torná-la ainda pior.

---

2   Mantenha a simplicidade, estúpido! (N. do T.)

O tempo que vivi na Inglaterra ensinou-me que os ingleses adoram uma complexidade. Um brilhante amigo meu, matemático de Oxford, me telefonou e disse: "Estamos para adentrar seu principado". Eu respondi: "Quer dizer que você vem me visitar?". "Certamente". "Uau", eu falei, "você acabou de usar oito sílabas para dizer o que nós diríamos com três! Vi-si-tar!".

Com certeza costumávamos "a-den-trar-o-prin-ci-pa-do" com nossas folhas de exposição, até que Ken Harris uniu-se ao time.

Elas se pareciam com o seguinte:

			BRILHO PARA- -BRISA DO CARRO	FILHOTE IAQUE	IAQUE CORRENDO	CAMINHÃO E ZEBRA		
AÇÃO	**DIÁL.**	**5**	**4**	**3**	**2**	**1**	**CEN.**	**INSTRUÇÕES PARA A CÂMERA**
			WOL-1	BY-1	Y2B-1	TXB-1	CEN.-1A	1
					Y2B-2	TXB-1A		2
					Y2B-2½	TXB-2		3
				BY-2	Y2B-3			4
						TXB-2½		5
					Y2B-4	TXB-2¾		6
				BY-3	Y2B-4A			7
					Y2B-4B	TXB-3		8
					Y2B-4C	TXB-3A		9

Você consegue se imaginar tentando fazer qualquer mudança ou melhoria com uma sobrecarga de números assim? Seria como renumerar a *Enciclopédia Britânica*.

Não só nossos números eram complicados, mas nossas ações iam de dois frames para três, depois para quatro, e então pulavam de volta para dois frames, etc., resultando em movimentos abruptos e irregulares.

Quando tínhamos só um nível de ação — digamos, um tigre —, todo mundo numerava os desenhos como T1-1, T1-2, T1-3, etc. Um dia perguntei: "Por que estamos fazendo isso?". A resposta do chefe do departamento foi: "Para sabemos que é um tigre". "Mas estamos *vendo* que é um tigre! Por que não numerar simplesmente 1 e 2 e 3?". Resposta: "Isso só vai confundir o departamento de pintura".

Não são só os ingleses que gostam de complicar! Uma vez vi as folhas de exposição de um animador americano consagrado, que já havia escrito dois livros sobre o assunto, e seus números eram assim:

Tudo manchado e apagado
e reescrito...

30 A	104
BX-31x	104⅛
BLANK	104¼
384	104½
BLANK	104¾
10	104⅞
11	X-1
11-B	X-1A

NO FIM DAS CONTAS...

Apareceu então o primeiro verdadeiro mestre animador para trabalhar conosco. Em seu primeiro dia, Ken Harris preencheu a página com simples números "em dois", ou seja, duas exposições para cada desenho. Foi a primeira vez que vi alguém fazer essa anotação em dois!

Ken geralmente planejava suas ações em dois: 12 desenhos por segundo, fotografando cada desenho para duas exposições, em vez de trabalhar "em uns", uma exposição para cada desenho, o que daria 24 desenhos por segundo — duas vezes mais trabalho.

Ken veio da Warner Bros. — acostumado a verbas limitadas; os animadores tinham de produzir uma média de 30 pés (20 segundos) por semana ou ser demitidos.

Já que a maioria das ações funciona bem em dois, os animadores da Warner tentavam evitar fazê-las em uns.

Quando ele precisava animar em uns para ações rápidas (corridas, etc.), simplesmente numerava a folha em uns. Isto é:

Depois ele voltava a fazer em dois:

"Ok, Ken, mas o que você faz quando desenvolveu a ação em dois, e descobre que quer adicionar uns para deixá-la mais fluida?"

Resposta: adiciono desenhos "A".

Excelente, então agora todo esse negócio de TXL-1 e PP-2 ¾ desaparece. Não somos mais sobrecarregados com tecnologia sem sentido. Fica mais simples fazer mudanças e aprimoramentos, e já começa a ser mais agradável.

Mas existe um sistema ainda melhor e mais simples!

O MELHOR SISTEMA DE NUMERAÇÃO

Milt Kahl disse que era de sua autoria, mas eu suspeito que os caras legais lá da Disney descobriram o sistema ao mesmo tempo — é tão lógico!

É só usar nos desenhos os números do mostrador da câmera. Preencha a página em dois, mas usando números ímpares.

Daí, se quisermos suavizar algo ou se precisarmos de alguma ação bem rápida, é só adicionarmos desenhos em uns.

Milt contou-me: "Sempre que vejo meus desenhos com números ímpares, sei que estou trabalhando em dois, e quando vejo números pares, sei que estou em uns".

Perguntei: "E o que você faz quando quer segurar uma pose em pausa — é só indicar com uma linha que você está segurando aquele desenho? E quando volta o movimento você retoma com o mesmo número do mostrador da câmera?".

Resposta: "Sim, retomo com o mesmo número do mostrador".

Isso não só torna mais fácil a filmagem, como também fica mais fácil quando você precisa *de fato* usar várias camadas de ação. Agora temos sempre os mesmos números do mostrador exibidos horizontalmente ao longo do frame do filme.

5	4	3	2	1	
1 – E	1 – D	1 – C	1 – B	1	1
			2		2
3	3		3	3	3
		4 – C	4		4
5	5		5	5	5
			6		6
7	7	7 – C	7	7	7
			8		8

NÚMEROS DE MARCAÇÃO DE CÂMERA

Portanto, preencha a página com números ímpares — em dois — e acrescente desenhos em uns quando precisar.

É mais simples e deixa você livre para se concentrar no trabalho. Nossa, como melhoraram meu rendimento e qualidade!

Há ainda uma ou outra coisa a mencionar antes de passarmos para a grande batalha em uns *versus* em dois.

Aprendi um detalhe muito importante com Ken Harris. Sei que parece loucura, mas se você tiver uma série de desenhos B, não ponha o B antes do número:

Use o B *depois* do número, ou seja:

Queremos fazer as coisas da forma mais simples possível. Ken disse: "Veja, você não me chama de *senhor* Ken. Ponha a letra depois, para poder pensar só nos números". Deixe para depois qualquer formalidade ou o que for. Pode parecer bobagem, mas isso permite executar mais trabalho. Experimente. Tudo o que estamos fazendo de fato é pensar em sequências de números de 1 a 10. Qualquer coisa vale para deixar simples esse processo. Ninguém compreendia como esse velho enfermo conseguia produzir tanto trabalho — e de tão alta qualidade. Ele apenas mantinha tudo o mais simples quanto pudesse ser.

Mais duas coisas:

O *único* momento em que você circula um desenho na folha de exposição é quando uma ação em ciclo reinicia — quando estamos repetindo o mesmo grupo de desenhos. Nós circulamos o desenho (1) para alertar ao operador de câmera que isso foge à sequência normal dos números do mostrador.

Depois, circulamos o desenho que coincide com o número correto do mostrador quando voltamos à sequência normal.

Minha regra é: a única ocasião em que você vai colocar uma letra antes do número é quando você tem uma célula sobreposta (contendo algo que está à frente dos personagens).

Nesse caso você usa S-1 (para a célula sobreposta) ou, para uma célula com imagens fixas (como os pés de alguém parado, por exemplo), usa F-1.

A GRANDE BATALHA "EM UNS" VERSUS "EM DOIS"

Algumas pessoas sempre complicam a numeração chamando "uns" e "dois" de "simples" e "duplos". De fato, "simples" vem de um termo dos anos 1940 usado na intervalação, quando o animador fazia os desenhos 1, 3 e 5, elaborava um gráfico dividido em partes iguais e dizia ao assistente: "Deixei os simples para você fazer".

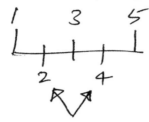

Ou seja, intervalos simples (de um só desenho).

Mas quando usar uns e quando usar dois?
A regra geral é: anime em dois as ações normais e em uns as ações muito rápidas. Por exemplo, corridas sempre têm de ser em uns — e a atuação normal, em dois.

Caminhadas funcionam bem em dois, mas ficam com um aspecto melhor em uns.

Obviamente, a vida acontece em uns (ou em qualquer velocidade em que a filmemos), mas em dois vai funcionar bem com a maioria das ações e, é claro, sai pela metade do trabalho de fazer em uns. E pela metade do custo! Trabalhar em uns implica o dobro de trabalho e despesas ao longo de toda a linha de produção.

Aparentemente, no início dos anos 1930, à medida que os animadores da Disney iam ficando melhores e melhores, os custos iam disparando; e, já que fazer em dois funcionava para muitas situações, eles procuravam manter-se em dois sempre que podiam, para compensar.

Vários bons animadores dizem até mesmo que em dois é realmente melhor que em uns, que animar em uns leva a um resultado muito suave, que ações mais amplas e rápidas em dois têm um "brilho" a mais, e que adicionar desenhos em uns reduz essa vitalidade. Bem, sim, isso é verdade se os desenhos em uns forem só intervalos simplórios e mecânicos.

Minha experiência é diferente. Descobri que, se você *planeja* a ação em uns, o resultado geralmente fica melhor do que em dois.

Sinto que fazer em dois é uma resposta econômica para uma questão artística. Sendo metade do trabalho, todo mundo chega em casa mais cedo, e por que *eu* iria em defesa de animar em uns? Oras, eu era *dono* de um estúdio.

Quando estava reaprendendo tudo isso, eu esperava até que minha animação em uns estivesse traçada e pintada, filmava-a em uns como planejado, e então retirava alguns dos desenhos e filmava o resto em dois para ver se ganhava mais "brilho" ou ficava melhor.

Em todos os casos, exceto em um, a filmagem em uns se saiu melhor. A única vez em que o resultado em dois ficou melhor foi quando fiz uma senhora puxando um estetoscópio do bolso. Essa já cena estava com um movimento bem suave em uns.

Já estava bom, mas aí removi alguns intervalos alternados e filmei de novo em dois. Ficou melhor em dois! Não consigo dizer por quê — apenas ficou melhor.

Portanto, eles estão certos em parte, imagino. Mas fiquei viciado em animar em uns sempre que podia — o resultado tende a ser mais atraente, e é isso que estamos buscando.

Art Babbitt costumava pegar no meu pé por usar uns. "Assim é muito realista — uma das melhores coisas da animação é que ela *não* é como a vida!" Mas às vezes eu adicionava ao trabalho de Art alguns intervalos em uns quando ele não estava olhando, e acabava ficando melhor — e *ele* gostava mais.

Animadores de computador já têm tudo em uns — com intervalos perfeitos — e isto não reduziu o apelo visual de seu trabalho, muito pelo contrário. E a animação em dois cansa os olhos depois de alguns minutos. Sinto que em uns o trabalho dobra, mas o resultado é três vezes melhor. Resultado atraente, gostoso de assistir.

Creio que meu coanimador Neil Boyle expressou isso melhor:
"Em dois funciona — em uns *voa*".
E Ken Harris, que passou a maior parte de sua vida trabalhando em dois, dizia-me quando eu acrescentava uns a suas cenas: "Ah, fica *sempre* melhor em uns".

Uma coisa sempre me deixava louco. Quando você tem um personagem animado em dois e a câmera faz um movimento panorâmico em uns, acontece uma tremulação estroboscópica. Ou você faz a panorâmica em dois (não fica tão bom) ou adiciona intervalos em uns para não tremular!
Alguns dos melhores animadores já pecaram assim. É um mistério para mim. Por que não colocam os intervalos em uns para eliminar a tremulação?
Vai ver é porque vários detalhes não ficam aparentes no *pencil test*. É quando os desenhos estão coloridos que vemos os problemas.

CONCLUSÃO:

É uma combinação entre *dois* e *uns*. É o "não só, mas também".
Ações normais *em dois* — que são o grosso de nosso trabalho.
Ações rápidas ou muito suaves *em uns*.
Espaçamento normal *em dois*. Espaçamento mais afastado *em uns*.

A BATALHA ENTRE PINOS EM CIMA E PINOS EMBAIXO

Existia entre os animadores clássicos um debate interminável sobre onde deveria ficar o registro dos desenhos, com pinos em cima ou embaixo. Até o momento, os pinos embaixo parecem ter vencido; a maioria das pessoas prefere animar, hoje, usando pinos embaixo para fixar seus desenhos.

 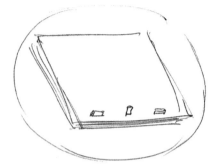

Frank Thomas disse: "Tirar os pinos de cima e colocá-los embaixo na verdade fez a arte da animação *avançar*, porque você pode usar os dedos para *passar* os desenhos para a frente e para trás e *ver* o que está acontecendo — se a criatura está mesmo fazendo o que você quer". E isso teve uma influência tremenda. (Todos os animadores da Disney trabalham com pinos embaixo.)

Por outro lado, Ken Harris passou sua vida usando pinos em cima e *folheava* os desenhos com a mão para ver o que estava acontecendo. (Todos os animadores da Warner trabalhavam com pinos em cima.)

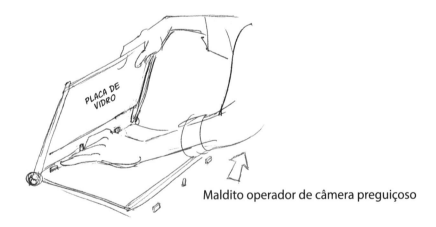

Maldito operador de câmera preguiçoso

Algumas vezes Ken ficava de sangue quente e estourava: "Sabe quem foi que começou todo esse negócio de pinos embaixo? Um maldito operador de câmera preguiçoso que não queria se dar ao trabalho de esticar a mão até o final por baixo da placa de vidro pressurizada para encaixar os acetatos nos pinos do topo! Esse foi o folgado que começou os pinos embaixo!".

A discussão se resume a algo assim:

Se você só tem quatro dedos, pode rolar quatro folhas de uma vez, mais o desenho que fica por baixo, um total de cinco imagens.

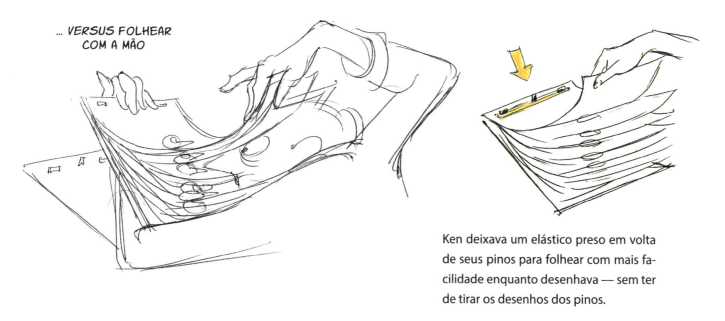

Ken deixava um elástico preso em volta de seus pinos para folhear com mais facilidade enquanto desenhava — sem ter de tirar os desenhos dos pinos.

Quando Ken se acalmava, usava o seguinte exemplo:

81

E como seria mais fácil de desenhar?

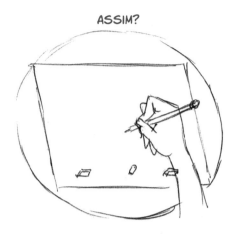
ASSIM?

OU ASSIM?

Some a isto o fato de que a maioria dos discos que os animadores usavam era feita de um metal pesado, contendo barras de rolagem utilizadas para movimentos panorâmicos, com parafusos que serviam para apertá-las ou afrouxá-las. Essas protuberâncias todas eram bem desconfortáveis, e tínhamos de ficar nos esquivando delas ao desenhar.

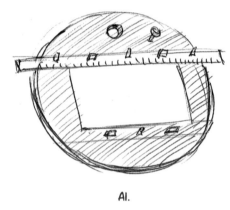
AI.

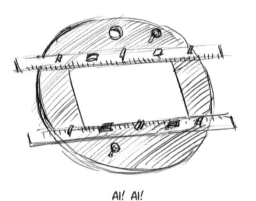
AI! AI!

O engenheiro que fez a maior parte do equipamento do meu estúdio na Inglaterra dispunha as barras de rolagem de um jeito diferente em cada mesa de luz. Uma vez tive de despedir um sujeito, e um amigo dele — que era bastante talentoso — demitiu-se junto. Para ficarem quites comigo, encomendaram (na conta da empresa) um disco especial feito com três barras de rolagem para diferentes tamanhos de campo, acima e abaixo — seis ao todo! Depois de adicionados os parafusos, o disco ficava assim:

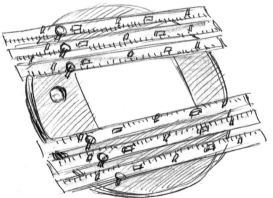

VOCÊ GOSTARIA DE DESENHAR NISTO? ACABARIA EM UMA UTI.

Mas com que frequência se usam mesmo as barras de rolagem? Não muita, em minha experiência.

Um dia, encontrei o designer e artista de *layouts* Roy Naisbitt trabalhando em um grande círculo de plástico branco Perspex (ou Plexiglass) com uma barra de pinos presa a ele apenas por fita adesiva.

Que solução!

Você fixa os pinos onde quiser, acima ou abaixo.

Aliás, eu ainda mantenho ao lado da minha mesa um disco de metal com barras de rolagem, para as raras ocasiões em que eu realmente precisar de uma panorâmica mecânica.

Essa solução também permite fixar pinos mais longos, para conter mais desenhos se você estiver usando pinos no topo. As barras de pinos mais curtos são boas para ser usadas embaixo, mas os desenhos ficam caindo no chão o tempo todo. Mais uma vez, aqui um elástico ajuda.

Fiquei satisfeito ao ver que a solução de Roy difundiu-se pela indústria, depois que vi vários animadores andando em Hollywood com discos Perspex debaixo do braço, com barrinhas de pinos fixadas com fita adesiva.

Funciona perfeitamente bem. Animei o primeiro plano em *close* de *Uma cilada para Roger Rabbit* em um quarto de hotel no País de Gales, com um disco Perspex sobre os joelhos — e pinos em cima!

Eu trabalho dos dois jeitos. De novo, o tal do "não só, mas também". Pinos em cima são ótimos para desenhar e pinos embaixo são ótimos para folhear os desenhos com os dedos. Faça sua escolha.

Obviamente, animadores digitais estão livres de toda essa baboseira tátil, mas estou certo de que têm coisas equivalentes com que lidar. Tendo começado como animador clássico, Jim Richardson, hoje animador digital, contou-me que, quando usou pela primeira vez o computador, sentiu que era como "animar com um micro-ondas".

83

MAIS SOBRE O ESPAÇO

Uma vez disseram que um animador é algo entre um artista e um mecânico de oficina. Há tantos detalhes práticos na animação quanto porcas e parafusos em uma oficina, e ajuda muito saber trabalhar com os dois. Eis mais algumas ferramentas da nossa oficina, bastante interessantes.

Ken Harris me mostrou esta:

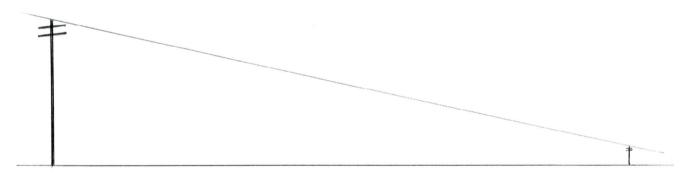

Digamos que temos um poste telefônico movendo-se rapidamente em perspectiva. Onde colocamos a posição do meio?

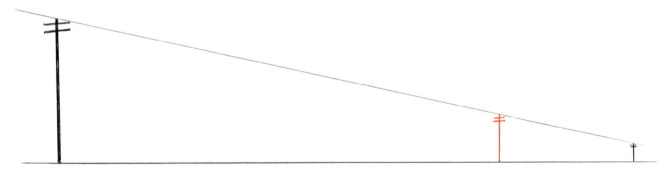

Você colocaria aqui, certo?

Errado. Mesmo depois de quinze anos de experiência eu ainda errava. E quase todo profissional a quem fiz essa pergunta errou também.

Aqui é onde está a posição do meio:

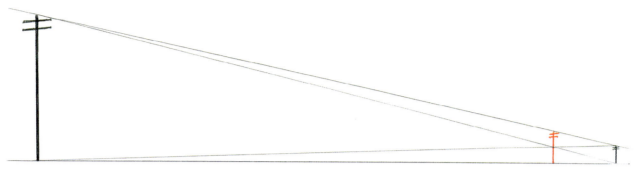

Faça linhas com uma régua, como na ilustração, e o ponto em que elas se cruzam nos diz onde é a posição do meio. E é só ir repetindo:

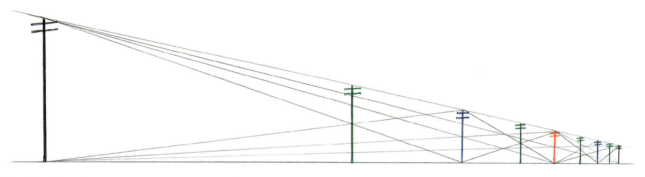

Isto funciona bem para movimentos rápidos. Entretanto, para movimentos mais normais, é melhor dar uma trapaceada — calcule uma média e volte atrás até o meio do caminho entre este ponto e nosso primeiro palpite. Repita isso em todo o percurso e o resultado vai ser melhor.

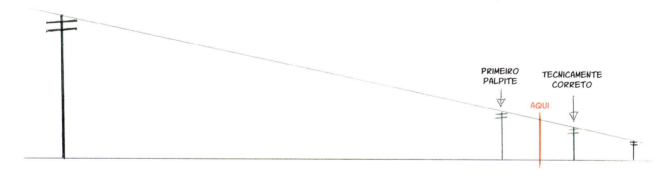

TODOS SABEMOS, PELA EXPERIÊNCIA, COMO ESTA POSIÇÃO MÉDIA FUNCIONA —

VRUM!

A PROPÓSITO — A POEIRA FICA NO MESMO LUGAR, NÃO VIAJA JUNTO DO QUE A CAUSOU. VAI PARA CIMA, NÃO PARA A FRENTE.

85

O MESMO SE APLICA A ALGUÉM OU ALGO QUE VEM EM NOSSA DIREÇÃO – VISTO DE FRENTE E BEM RÁPIDO.

OU UM DISCO QUE VEM GIRANDO TAMBÉM EM NOSSA DIREÇÃO.

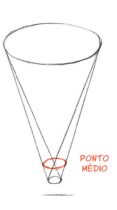

UM OUTRO EXEMPLO DO MESMO TIPO DE SITUAÇÃO: PEGUE 4 POSIÇÕES DE UMA BOLA GIRANDO EM TORNO DE UM PONTO CENTRAL –

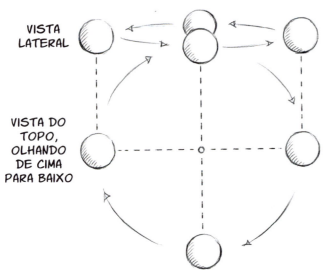

AGORA ACRESCENTE AS POSIÇÕES MÉDIAS E VEJA QUÃO PRÓXIMAS ELAS ESTÃO DAS EXTREMIDADES DO ARCO.

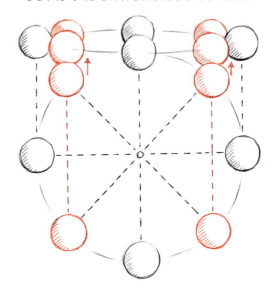

ACRESCENTE AS PRÓXIMAS POSIÇÕES MÉDIAS, E AS BOLAS MAIS DE FORA VÃO QUASE COBRIR AS DAS EXTREMIDADES.

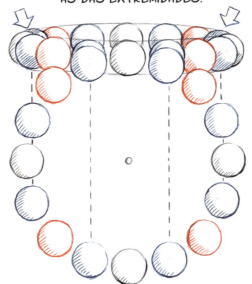

VEJA QUE O ESPAÇAMENTO DOS INTERVALOS VAI SE AGLOMERAR NAS BORDAS DO GIRO.

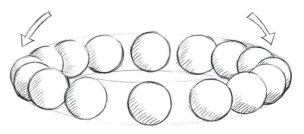

PODEMOS AUMENTAR A PERSPECTIVA, MAS AINDA VAI SE AGLOMERAR NAS BEIRADAS DO ARCO.

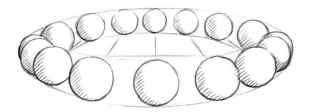

Então, quando tivermos de girar uma cabeça, vai acontecer o mesmo tipo de coisa:

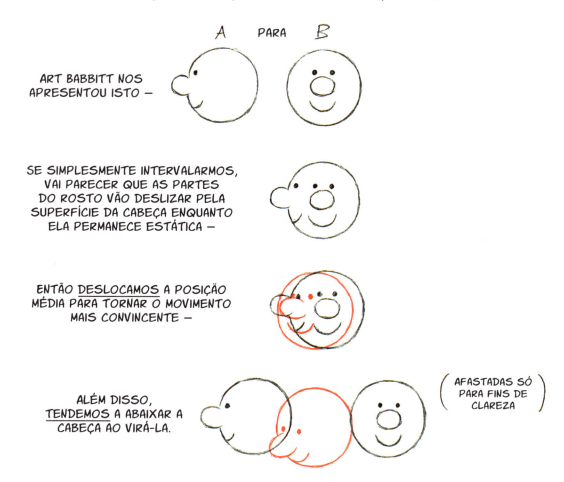

A propósito — sobre o giro de cabeça, Ken Harris me mostrou isto:

Faça você mesmo esse movimento ou peça a alguém para levantar dois dedos. Olhe para o primeiro, relaxe, depois vire a cabeça para olhar para o outro dedo. Durante a virada, algo interessante vai acontecer. Você vai piscar. O olho, ao mudar de foco de um lado para o outro, vai piscar no caminho. (A não ser que a pessoa esteja assustada — nesse caso, os olhos continuam abertos.)

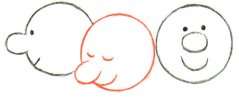

87

ERROS CLÁSSICOS DE INTERVALAÇÃO

UMA MARRETA ATINGE UM PREGO, QUE DOBRA — E NÓS QUEREMOS UM INTERVALO BEM NO MEIO.

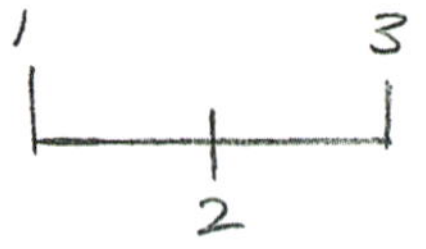

#1   #3

NOSSO AJUDANTE, QUE ESTÁ CONECTADO POR FONES DE OUVIDO A UM CD, TELEFONE OU O QUE SEJA, FAZ PRECISAMENTE O QUE É PEDIDO E O COLOCA BEM NO MEIO...

"BEM, EU SEGUI O SEU GRÁFICO".

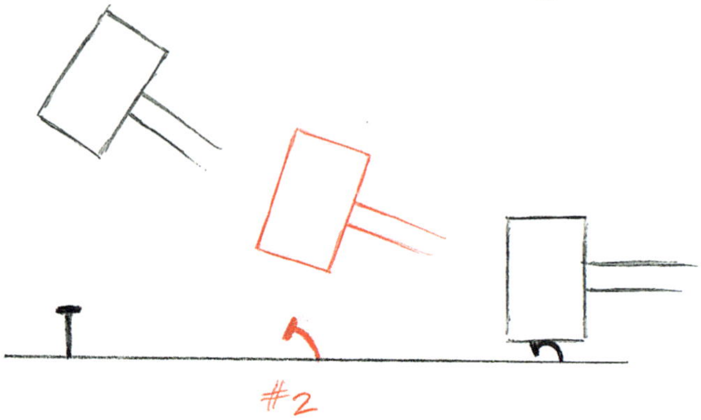

#2

#1

DEPOIS, A MESMA PESSOA CONECTADA DEVE PÔR UMA GOTA D'ÁGUA ENTRE ESTAS DUAS POSIÇÕES.

E A PÕE BEM NO MEIO DE NOVO

É ÓBVIO QUE A MUDANÇA SÓ ACONTECE NO CONTATO COM O CHÃO.

É PRECISO USAR O BOM SENSO.

#3

E POR AÍ VAI:

#1

BOLA MACIA DE BORRACHA CAINDO

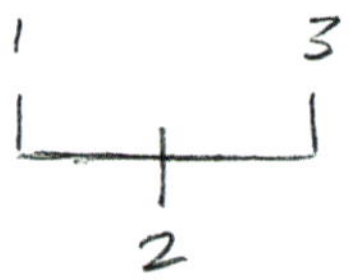

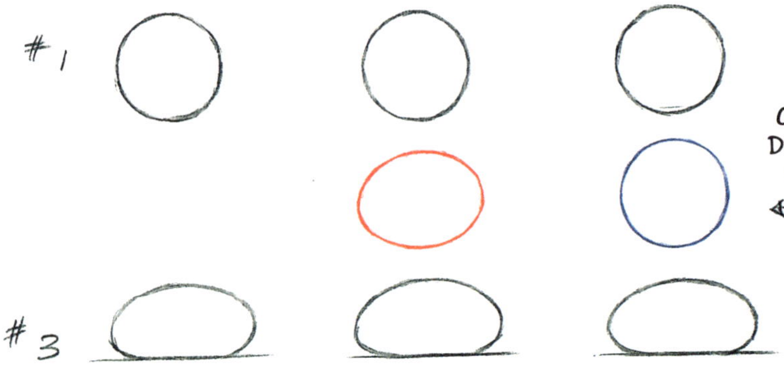

CLARO, DEVERIA SER...

#3

88

MUITAS VEZES QUANDO TEMOS DE FAZER UMA POSE DE PASSAGEM (BREAKDOWN) BEM NO MEIO DO CAMINHO...

ACABAMOS OBTENDO ISTO:

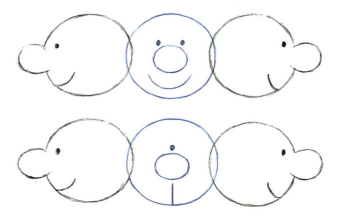

"BEM, EU COLOQUEI TUDO BEM NO MEIO, COMO VOCÊ DISSE".

ISSO JÁ É RIDÍCULO, MAS O EQUIVALENTE ACONTECE COM FREQUÊNCIA EM INTERVALAÇÕES COMPLEXAS.

Todo desenho é importante. Não podemos ter desenhos insensatos unindo os extremos. De certo modo, *não existem* intervalos — todos os desenhos estão na tela pela mesma quantidade de tempo.

E, IGNORANDO NOSSO PRINCÍPIO DO POSTE TELEFÔNICO...

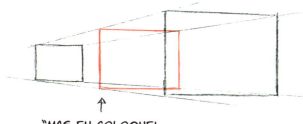

"MAS EU COLOQUEI BEM NO MEIO..."

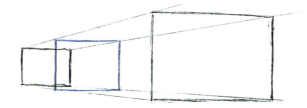

NÃO SE TRATA DE LINHAS! É PRECISO PENSAR EM TERMOS DE MASSAS!

QUANDO UM TACO DE GOLFE BATE FORTE EM UMA BOLA —

NO MOMENTO DO IMPACTO PODEMOS DISTENDER A FORMA,

MAS ELA VOLTARIA AO NORMAL EM POUCOS FRAMES.

89

Idealmente, o intervalador deveria compreender e ser capaz de completar ações excêntricas.

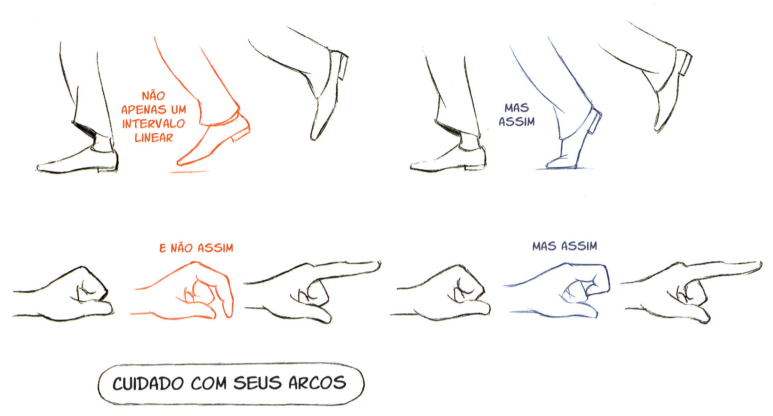

CUIDADO COM SEUS ARCOS

A maioria das ações descreve arcos. Geralmente, uma ação está em um arco. Na maior parte do tempo a trajetória da ação descreve ou um arco ondulado ou uma espécie de 8:

Mas às vezes ela descreve uma linha reta. Linhas retas dão poder.

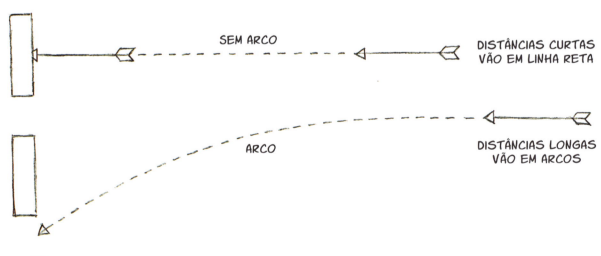

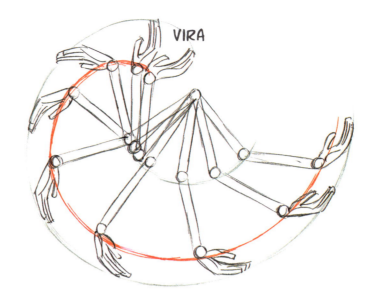

O ARCO DA AÇÃO NOS MOSTRA UM FLUXO CONTÍNUO.

NESTE BALANÇO DE BRAÇO O PULSO CONDUZ O ARCO E A MÃO O SEGUE:

E CLARO, OS OSSOS NÃO ENCOLHEM OU CRESCEM — ELES MANTÊM SEU COMPRIMENTO.

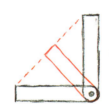 OBVIAMENTE ERRADO

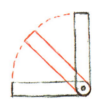 OBVIAMENTE CORRETO

O ARCO É TÃO IMPORTANTE! DIGAMOS QUE TEMOS AS POSIÇÕES 1, 3, 5 E 7:

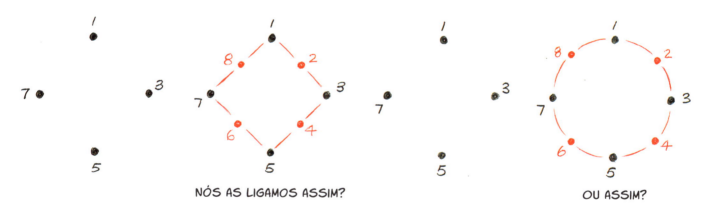

NÓS AS LIGAMOS ASSIM? OU ASSIM?

VAMOS TER RESULTADOS ABSOLUTAMENTE DIFERENTES — ENTÃO ROLAMOS OS DESENHOS COM OS DEDOS (OU FOLHEAMOS COM A MÃO) PARA NOS CERTIFICARMOS DE QUAL DEVE SER O ARCO (OU TRAJETÓRIA) DA AÇÃO.

MUITAS VEZES OBTEMOS ISTO —

GERALMENTE CHEGAMOS A ISTO —

NEM UMA COISA NEM OUTRA.

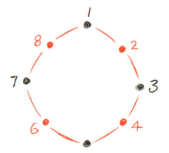

SE NÃO ESTIVER NO ARCO OU NA TRAJETÓRIA DA AÇÃO, A ANIMAÇÃO NÃO VAI FLUIR. É PRECISO SEGUIR O FLUXO USANDO ARCOS (A NÃO SER QUANDO UMA LINHA RETA É NECESSÁRIA).

O conteúdo dessas páginas, apresentado assim, parece incrivelmente simples – "Ah, disso eu já sabia". Mas assim que temos de lidar com imagens e ações mais sofisticadas, tendemos a jogar tudo pela janela.

Recentemente ouvi falar de um assistente de Hollywood, um desenhista talentoso, que estava trabalhando em cavalos realistas (uma das coisas mais difíceis de animar). Seus desenhos ficaram lindos, mas ele simplesmente não conseguia pegar o jeito de manter as coisas nos arcos certos. Seu diretor de animação, James Baxter, por fim sugeriu que ele pegasse um lápis azul, traçasse separadamente apenas as posições dos olhos do cavalo, e visse o que estava acontecendo com o fluxo. Plim! A ficha caiu.

ANTES　　　　　　　　　　　DEPOIS

Então estamos de volta à velha bola que quica.

Essas coisas básicas são tão importantes! Alguns animadores diriam cheios de desdém — "Ah, claro, a bola que quica — todo mundo sabe fazer isso". Sabe mesmo?

TOMEMOS UMA BOLA DE BILHAR — ELA VAI ACELERAR À MEDIDA QUE CAI, NÃO VAI?

DIGO, NÃO DÁ PARA UMA BOLA DE BILHAR DESACELERAR AO CAIR, DÁ?

MAS ISSO É EXATAMENTE O QUE ESTÁ PUBLICADO EM UM LIVRO CLÁSSICO DE INSTRUÇÕES PARA ANIMADORES.

NOVAMENTE, TUDO É UMA QUESTÃO DE TEMPO E DE ESPAÇO!

OBTENDO MAIS MOVIMENTO DENTRO DA MASSA

Agora podemos partir para algo mais sofisticado. Vamos começar a encontrar novos meios de obter movimento *dentro* do movimento, ação dentro da ação — e obter em troca mais "mudança", melhor "custo/benefício".

Ken Harris me mostrou como exagerar um impacto.

Vamos imaginar que uma criatura seja lançada pelo ar e atinja um penhasco:

Precisaríamos de cinco desenhos — com a cabeça distribuída em espaços iguais — para trazê-la até o penhasco. Os desenhos se sobrepõem levemente para ajudar a conduzir o olhar — em uns, certamente, porque é uma ação rápida. Não há intervalo entre 5 e 6.

Para obter maior impacto, mais poder de choque, adicione outro desenho onde o personagem toca o penhasco, exatamente no momento do contato antes de ele se achatar no frame seguinte. Isso vai propiciar uma grande reviravolta — ação dentro da ação.

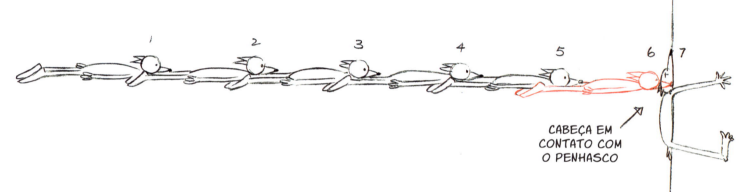

Agora, para dar ainda mais impacto, tiramos o desenho nº 5, jogamos fora, e *esticamos* o desenho que está tocando o penhasco. Ele se torna nosso novo nº 5.

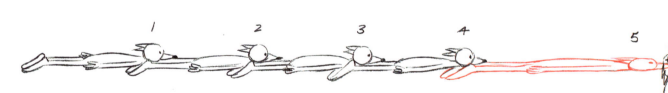

Agora nossa ação pula o espaço de um frame. Não vamos ver isso, mas vamos sentir, e isso vai dar uma força bem maior ao impacto.

Há um detalhe bem interessante aqui, que nos remete novamente à bola que quica.

Em 1970, mostrei a Ken uma edição antiga de um livro de animação de Preston Blair, quando estava questionando se precisávamos alongar e achatar tanto as coisas. (A esta altura você pode ter percebido que eu não era grande fã de esticar tudo como patos de borracha — embora 25 anos depois isso fosse exatamente o necessário para fazer *Uma cilada para Roger Rabbit*, um desenho animado sobre um desenho animado.) Percebi que Ken, apesar de famoso como grande animador de ação, usava alongamento e achatamento com bastante parcimônia.

Eu tinha a página aberta na bola que quica. Ela era assim — o que funcionava muito bem.

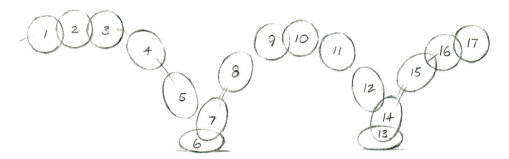

Ken disse: "Sim, claro, mas espere um minuto — esqueça isso. Podemos fazer muito melhor. Precisamos de um contato aqui, logo antes do achatamento".

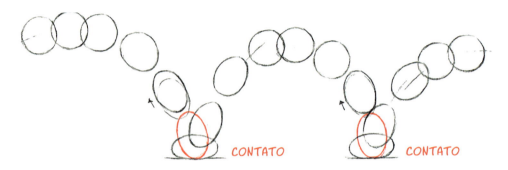

"Ponha um contato bem onde a bola toca o chão e *então* ela se achata. Isso vai lhe dar mais vida". (Mova o desenho anterior um pouco para trás para acomodá-lo.)

"E fazemos o mesmo quando ela se erguer no ar de novo?" Resposta: "Não nesse caso — só na hora do contato. Você consegue a 'mudança', e depois ela sobe outra vez".

Os boatos na animação propagam-se como um relâmpago: "Sabia que Ken Harris em Londres corrigiu a bola que quica do Preston Blair?". A edição seguinte de Preston saiu assim:

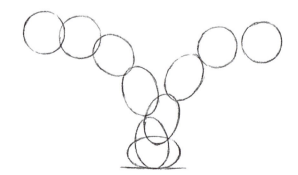

Perfeito.

94

Isto não foi feito para mostrar desrespeito a um animador habilidoso como Preston (que foi o primeiro animador clássico a tornar acessível um verdadeiro conhecimento sobre animação), nem para rebaixá-lo de forma alguma. Ken só estava mostrando um recurso importante para obtermos mais ação dentro de um movimento.

Ken continuou, mostrando a mesma ideia com um sapo.

"Faça-o tocar o chão antes de achatar. Depois, mantenha suas patas traseiras em contato com o chão enquanto ele inicia o pulo. Isso vai trazer mais mudança à ação."

A seguir, um personagem que pula.

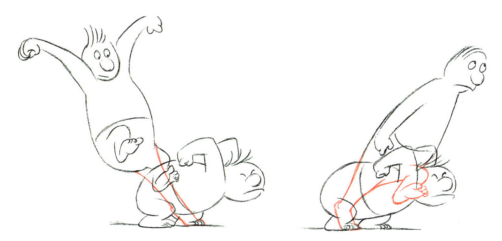

"Faça pelo menos um pé tocar no chão antes de ele se achatar, e depois mantenha pelo menos uma perna ainda em contato com o chão quando ele saltar."

Isso é excelente porque obtemos mais "mudança" — mais contraste —, um jogo de linhas retas *versus* linhas curvas. E procedemos assim tanto com os ossos quanto com as massas arredondadas. Podemos usar linhas retas e ainda assim obter resultados bem flexíveis (detalhes sobre isso mais à frente). Não temos de nos limitar a formas emborrachadas para alcançar um movimento suave. A técnica que estamos usando nos libera de ter de desenhar em um estilo normatizado só porque ele "combina com animação" ou é "animável".

Estou usando desenhos mais simples aqui porque quero que tudo esteja perfeitamente claro. Só estou querendo mostrar a estrutura, e não me perder em uma camada extra de detalhes atrativos.

A INTERVALAÇÃO ALONGADA

Nos anos 1930, quando os animadores começaram a estudar filmes *live action* ("ao vivo", ou seja, com atores reais) frame a frame, eles ficaram assombrados com a quantidade de borrões transparentes nas imagens com atores reais. A fim de tornar mais convincentes seus movimentos, começaram a usar intervalações esticadas. Ken costumava chamá-las de "intervalações de cabeça longa".

Para uma virada ágil de cabeça — em uns (embora também funcione em dois frames):

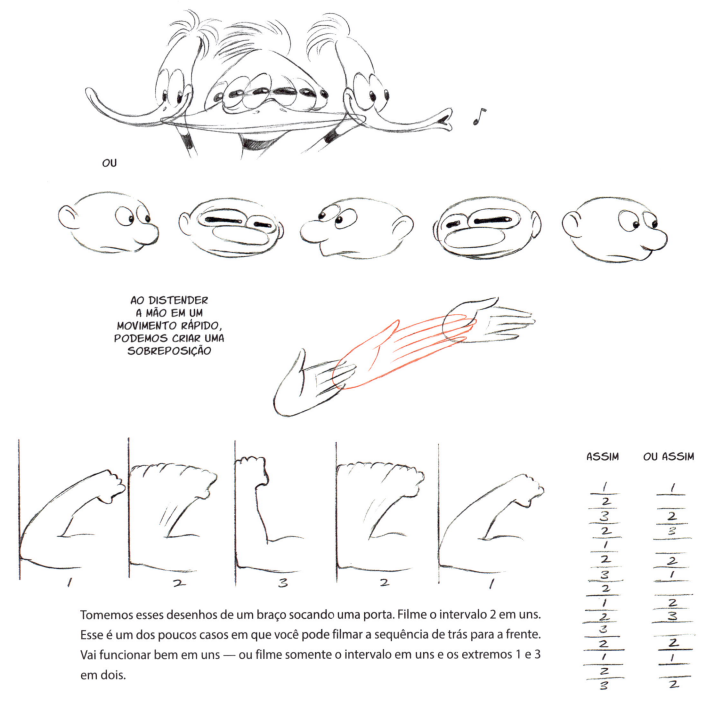

Tomemos esses desenhos de um braço socando uma porta. Filme o intervalo 2 em uns. Esse é um dos poucos casos em que você pode filmar a sequência de trás para a frente. Vai funcionar bem em uns — ou filme somente o intervalo em uns e os extremos 1 e 3 em dois.

96

No final dos anos 1930, quando o traçado e a pintura dos desenhos nos acetatos eram todos feitos à mão, muitos pintores tornaram-se peritos em alcançar com "pinceladas a seco" o efeito de desfoque dos filmes. Os animadores indicavam o borrão em seus desenhos a lápis, e os pintores mesclavam habilmente as cores para simular a transparência do borrão.

Depois da greve dos animadores de 1941 e da Segunda Guerra Mundial, as verbas minguaram, assim como o uso de pintores de cenário qualificados. Mas vários animadores simplesmente continuaram indicando os borrões, e acabou virando uma convenção apenas traçá-los com linhas pretas grossas — ignorando-se o fato de que os artistas das pinceladas a seco há muito tinham sumido.

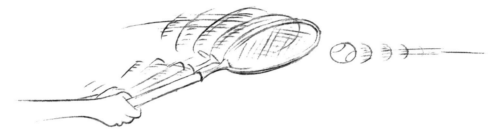

Então isso virou clichê. Caricatura de uma caricatura:

Para personagens que simplesmente desaparecem da tela, Ken me contou:
"Tínhamos uma bruxa que pairava no ar, rindo, e depois *sumia*. Em vez de fazer um borrão, deixávamos só grampos de cabelo onde ela estava".

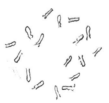

"Aprendemos isso com o pessoal da Disney, em uma cena com peixes. Havia uns peixinhos nadando aqui e ali, e algo vinha e os assustava, e eles *sumiam* — e é só — deixando para trás somente algumas bolhas no caminho que percorreram."

No princípio, linhas de velocidade eram um resquício das velhas tirinhas de jornal:

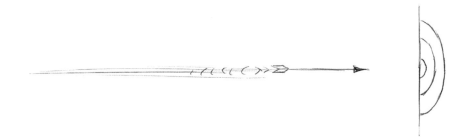

Depois, foram usadas na animação para ajudar a conduzir o olhar. Mas elas ainda persistem sem que realmente precisemos delas. Você não precisa nem mesmo mostrar a flecha entrando. Em um momento não temos nada e no instante seguinte lá está ela — talvez com a rabeira vibrando.

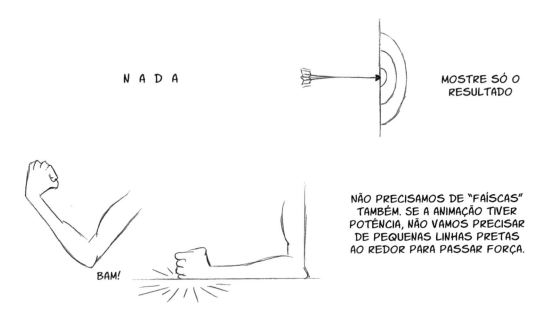

No entanto, considero a intervalação alongada, ou "de cabeça longa", *bastante* útil — não só para efeitos cartunescos de velocidade, como também para uso em ações rápidas realistas:

Novamente, estamos de volta ao propósito original — emular a transparência dos borrões de movimento das ações com atores reais. É uma técnica especialmente apropriada para desenhos de contornos suaves, nos quais as linhas não são nítidas como em livros de colorir.

O MAIOR ERRO DO PRINCIPIANTE

Fazer muita ação em muito pouco tempo; por exemplo, balanços de braços e pernas muito espaçados em uma corrida. O remédio: ir duas vezes mais devagar. Adicione desenhos para diminuir a velocidade — e tire desenhos para aumentar.

Ken Harris contou-me que, quando Ben Washam estava começando na Warner, ficou famoso na indústria pelo "bocejo de 12 frames do Ben". Ele desenhava bem, e fez 12 desenhos elaborados de alguém fazendo um amplo movimento de bocejar — uma ação mais ou menos assim:

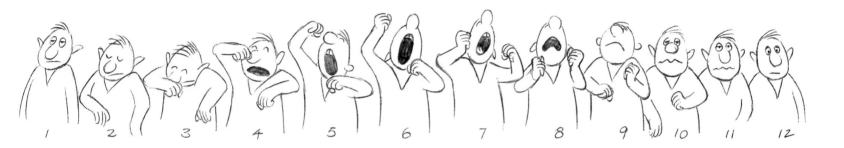

Então ele filmou a cena em uns. Zás! Ela disparou em meio segundo!

Daí ele a filmou em dois. Zzzás! Passou voando em um segundo!

Depois ele intervalou a cena toda (24 desenhos agora) e a filmou em dois. ZZZZZZ! Passou toda em dois segundos — quase lá.

Então Ken mostrou-lhe como adicionar alguns desenhos para amortecer o início e o fim — e bingo, Ben estava a caminho de se tornar um bom animador.

A ABORDAGEM RASCUNHADA

Alguns animadores querem ser poupados de um bocado de trabalho, então desenham rascunhos bem grosseiros. ("*Rafes*", é como chamam — não querem nem perder tempo chamando de "rascunhos". Letras demais para o tempo valioso deles…) Assim, deixam uma tremenda quantidade de trabalho para os assistentes.

Nunca entendi por que certas pessoas na animação são tão desesperadas para evitar trabalho. Se você quer evitá-lo, que diabos está fazendo na animação? Aqui não há nada *a não ser* trabalho!

Nos primórdios do estúdio Disney, quando a animação estava deixando suas origens rudimentares e transformando-se em uma forma de arte sofisticada, costumava-se dizer: tire ao menos um dia para *pensar* no que você vai fazer — *depois* faça.

Um velho animador, ao escrever sobre o assunto quarenta anos mais tarde, recomendou passarmos *dias* pensando na ação. Ele havia lido intensamente Freud e Jung sobre a mente inconsciente, e escreveu linhas sedutoras sobre como era preciso ruminar até o último minuto e, então, explodir em um frenesi de fluxo criativo.

Ele me contou que, em uma semana de trabalho, passava segunda, terça, quarta e quinta-feira pensando na cena e planejando-a em sua cabeça. E na sexta ele a *executava*. O único problema era que levava três semanas para mais alguém torná-la compreensível.

Eu conhecia muito bem esse sujeito — e ele fazia a ideia parecer tão criativamente atrativa que, embora eu sentisse que era besteira artística, achei melhor experimentar. Consegui ruminar, marinar e cozinhar minhas ideias por um dia e meio, e depois não aguentei mais. Explodi em frenesi criativo por um dia inteiro, desenhando noite adentro como um maníaco. O resultado foi bem interessante, mas realmente precisei de mais três semanas para endireitar tudo depois. E acho que a experiência não foi melhor do que se eu tivesse trabalhado normalmente — talvez só um pouco diferente.

Acredito que Milt Kahl tem a abordagem correta: "Eu faço as duas coisas. Penso muito, e depois faço muito".

Ken Harris trabalhava intensamente das 7h30 até o meio-dia, relaxava no almoço, fazia hora desenhando aqui e ali, ia para casa ver TV (ou jogar tênis quando era mais jovem) e pensava no que ia fazer no dia seguinte — depois chegava cedo, evitava contato social, e fazia o que havia pensado.

Ken trabalhava criteriosamente e planejava com muito rigor antes de agir. Disse que ficou surpreso quando viu alguns desenhos em andamento de Ward Kimball, porque eram exatamente como os seus — muito limpos, muito bem cuidados —, geralmente era assim com cada desenho da cena.

Quando vi pela primeira vez o trabalho de Milt em sua mesa, fiquei surpreso com o quanto de trabalho ele produzia, com sua dedicação. Seus desenhos estavam finalizados, de fato. Não havia *clean-up* a ser feito — só alguns retoques, detalhes para completar, e intervalos simples ou partes deles. Idem para Frank Thomas, para Ollie Johnston e para Art Babbitt. As duas exceções eram Cliff Nordberg, um maravilhoso animador de ações que trabalhou comigo por um tempo, e Grim Natwick. Cliff fazia rascunhos bem básicos — por isso era tremendamente dependente de um bom assistente, e isso sempre lhe trouxe muita preocupação. E Grim era imprevisível, um caso à parte.

Existe um mito na animação de que o assistente sempre desenha melhor que o animador (eu nunca encontrei um que desenhasse). O mito diz que o animador cria a "atuação" e que o assistente melhora a aparência geral e deixa tudo direitinho. Bem, não há tantos bons desenhistas dando sopa e, se são bons o bastante para endireitar todos os detalhes e desenhar tão bem, deveriam na verdade estar animando — e provavelmente estão. (Uma exceção são os assistentes "de estilo" dos comerciais em que a "aparência" das coisas é sua razão de ser. Destes, existem uns poucos que são excelentes.)

Os rascunhos possuem uma vitalidade muito sedutora, borrões, pressões diversas na linha, etc. Mas quando você os refina e organiza, geralmente descobre que não há nada de mais ali para começo de conversa.

À medida que avançamos neste livro, vai ficando bem evidente quanto trabalho temos de fazer para obter resultados realmente interessantes. Os melhores profissionais são os que dão mais duro nesse tipo de trabalho — não importa quão talentosos sejam. Mas, esforços à parte, o que buscamos são *resultados* excepcionais. Toda vez que fazemos uma cena, estamos realizando algo singular — algo que ninguém jamais fez antes. É uma profissão respeitável.

QUANTO DEVEMOS DEIXAR PARA O ASSISTENTE?

Resposta de Milt Kahl: "Faço o bastante para controlar a cena com punho de ferro".

Resposta de Ken Harris: "Desenho qualquer coisa que não seja um mero intervalo".

Milt novamente: "Eu não deixo muito para meus assistentes. De quantos detalhes posso abrir mão e ainda ter controle da cena? Se for uma ação rápida, faço todos os desenhos".

O propósito do assistente é cuidar das partes menos importantes do movimento e, assim, liberar o animador para que este realize mais trabalho — mas, como vimos, o assistente não pode ser só uma máquina de desenhar desmiolada. Um computador produz intervalos *perfeitos*, mas obviamente precisa ser programado para acrescentar aqueles detalhezinhos inusitados que vão lhes dar vida.

Eis aqui minha dica para economizar trabalho — minha regra geral:

PEGUE O ATALHO LONGO

O caminho longo acaba sendo o mais curto.

Motivo: geralmente, quando alguém tem uma "ideia brilhante" para encurtar o caminho, alguma coisa dá errado, e levamos mais tempo para colocar tudo no lugar.

Descobri que, simplesmente, é mais rápido fazer o trabalho, e é mais divertido, porque estamos pisando em terreno firme em vez de depender das ideias mal pensadas de algum espertinho.

E, de novo, se você não quer ter um bocado de trabalho, o que está fazendo na animação?

Uma das coisas que eu *adoro* na animação é que é preciso ser específico. Se um desenho está fora do lugar, está *errado* — claramente errado —, ao contrário da "Arte" ou das "Belas-Artes", em que tudo hoje em dia é amorfo e subjetivo.

Para nós, fica óbvio quando uma animação funciona ou não, quando as coisas têm peso, ou quando se sacodem de qualquer jeito ou flutuam bambas e sem forma.

Não somos capazes de nos esconder por trás de todo aquele lance de "mente inconsciente". Claro, podemos disfarçar e *atuar* como divas temperamentais — mas não conseguimos enganar ninguém com o trabalho em si. É óbvio quando fica bom ou ruim.

E não há nada mais gratificante do que fazer bem feito!

CAMINHADAS

Conselho de Ken Harris:
"A caminhada é a *primeira* coisa a se aprender. Aprenda caminhadas de todos os tipos, porque elas são provavelmente as coisas mais difíceis de se fazer de forma correta."

Andar é um processo de começar a cair e impedir a queda bem a tempo. Estamos sempre tentando impedir um tombo enquanto vamos para a frente. Se não pusermos o pé no chão, caímos de cara. Estamos passando por uma série de quedas controladas.

Inclinamos o tronco para a frente e lançamos uma perna bem a tempo de nos sustentar em pé. Dar um passo, sustentar. Outro passo, sustentar. Mais um passo, sustentar.

Normalmente erguemos o pé do chão apenas o mínimo necessário. Por isso é tão fácil topar com o dedão em algo e tropeçar. Uma pequena rachadura no chão já é capaz de nos derrubar.

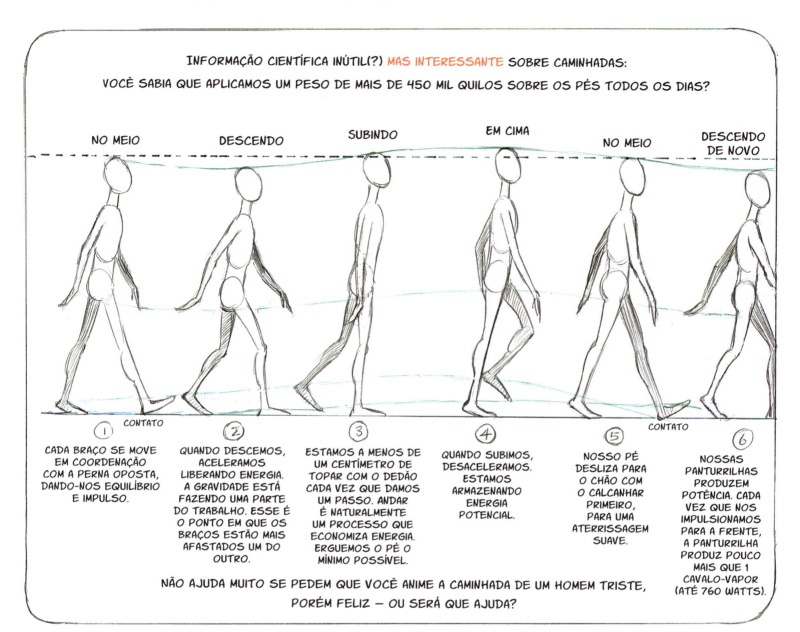

NO ENTANTO, TODAS AS CAMINHADAS SÃO DIFERENTES.

NÃO HÁ DUAS PESSOAS NO MUNDO COM A MESMA FORMA DE CAMINHAR.

ATORES TENTAM COMPREENDER SEUS PERSONAGENS AO DESVENDAR COMO ELES ANDAM — TENTAM CONTAR TODA A HISTÓRIA COM A CAMINHADA.

Por que será que reconhecemos o tio Carlos apesar de não o termos visto por dez anos, de costas, andando, fora de foco, a distância? Porque o caminhar de cada um é tão individual e distinto quanto seu rosto. E cada pequeno detalhe altera tudo. Há uma imensa quantidade de informação em uma caminhada, e nós captamos isso imediatamente.

Art Babbitt nos ensinou a observar as pessoas, de costas, passeando pela rua. Siga a pessoa por um tempo e pergunte a si mesmo:

— É UMA PESSOA VELHA?
— JOVEM?
— QUAL É SUA CONDIÇÃO FINANCEIRA?
— ESTADO DE SAÚDE?
— É UMA PESSOA RIGOROSA?
— PERMISSIVA?
— DEPRIMIDA?
— ESPERANÇOSA?
— TRISTE?
— FELIZ?
— BÊBADA?

Depois dê a volta, olhe-a de frente, e verifique se acertou.

O que estamos procurando, então?

Uma experiência bastante reveladora que tive foi assim. (Infelizmente é um pouco politicamente incorreto, mas é um grande exemplo, então lá vai.)

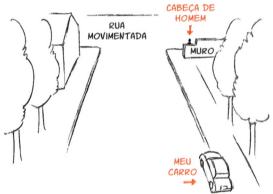

Eu estava dando ignição em meu carro estacionado, quando notei, com a visão periférica, quase que inconscientemente, a cabeça de um homem que andava por trás de um muro.

Passou pela minha mente que talvez ele fosse gay. Uma caminhada gay. E olhe que sou bem míope — meus olhos estavam focados na chave da ignição, e era uma rua movimentada, cheia de carros e pessoas — e ele estava a quase cinquenta metros de distância! Uau! Como eu poderia saber? É insano. Tudo o que eu tinha visto foi sua cabeça desfocada movendo-se por trás de um muro por uma fração de segundo!

Comecei a dirigir, e depois parei. Espere um minuto — eu já devia ser bom nisso. Já era para eu saber esse tipo de coisa. Tinha de descobrir o *porquê!* Recordei o conselho de Art, estacionei de novo, saí do carro, corri um quarteirão e meio para alcançar o sujeito. Andei logo atrás dele, copiando-o. De fato, era uma caminhada efeminada. Então entendi. Ele andava como se estivesse *deslizando* ao longo de uma corda bamba.

Agora, como eu pude detectar isso com a visão periférica fora de foco, a quase cinquenta metros, sem ao menos ver seu corpo? Na verdade, é simples. *A cabeça não fazia movimento de subida e descida*. Tente andar em uma corda bamba imaginária e sua cabeça vai se manter no mesmo nível. Não vai subir nem descer.

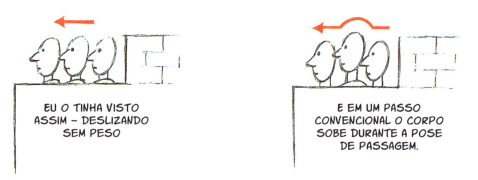

Daí em diante, a primeira coisa que procuro notar é quanto a cabeça se movimenta para cima e para baixo. Esse valor relativo à subida e à descida é a chave!

MULHERES COSTUMAM DAR PASSOS CURTOS EM UMA LINHA RETA — PERNAS MAIS PRÓXIMAS = POUCO MOVIMENTO DO CORPO PARA CIMA E PARA BAIXO.

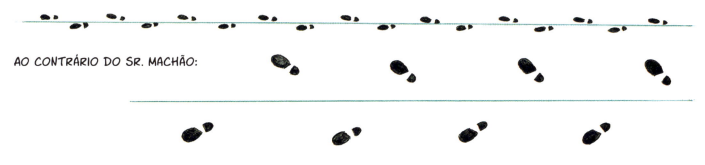

AO CONTRÁRIO DO SR. MACHÃO:

105

Mulheres geralmente andam com as pernas mais próximas, protegendo a virilha, o que resulta em pouca ação para cima e para baixo na cabeça e no corpo. Saias também restringem seu movimento.

Já o sr. Machão, por causa de *seu* equipamento, afasta bem as pernas, e por isso há muito sobe e desce em sua cabeça e corpo a cada passada.

ENTENDENDO O PESO

NÃO PODEMOS OBTER PESO COM UM MOVIMENTO QUE MUDA DE ALTURA COM MUITA SUAVIDADE.

Quando tomamos uma caminhada de um ator real e fazemos o traçado por cima (o nome chique é rotoscopia), o resultado não fica muito bom. Obviamente, funciona com os atores — mas quando você traça com precisão, a animação parece flutuar. Ninguém sabe por quê. Então aumentamos os pontos altos e baixos — acentuamos ou exageramos a subida e a descida — e aí funciona.

É NA SUBIDA E NA DESCIDA DAS MASSAS QUE VAMOS TER A SENSAÇÃO DE PESO.

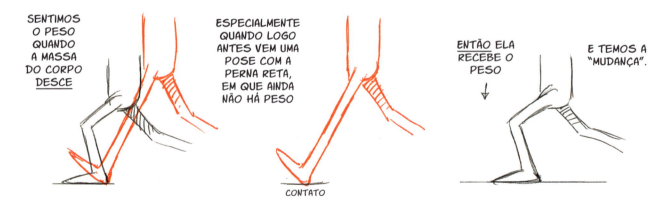

É NA POSIÇÃO DE DESCIDA, QUANDO AS PERNAS ESTÃO DOBRADAS E A MASSA DO CORPO ESTÁ MAIS PARA BAIXO, QUE SENTIMOS O PESO.

Antes de começarmos a construir e "inventar" caminhadas — eis o que acontece no que chamamos de caminhada "normal":

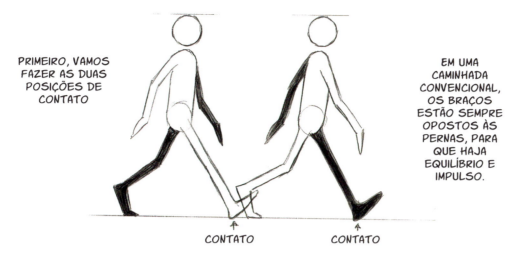

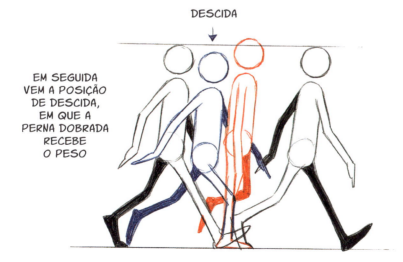

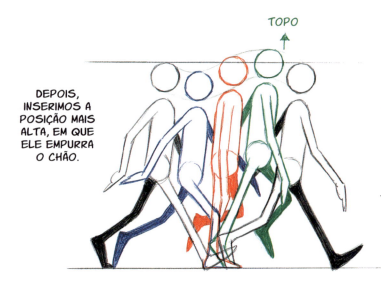

DEPOIS, INSERIMOS A POSIÇÃO MAIS ALTA, EM QUE ELE EMPURRA O CHÃO.

O PÉ EMPURRANDO O CHÃO LEVANTA A PÉLVIS, O CORPO E A CABEÇA PARA SEU PONTO MAIS ALTO, E A PERNA É JOGADA PARA A FRENTE PARA NOS SUSTENTAR NO PONTO DE CONTATO – PARA QUE NÃO CAIAMOS DE CARA NO CHÃO.

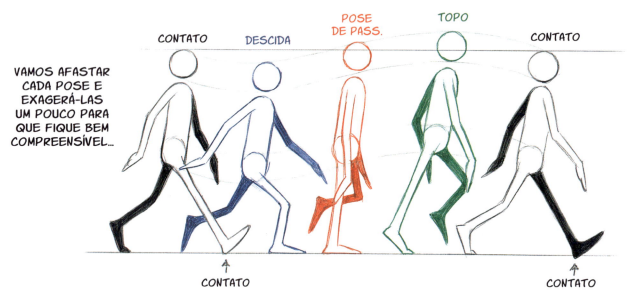

VAMOS AFASTAR CADA POSE E EXAGERÁ-LAS UM POUCO PARA QUE FIQUE BEM COMPREENSÍVEL...

ENTÃO, EM UMA CAMINHADA "REALISTA" NORMAL – LOGO APÓS O PASSO –

O PESO (DESCE) LOGO APÓS O CONTATO.

E O PESO (SOBE) LOGO APÓS A POSE DE PASSAGEM.

AQUI ESTÁ DE NOVO – (EXAGERADO)

A PERNA SE DOBRA, ABSORVENDO A FORÇA DO MOVIMENTO

108

DEFINA O RITMO

A PRIMEIRA COISA A FAZER EM UMA CAMINHADA É DEFINIR O RITMO.

GERALMENTE AS PESSOAS ANDAM EM RITMO DE MARCHA — UM PASSO A CADA 12 FRAMES (MEIO SEGUNDO POR PASSO, DOIS PASSOS POR SEGUNDO.)

MAS ANIMADORES PREGUIÇOSOS NÃO GOSTAM DE TRABALHAR "EM DOZE". É DIFÍCIL DE DIVIDIR. VOCÊ PRECISA USAR "TERÇOS" — PENSAR EM DIVISÕES POR TRÊS.

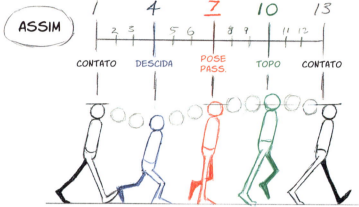

ASSIM

AS INTERVALAÇÕES SERÃO DIVIDIDAS EM TERÇOS.

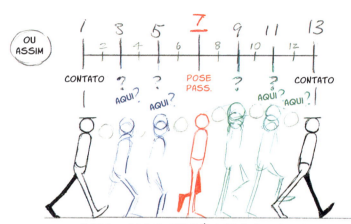

OU ASSIM

OOPS — AGORA ONDE É QUE COLOCAMOS A DESCIDA E A SUBIDA? ISSO ESTÁ FICANDO DIFÍCIL, ESPECIALMENTE QUANDO CHEGAMOS NOS BRAÇOS E NA CABEÇA, NA "ATUAÇÃO" E NAS ROUPAS — SERÁ QUE HÁ UM JEITO MAIS FÁCIL?

HÁ SIM UM JEITO MAIS FÁCIL: FAÇA O PERSONAGEM ANDAR UM PASSO A CADA 16 FRAMES, OU A CADA 8 FRAMES. É MUITO MAIS FÁCIL ANDAR EM 16 — É FÁCIL DE DIVIDIR — E O MESMO VALE PARA 8 FRAMES.

(CADA PASSO = ²/₃ DE UM SEGUNDO) (3 PASSOS POR SEGUNDO)

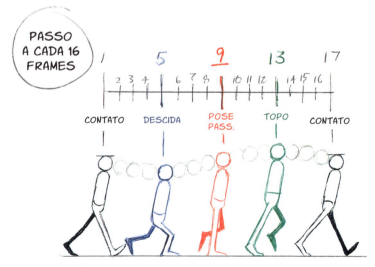

PASSO A CADA 16 FRAMES

UFA, ISSO FACILITA A VIDA. DIVISÕES IGUALMENTE ESPAÇADAS AGORA —

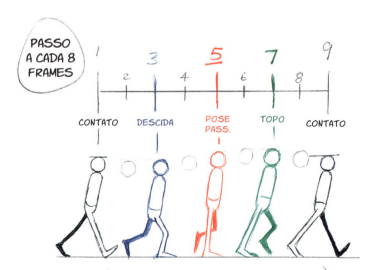

PASSO A CADA 8 FRAMES

(AÇÃO REDUZIDA DE SUBIDA E DESCIDA, JÁ QUE OCORRE EM UM TEMPO MAIS CURTO)

É POR ISSO QUE CAMINHADAS CARTUNESCAS GERALMENTE SÃO "EM OITO". TUM, TUM, TUM, 3 PASSOS POR SEGUNDO.

DESTE MODO, DEFINIMOS UM COMPASSO:

4 FRAMES	=	UMA CORRIDA BEM RÁPIDA (6 PASSOS POR SEGUNDO)
6 FRAMES	=	UMA CORRIDA OU UMA CAMINHADA BEM RÁPIDA (4 PASSOS POR SEGUNDO)
8 FRAMES	=	CORRIDA LENTA OU CAMINHADA "CARTUNESCA" (3 PASSOS POR SEGUNDO)
12 FRAMES	=	CAMINHADA VIGOROSA DE UM DIA DE NEGÓCIOS – "NATURAL" (2 PASSOS POR SEGUNDO)
16 FRAMES	=	PASSEIO SEM PRESSA ($2/3$ DE SEGUNDO POR PASSO)
20 FRAMES	=	PESSOA IDOSA OU CANSADA (QUASE UM SEGUNDO POR PASSO)
24 FRAMES	=	PASSO LENTO (1 PASSO POR SEGUNDO)
32 FRAMES	=	... "MOSTRE-ME O CAMINHO... PARA CASA"...

O melhor jeito de encontrar o tempo de uma caminhada (ou de qualquer coisa) é representar a cena e medir a atuação com um cronômetro. Medir com um metrônomo também ajuda bastante.

Eu naturalmente penso em segundos — "um Mississippi", "um macaquinho" ou "mil e um, mil e dois", etc.[3]

Ken Harris pensava em termos de pés, provavelmente porque tinha uma enorme noção do comprimento do filme em pés — já que tinha de fazer 30 pés de animação por semana. Ele batucava seu lápis na mesa *exatamente* a cada dois terços de segundo enquanto nós fazíamos a atuação.

Milt Kahl contou que, em sua primeira semana na Disney, comprou um cronômetro, foi ao centro da cidade no horário de almoço e mediu o tempo das pessoas caminhando — caminhadas normais, gente simplesmente indo a algum lugar. Disse que elas mediam *invariavelmente* 12 exposições (ou frames). Na mosca. Ritmo de marcha.

Como resultado, passou a marcar esse ritmo como seu ponto de referência. Tudo o que ele marcava tinha um pouco mais ou um pouco menos de 12 exposições. Ele costumava dizer: "Bem, é quase 'em oito'". E isso tornou *mais fácil* seu trabalho.

Chuck Jones disse que os desenhos do Papa-Léguas tinham um andamento musical incorporado a eles. Ele definia os tempos do filme inteiro, e fazia os impactos acontecerem sempre em um ritmo determinado, para que tivessem uma integridade rítmica, musical, já embutida. Depois, os músicos podiam seguir a batida, ignorá-la ou construir a música sobre ela.

Chuck me disse que eles costumavam ter folhas de exposição com uma linha colorida horizontal impressa a cada 16 frames e outra marcada a cada 12 frames. Ele as chamava de "folhas 16" ou "folhas 12". Creio que "folhas 8" seriam as normais.

Uma vez mencionei a Art Babbitt que eu gostava do ritmo de *Tom e Jerry*. "Oh, sim", respondeu sem dar muita importância, "tudo em oito".

Este tipo de *timing* musical rigorosamente sincronizado é raro hoje em dia. A técnica de acompanhar cada ação com a música é chamada "Mickey Mousing" — um termo pejorativo atualmente, e uma prática considerada banal. Mas pode ser extremamente eficaz.

---

3   Uma das maneiras de contarmos os segundos quando não temos relógio nem cronômetro. (N. do T.)

Ao experimentar caminhadas, o melhor é fazer desenhos simples. É mais rápido de executar, fácil de consertar e de fazer alterações.

ALÉM DISSO, AO PRODUZIR ESSAS CAMINHADAS, FAÇA O PERSONAGEM DAR ALGUNS PASSOS DE UM LADO AO OUTRO DA TELA —

(NÃO) TENTE CRIAR UM CICLO EM QUE ELE ANDA NO MESMO LUGAR, COM OS PÉS DESLIZANDO PARA TRÁS, ETC. ISSO É MUITO TÉCNICO. QUEREMOS NOSSO CÉREBRO LIVRE PARA SE CONCENTRAR EM UMA CAMINHADA INTERESSANTE QUE PROGRIDA PARA A FRENTE.

PODEMOS TRABALHAR NO CICLO MAIS TARDE... TALVEZ SÓ PARA OS PÉS E O CORPO. MAS ENTÃO FAÇA O MOVIMENTO DOS BRAÇOS E DA CABEÇA SEPARADAMENTE.

CICLOS SÃO MECÂNICOS E VÃO PARECER EXATAMENTE O QUE SÃO — CICLOS.

CHUCK JONES CONTOU QUE UMA VEZ SUA PEQUENA NETA DE 3 ANOS DISSE:
  "VOVÔ, POR QUE É QUE A MESMA ONDA FICA BATENDO NA ILHA?"

Aliás, se você está usando cores como eu aqui, vai funcionar muito bem quando filmá-las. Eu costumo ter várias cores no início, e ainda é possível ver com clareza a ação.

Agora vamos começar a tirar as coisas do normal:

A POSE DE PASSAGEM OU BREAKDOWN

EXISTE UM JEITO MUITO SIMPLES DE CONSTRUIR UMA CAMINHADA. COMECE COM APENAS 3 DESENHOS —

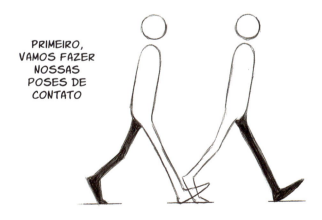

PRIMEIRO, VAMOS FAZER NOSSAS POSES DE CONTATO

111

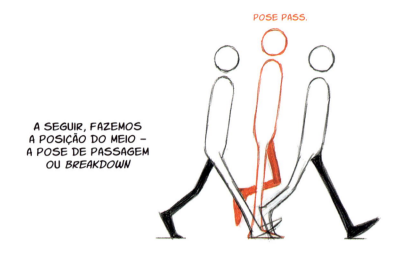

Quando juntarmos esses desenhos com outros que façam a conexão, a caminhada ainda vai dar uma sensação de peso por causa dos altos e baixos. Podemos fazer um tremendo uso desse simples recurso de 3 desenhos.

MAS VEJA O QUE ACONTECE SE FORMOS PARA BAIXO NA POSE DE PASSAGEM!

O CRUCIAL AQUI É A POSIÇÃO DO MEIO E ONDE NÓS A COLOCAMOS.

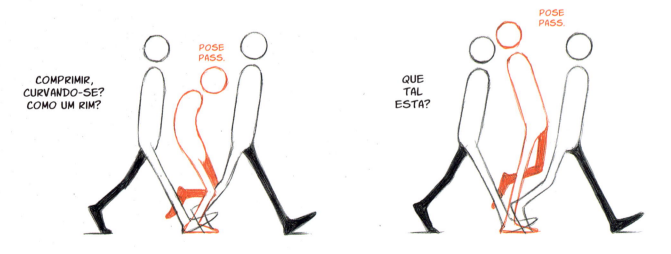

112

OS CONTATOS SÃO SEMPRE OS MESMOS, MAS A POSIÇÃO DO MEIO MUDA TOTALMENTE A CAMINHADA.

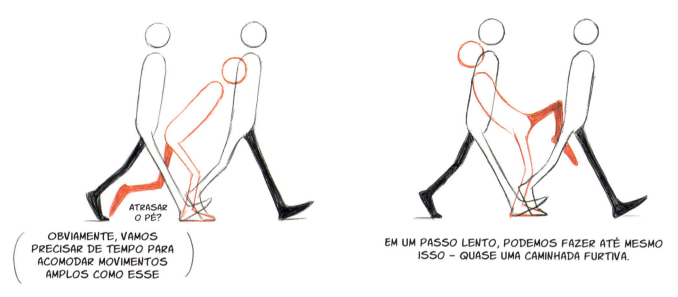

ATRASAR O PÉ?

(OBVIAMENTE, VAMOS PRECISAR DE TEMPO PARA ACOMODAR MOVIMENTOS AMPLOS COMO ESSE)

EM UM PASSO LENTO, PODEMOS FAZER ATÉ MESMO ISSO – QUASE UMA CAMINHADA FURTIVA.

E SE BALANÇARMOS OS PÉS PARA OS LADOS NAS POSES DE PASSAGEM?

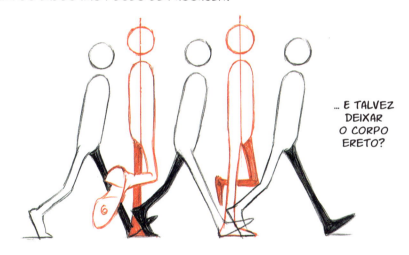

... E TALVEZ DEIXAR O CORPO ERETO?

OU APENAS INCLINAR A CABEÇA E OS OMBROS PARA OS LADOS NAS POSES DE PASSAGEM –

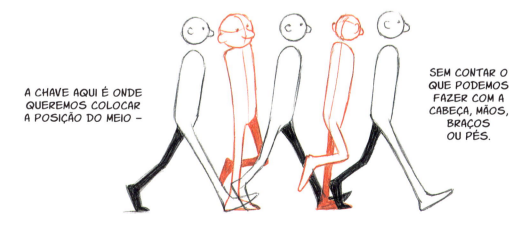

A CHAVE AQUI É ONDE QUEREMOS COLOCAR A POSIÇÃO DO MEIO –

SEM CONTAR O QUE PODEMOS FAZER COM A CABEÇA, MÃOS, BRAÇOS OU PÉS.

AS VARIAÇÕES SÃO ILIMITADAS...

E POR QUE DEVERÍAMOS NOS LIMITAR A UMA MESMA FORMA?

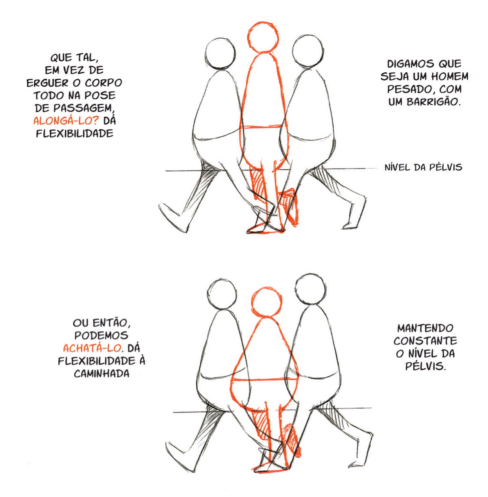

Pelo que sei, creio que Art Babbitt pode ter sido o primeiro a se afastar da caminhada normal ou das caminhadas cartunescas clichê. Com certeza foi um grande expoente da caminhada "inventada". Ele se tornou famoso pelas caminhadas excêntricas que conferiu ao Pateta — que fizeram do personagem uma estrela. Ele virou até mesmo os pés para trás! Isso tornou-se perfeitamente aceitável, e as pessoas não percebiam que os pés estavam para trás!

Toda a crença de Art era: "Invente! Toda regra da animação existe para ser quebrada — se você tiver criatividade e originalidade para enxergar além do que já existe". Em outras palavras: "Aprenda as regras e depois aprenda a quebrá-las".

Isso abriu toda uma caixa de Pandora de invenções.

Art sempre dizia: "O ambiente da animação é bastante incomum. Podemos realizar ações que humano algum seria capaz de fazer. *E ainda assim* torná-las convincentes!".

Essa ideia da pose de passagem excêntrica é um recurso imensamente útil. Podemos usá-la em qualquer lugar, e o ponto escolhido terá um enorme efeito na ação. E quem disse que não podemos colocá-la onde quer que nos dê vontade? Não há nada que nos impeça.

Podemos *continuar* decompondo as poses nos lugares mais estranhos — desde que haja tempo suficiente para acomodar o movimento.

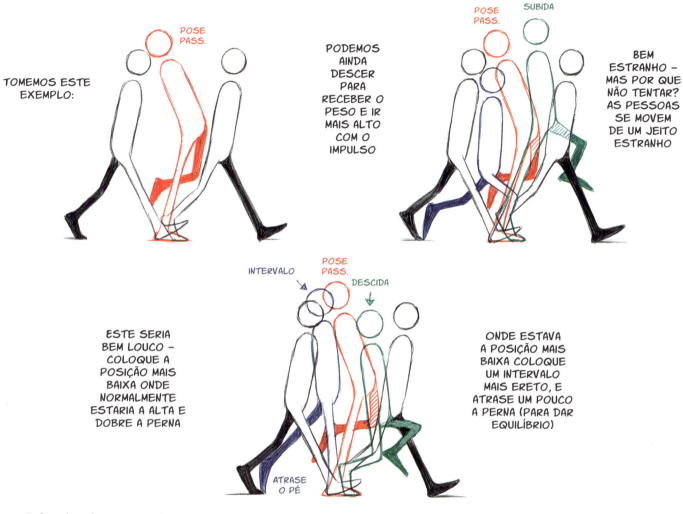

Enfim, de volta ao normal:

DOIS JEITOS DE PLANEJAR UMA CAMINHADA

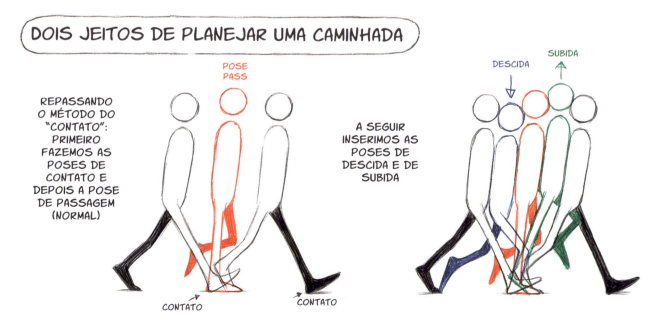

115

Descobri que este método do contato é *aquele que leva você aonde quer chegar — do jeito mais prático*. É especialmente conveniente para ações naturais, que são as que mais animamos. Dei-me conta de que é o melhor jeito de fazer a maioria das coisas.

Milt Kahl trabalhava assim. "Em uma caminhada, faço as poses de contato primeiro, em que os pés tocam o chão ainda sem peso sobre eles. É como uma pose média para a cabeça e o corpo, nem mais alta nem mais baixa. Eu sei onde estão os pontos altos e baixos e depois vou dividindo. Um outro motivo é que fica mais fácil planejar a cena."

"Sempre começo com o contato porque é algo dinâmico, em pleno movimento. E é muito melhor do que já começar com o peso sobre o pé, que daria uma pose muito estática!"*

*O QUE É EXATAMENTE O QUE O SEGUNDO SISTEMA FAZ.
ESTE É O MODO COMO ART BABBITT COSTUMAVA PLANEJAR UMA CAMINHADA — E HAVIA NELE ALGO DE MUITO ENGENHOSO:

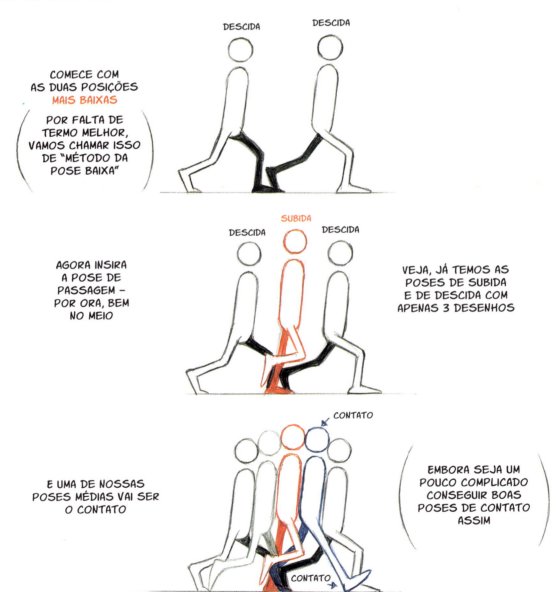

116

A engenhosidade dessa abordagem é que demos conta da subida e da descida já nos primeiros três desenhos. Claro, podemos inserir a pose de passagem mais acima, mais abaixo ou para os lados — em qualquer lugar que quisermos. Mas ter as poses mais baixas já definidas nos ajuda a criar; fornece uma matriz simples que podemos tornar mais complexa, se tivermos vontade.

Já temos os pesos, e por isso estamos livres para experimentar e inventar ações excêntricas, ou ações que não poderiam acontecer no mundo real.

Novamente, não estamos presos a um método ou outro. Por que não ter ambos? Não só, mas também…

Recomendo fortemente o método do contato para uso geral, mas o método da pose baixa é bem útil para invenções pouco convencionais.

De agora em diante, vamos usar as duas abordagens.

É UM POUCO DIDÁTICO, MAS SE TOMARMOS OS DOIS MÉTODOS...

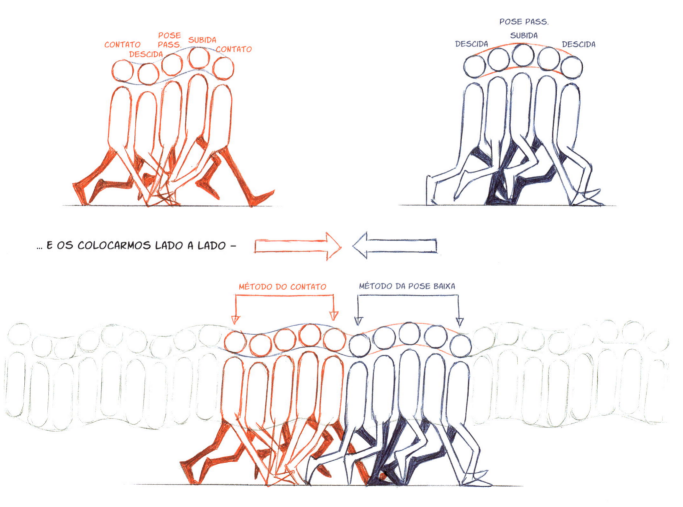

... E OS COLOCARMOS LADO A LADO –

– TEREMOS TODAS AS FASES DE SUBIDA E DE DESCIDA DE UMA CAMINHADA.
É A MESMA COISA, SÓ ESTAMOS COMEÇANDO UMA FASE ANTES OU UMA FASE DEPOIS.

O DUPLO QUIQUE

"Bola pra frente". O caminhar com duplo quique exibe um otimismo enérgico — a atitude "sou mais eu" dos norte-americanos. Usava-se essa caminhada o tempo todo nos anos 1930 — diversos personagens (bichos e outros), todos ostentando estilosas caminhadas de duplos quiques.

A IDEIA É TER DOIS BALANÇOS A CADA PASSO. QUICAR DUAS VEZES.
SEU PERSONAGEM DESCE (OU SOBE) DUAS VEZES EM VEZ DE UMA EM CADA PASSO.

VEJAMOS UM PASSO DE 16 FRAMES (EM UNS, PORQUE AGORA VAMOS TER MUITA AÇÃO).
VAMOS COMEÇAR COM A PERNA DOBRADA — EU AS AFASTEI PARA TERMOS MAIS CLAREZA.

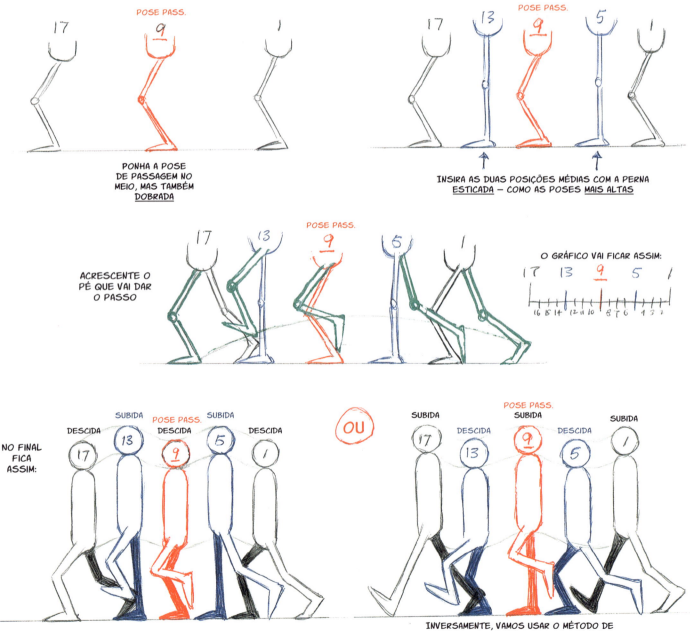

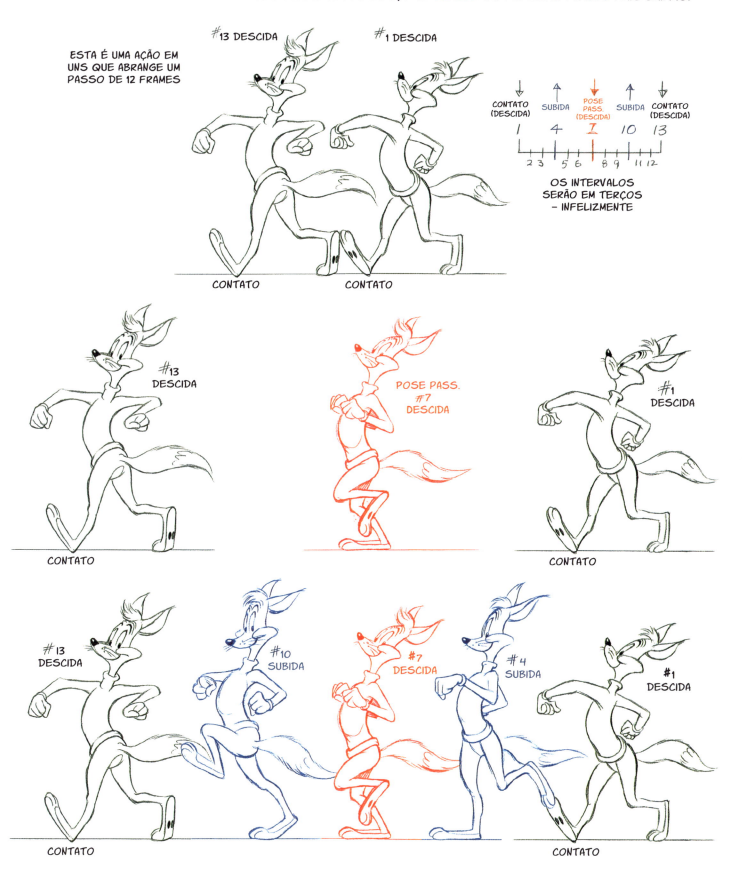

DESCONTRAINDO

VAMOS COMEÇAR COM UMA CAMINHADA BEM CLICHÊ – NADA SOFISTICADO AINDA.

OS BRAÇOS NORMALMENTE VÃO MOVER-SE OPOSTOS ÀS PERNAS – MAS SÓ DE MOVER OS OMBROS EM OPOSIÇÃO ÀS PERNAS, JÁ TEMOS MAIS VIDA

(VISTA DE FRENTE – DESENHOS AFASTADOS PARA TERMOS MAIS CLAREZA)

AGORA VAMOS INCLINAR OS OMBROS PARA DAR MAIS VITALIDADE:

ESTAMOS RETOMANDO NOSSO PLANO BÁSICO E ACRESCENTANDO NOVAS INFORMAÇÕES AO ESQUEMA.

AGORA VAMOS FAZER ALGO COM A CABEÇA PARA DEIXAR MAIS INTERESSANTE ESSA SIMPLES FÓRMULA DE CAMINHADA.

VAMOS INCLINAR A CABEÇA:

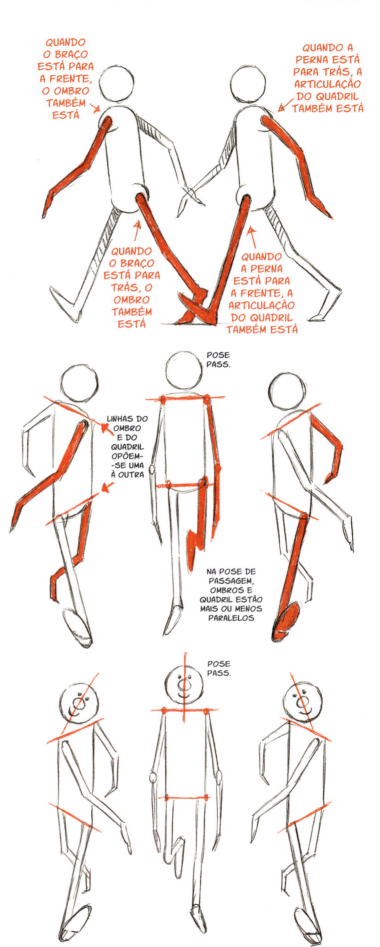

QUE TAL ISTO? VAMOS **ATRASAR A INCLINAÇÃO DA CABEÇA** NA POSE DE PASSAGEM

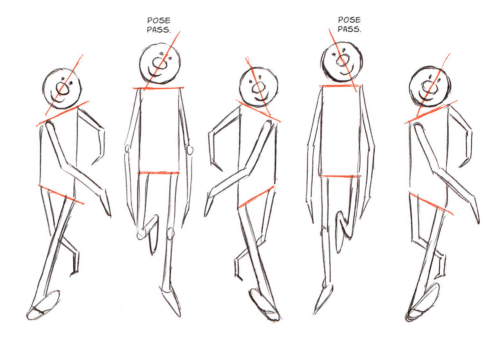

VAMOS FAZER ALGO MAIS COM A CABEÇA – **JOGÁ-LA PARA A FRENTE** NA POSE DE PASSAGEM

(DÁ UM LEVE JEITÃO DE POMBO)

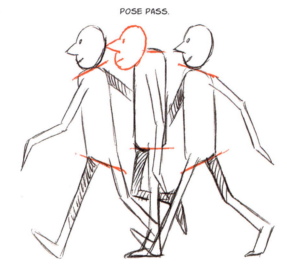

UM PEQUENO DETALHE DIFERENTE VAI DAR À FÓRMULA UM AR NOVO

 OU

A CABEÇA VAI PARA A FRENTE E FICA ASSIM ATÉ O FIM DE CADA PASSO

CABEÇA SE INCLINA QUANDO AVANÇA

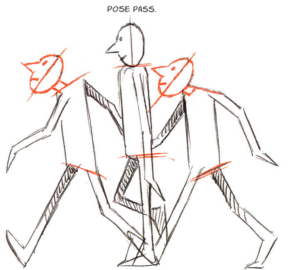

VISTA DE TRÁS

QUALQUER PEQUENO DETALHE ALTERA UMA CAMINHADA, COMO MOVER A CABEÇA PARA CIMA E PARA BAIXO, OU INCLINÁ-LA DE UM LADO A OUTRO, OU BALANÇÁ-LA PARA A FRENTE E PARA TRÁS, OU QUALQUER COMBINAÇÃO DISSO.

PENSE NA CABEÇA COMO UM CUBO

O BALANÇO DE CABEÇA DO EGÓLATRA —

VOCÊ VÊ MUITO ISSO EM POLÍTICOS, ATORES OU PESSOAS QUE IMAGINAM QUE A CÂMERA ESTÁ APONTADA PARA ELAS O TEMPO TODO.

ALGUNS COMEDIANTES FAZEM ISSO, E CONSEGUEM UMA GRANDE REAÇÃO DO PÚBLICO.

EM HOLLYWOOD, EU JÁ VI ATÉ O CARTEIRO ANDANDO ASSIM.

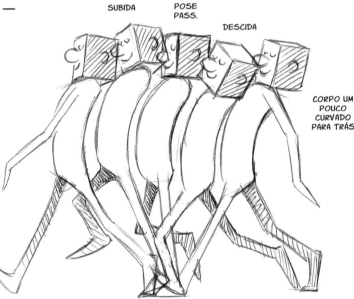

CAMINHAR FLUTUANDO CHEIO DE AMOR-PRÓPRIO, COMO QUEM DIZ "É MARAVILHOSO SER MARAVILHOSO", É ALGO QUE FUNCIONA BEM COM POUCA SUBIDA E DESCIDA.

QUANDO ERA CRIANÇA, EU SEMPRE ME PERGUNTAVA POR QUE OS ANIMADORES DESENHAVAM AS CABEÇAS ASSIM, COM LINHAS DE CONSTRUÇÃO.

AGORA EU SEI POR QUÊ — ESTAVAM O TEMPO TODO MOVENDO MASSAS.

122

UMA NOTA DE CAUTELA DE KEN HARRIS:

EM CAMINHADAS, NÃO FAÇA CICLOS DE AÇÃO DE CORPO E CABEÇA EM FORMATO DE CÍRCULOS OU EM FORMATO DE 8;

SE FIZER, O PERSONAGEM VAI PARECER UM PÁSSARO OU POMBO AO CAMINHAR (A NÃO SER QUE VOCÊ QUEIRA ISSO).

ISTO NÃO

ISTO NÃO

ISTO SIM

POR SEGURANÇA, NO TODO, PROCURE MANTER A MASSA EM LINHA RETA, PARA CIMA E PARA BAIXO.

TENDO ISSO EM MENTE, AINDA ASSIM DEVERÍAMOS TER CORAGEM DE EXPERIMENTAR COISAS NOVAS...

A PARTIR DE NOSSO ESQUEMA BÁSICO, CONSEGUIMOS ADICIONAR MAIS AÇÃO À CABEÇA, AOS OMBROS, BRAÇOS, QUADRIS E PÉS:

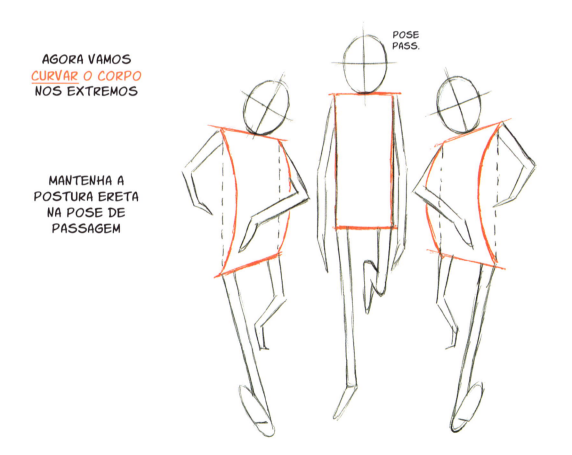

AGORA VAMOS CURVAR O CORPO NOS EXTREMOS

MANTENHA A POSTURA ERETA NA POSE DE PASSAGEM

E AGORA VAMOS FAZER UMAS COISAS BEM LOUCAS COM OS BRAÇOS E AS PERNAS...

123

VAMOS "QUEBRAR" A PERNA.
VAMOS DOBRÁ-LA MESMO QUE ELA NÃO SE DOBRE DESSE JEITO NA REALIDADE.

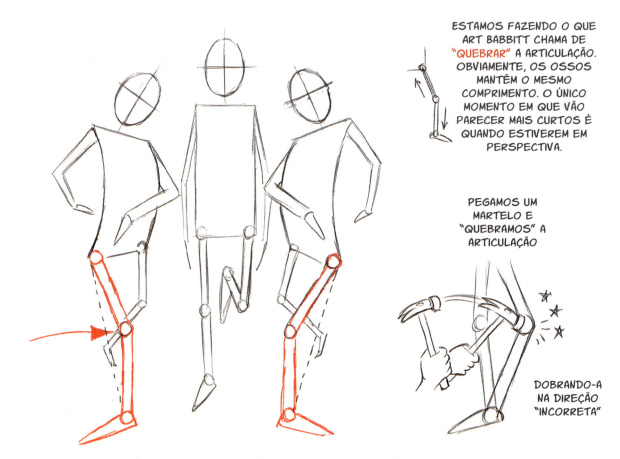

ESTAMOS FAZENDO O QUE ART BABBITT CHAMA DE "QUEBRAR" A ARTICULAÇÃO. OBVIAMENTE, OS OSSOS MANTÊM O MESMO COMPRIMENTO. O ÚNICO MOMENTO EM QUE VÃO PARECER MAIS CURTOS É QUANDO ESTIVEREM EM PERSPECTIVA.

PEGAMOS UM MARTELO E "QUEBRAMOS" A ARTICULAÇÃO

DOBRANDO-A NA DIREÇÃO "INCORRETA"

PARECE BEM ESTRANHO, MAS SE DESENHARMOS UMA BAILARINA COM ESSA PERNA, VAI LHE CAIR MUITO BEM.

MAIS À FRENTE VEREMOS MUITO MAIS COISAS COMO ESTA

PORTANTO, PODEMOS TOMAR TREMENDAS LIBERDADES COM A ESTRUTURA (SE QUISERMOS) E ISSO AINDA SERÁ PERFEITAMENTE ACEITÁVEL – ESPECIALMENTE EM MOVIMENTO!

POR QUE ESTAMOS FAZENDO ISSO?

TUDO O QUE FAZEMOS É COM O PROPÓSITO DE OBTER MAIS "MUDANÇA", VARIEDADE, MAIS AÇÃO DENTRO DA AÇÃO.
PARA DAR MAIS AGILIDADE À ANIMAÇÃO — DAR A ELA MAIS VIDA.

Grim Natwick disse:

"Costumávamos apostar dez dólares contra dez centavos que você podia tomar qualquer personagem, fazê-lo caminhar por uma sala e arrancar umas gargalhadas com isso.

Tínhamos uns 24 tipos de caminhadas diferentes. Uma certa ação do corpo, um certo movimento da cabeça, um certo tipo de pé batucando no chão, um passo grande, ou uma caminhada estilo "Pateta" que Art Babbitt desenvolveu.

Embora o braço naturalmente se mova em oposição à perna, quebrávamos as regras de oito a dez modos diferentes para tornar a caminhada mais interessante."

VAMOS RETOMAR NOSSO PLANO BÁSICO, ADICIONANDO DETALHES PARA IR COMPLETANDO O ESQUEMA.
DIGAMOS QUE TEMOS UMA ESPÉCIE DE CAMINHAR ZANGADO — NORMALMENTE FARÍAMOS ASSIM:

MAS VEJA O QUE ACONTECE SE FIZERMOS DUAS COISAS SIMPLES:

PONHA-O MAIS BAIXO NA POSE DE PASSAGEM, DEIXANDO AS COSTAS CURVADAS PARA A FRENTE — E FAÇA ISSO COM O BRAÇO, "QUEBRANDO" O COTOVELO.

125

VAMOS LEVAR ESSE CAMINHAR ZANGADO MAIS LONGE AINDA –
ESSE É O TIPO DE COISA QUE ART BABBITT FEZ POR TODA A SUA VIDA – TORNAR MOVIMENTOS IMPOSSÍVEIS PARECEREM CONVINCENTES E CRÍVEIS. ELE DIZIA: "SEJA SÓ UM POUCO REALISTA"...
ENTÃO, ESSE NÃO VAI SER SÓ UM PASSO QUE SE REPETE; VAMOS MUDAR LIGEIRAMENTE A SILHUETA NO 2º CONTATO (#15), PORTANTO, AS POSIÇÕES OPOSTAS DOS BRAÇOS VÃO FICAR DIFERENTES DO CONTATO #1. NOS CONTATOS, A PERNA DE TRÁS ESTARÁ "QUEBRADA" E UM PÉ, VIRADO PARA TRÁS.
É UMA CAMINHADA EM DOIS – CADA PASSO OCUPA 14 FRAMES.

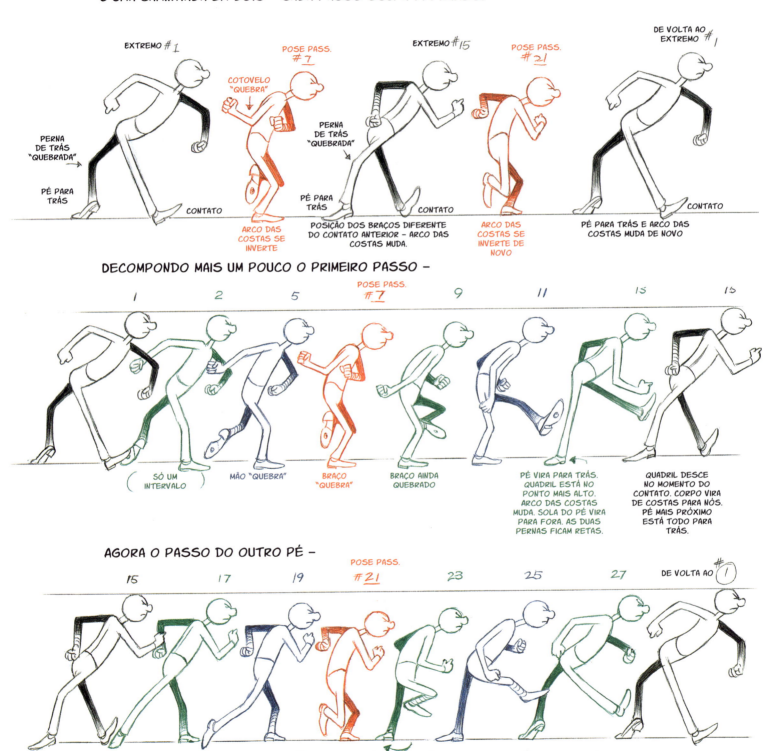

A PROPÓSITO, EM UMA CAMINHADA DE PERFIL É BEM ÚTIL TER UM PÉ UM POUCO À FRENTE E UM POUQUINHO VIRADO DE LADO. (TENHO MANTIDO AS COISAS MUITO ESQUEMÁTICAS ATÉ AGORA.)

VAMOS CONTINUAR FUGINDO DO COMUM –
POR QUE NÃO UMA SIMPLES INVERSÃO DA SUBIDA E DA DESCIDA DE UMA CAMINHADA NORMAL?

FAÇA O PONTO MAIS ALTO ACONTECER MAIS CEDO

MAIS SEPARADOS –

AINDA SEGUINDO NOSSAS TRÊS POSIÇÕES PRINCIPAIS:

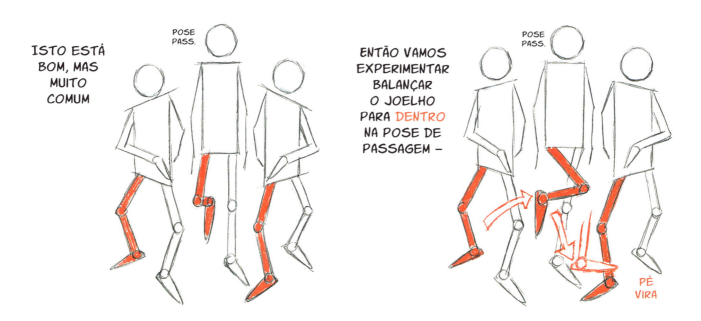

ISTO ESTÁ BOM, MAS MUITO COMUM

ENTÃO VAMOS EXPERIMENTAR BALANÇAR O JOELHO PARA **DENTRO** NA POSE DE PASSAGEM –

127

INDO MAIS FUNDO NAS CAMINHADAS

EIS AQUI UM TIPO DE CAMINHAR VAIDOSO, EMPERTIGADO.
VAMOS CURVAR O CORPO PARA FORA NOS EXTREMOS, COM CABEÇA, OMBROS E QUADRIL INCLINADOS. PONHA A POSE DE PASSAGEM NA DESCIDA, BALANCE A PERNA PARA DENTRO E "QUEBRE" A PERNA DE APOIO, ENCURVANDO O JOELHO – ISTO VAI DAR UM RESULTADO INTERESSANTE.

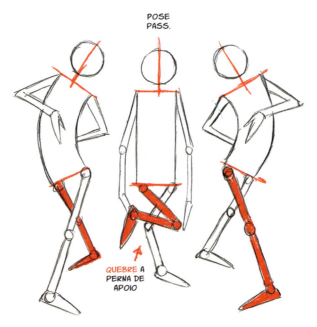

AGORA VAMOS TOMAR OS MESMOS EXTREMOS, MAS COLOCANDO A POSE DE PASSAGEM EM SUBIDA, DEIXANDO RETA A PERNA DE APOIO PARA ERGUER O PERSONAGEM, E BALANÇANDO A PERNA PARA DENTRO, COMO ANTES.

MAS FAÇA O PRÓXIMO INTERVALO EM DESCIDA (COMO O NORMAL) COM A PERNA VIRADA PARA FORA, E O INTERVALO SEGUINTE SÓ VINDO PARA A FRENTE (O CORPO É SÓ UM INTERVALO SIMPLES, EXCETO PELA PERNA).

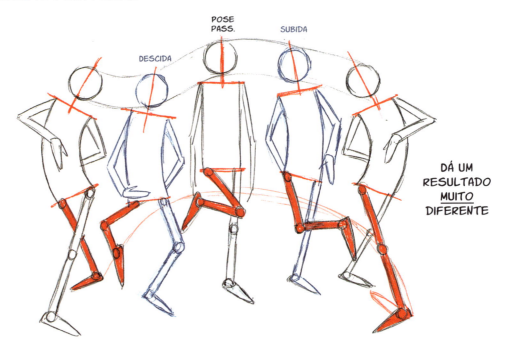

128

PODEMOS CONTINUAR ASSIM INDEFINIDAMENTE, ALTERANDO PARTES E INVERTENDO POSIÇÕES, SEMPRE A PARTIR DE NOSSO ESQUEMA BÁSICO DE 3 DESENHOS.

QUE TAL ISTO? MANTENHA OS MESMOS 2 EXTREMOS DO INÍCIO, SÓ QUE COM AS PERNAS DOBRADAS. PONHA A POSE DE PASSAGEM NO PONTO MAIS ALTO.

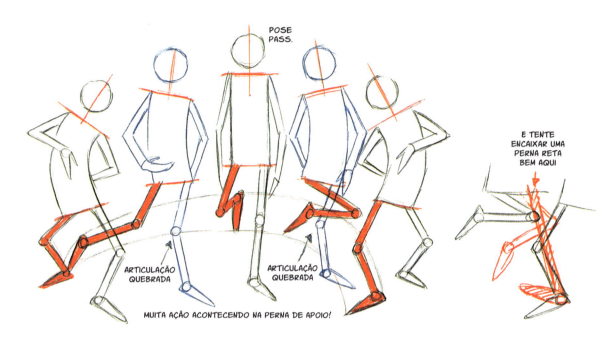

E QUE TAL UMA ASSIM?
COMECE COM PERNINHAS DE TESOURA ("QUEBRANDO" AS ARTICULAÇÕES DAS PERNAS).

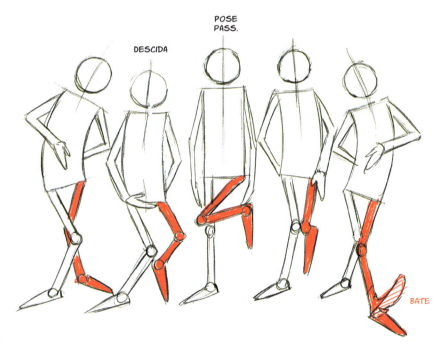

O QUE ESTAMOS TENTANDO MOSTRAR AQUI É UMA FORMA DE PENSAR O MOVIMENTO. UMA MATRIZ SIMPLES, SOBRE A QUAL PODEMOS CONSTRUIR CAMINHADAS BEM NORMAIS – OU ALGUMAS INSANAMENTE EXCÊNTRICAS – E TUDO O QUE EXISTIR ENTRE ELAS.

AQUI TEMOS UM TIPO DE CAMINHADA FEMININA EM CIMA DA MESMA FIGURA BÁSICA.

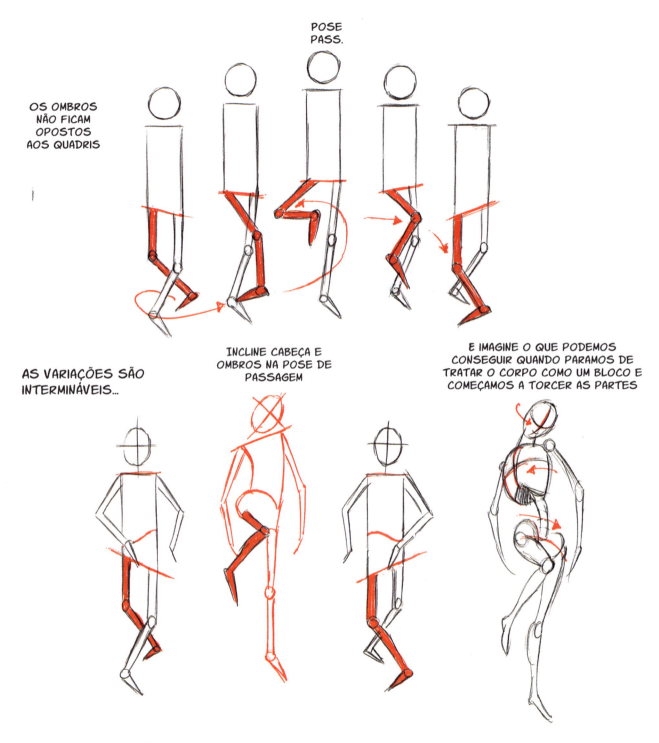

MESMO QUE AS AÇÕES SEJAM IMPOSSÍVEIS NO MUNDO REAL (ARTICULAÇÕES QUEBRADAS, ETC.), É UMA BOA IDEIA VOCÊ FAZER A ATUAÇÃO DA CENA PARA SABER SE ELA VAI CABER NO TEMPO PREVISTO. DEIXE DE LADO A MODÉSTIA E ATUE!

UMA VEZ, QUANDO CONSULTEI MILT KAHL A RESPEITO DE UMA MARAVILHOSA CAMINHADA FEMININA QUE ELE ANIMOU, ELE DISSE: "EU FECHEI A PORTA, MAS SE VOCÊ ME VISSE CAMINHANDO IRIA QUERER ME BEIJAR".

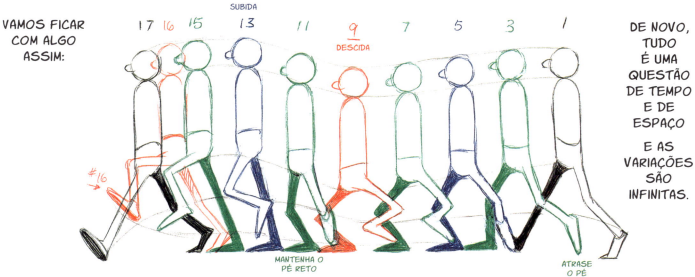

VAMOS SIMPLESMENTE MUDAR A INCLINAÇÃO DO CORPO NA POSE DE PASSAGEM (PASSO DE 8 FRAMES):

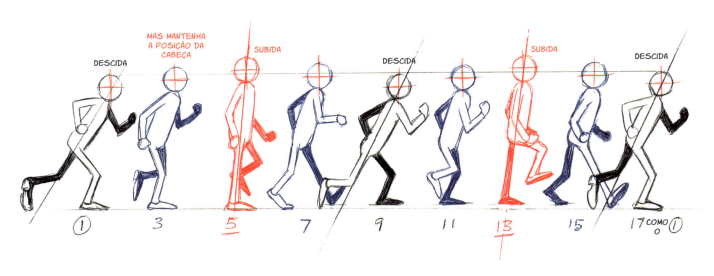

E NÃO DEVEMOS TER MEDO DE TOMAR LIBERDADES E DISTORCER AS COISAS – ESPECIALMENTE PARA AÇÕES RÁPIDAS.

(EM UNS)

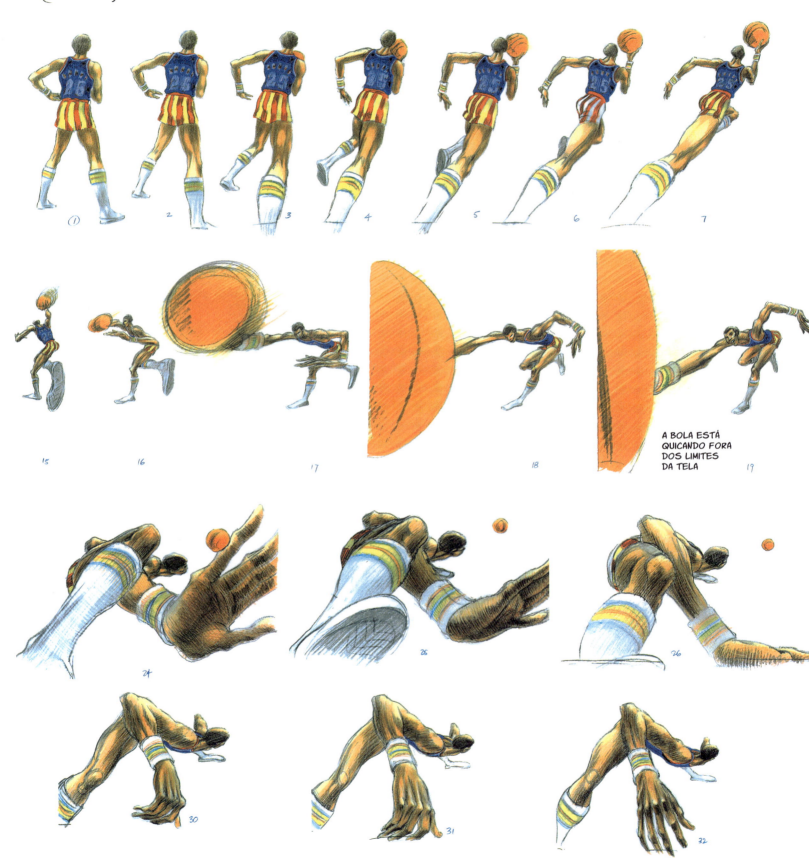

A BOLA ESTÁ QUICANDO FORA DOS LIMITES DA TELA

EIS AQUI UM JOGADOR DE BASQUETE QUE EU ANIMEI – SÓ PARA MOSTRAR QUÃO LONGE PODEMOS IR (O RESULTADO FICOU ÓTIMO).

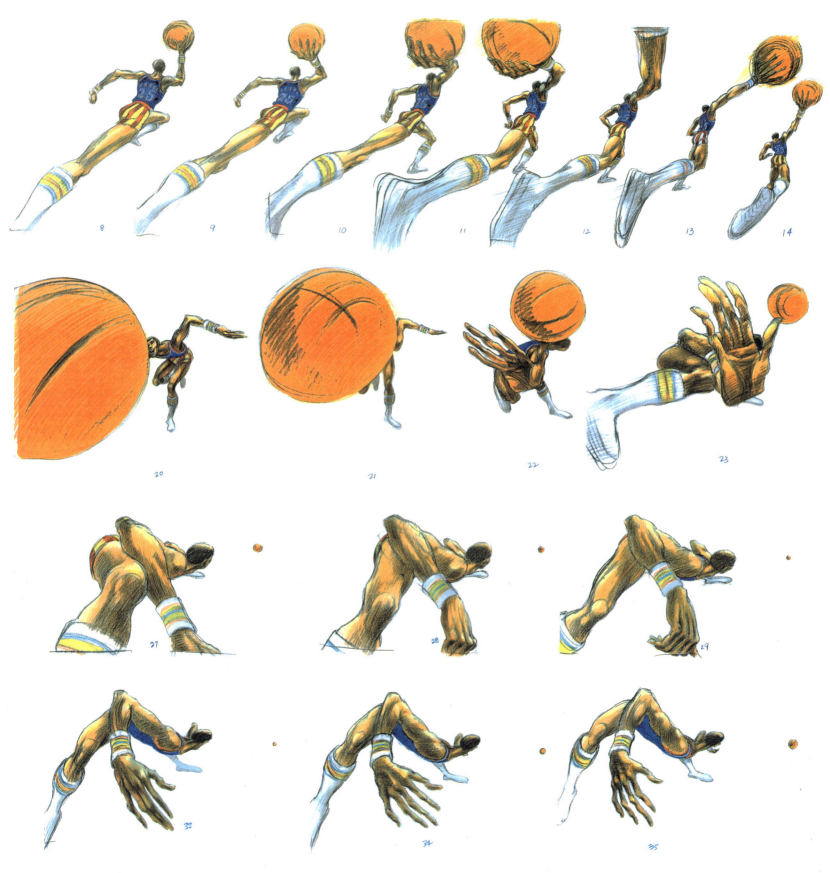

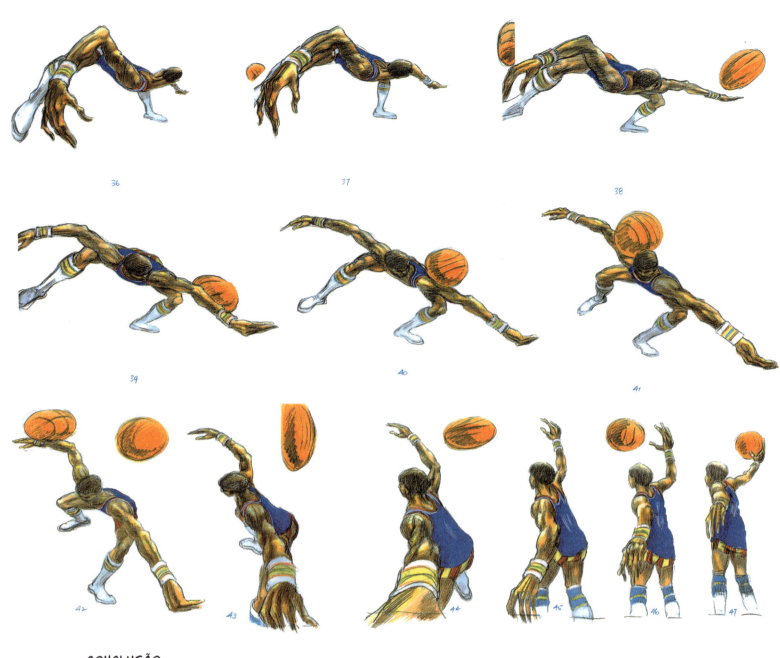

CONCLUSÃO:

PODEMOS TOMAR GRANDES LIBERDADES COM AÇÕES RÁPIDAS – MESMO COM PERSONAGENS REALISTAS. É ÓBVIO QUE, EM AÇÕES MUITO RÁPIDAS, VOCÊ PRECISA FAZER TODOS OS DESENHOS – UM ASSISTENTE (NESSE CASO) SERIA ÚTIL PARA AJUDAR A SOMBREAR MÚSCULOS OU LISTRAS, MAS NÃO IRIA MUITO ALÉM DISSO.

MILT KAHL:

"SE FOR UMA AÇÃO RÁPIDA, FAÇO TODOS OS DESENHOS".

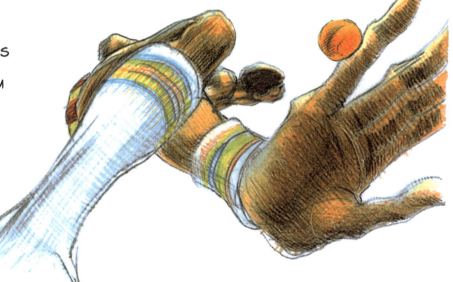

NÃO HÁ NADA COMO EXPERIMENTAR

EXISTEM INÚMERAS POSSIBILIDADES.

NÃO ESTAMOS COPIANDO A VIDA, ESTAMOS EXPRESSANDO UM PONTO DE VISTA SOBRE ELA.

SE ERRARMOS, E DAÍ? É SÓ UM TESTE. FAÇA AS CORREÇÕES E TESTE DE NOVO. METADE DAS VEZES VAMOS FALHAR FEIO – MAS NA OUTRA METADE O MOVIMENTO VAI FUNCIONAR E VAI SER ALGO NOVO.

AQUI ESTÁ UM JEITO DE QUEBRAR A REGRA:

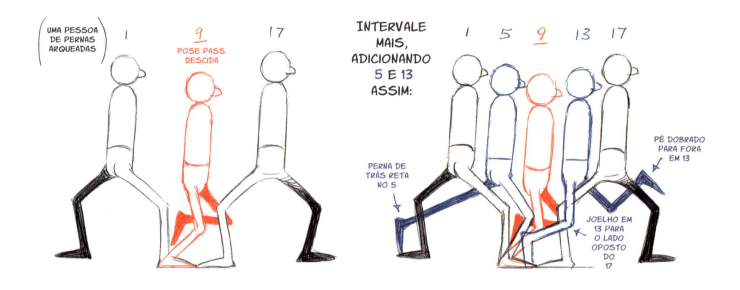

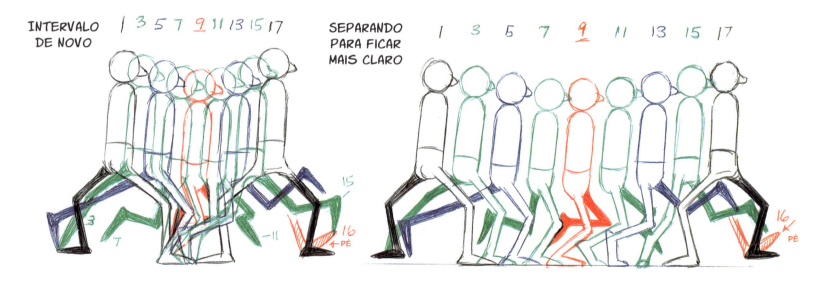

E NEM CHEGAMOS A FAZER NADA COM A CABEÇA E OS BRAÇOS. COM TANTA AÇÃO ASSIM NAS PERNAS, TALVEZ SEJA MELHOR SERMOS MAIS MODERADOS COM O RESTO – TALVEZ SIM, TALVEZ NÃO.
ESSA AÇÃO FUNCIONA BEM EM DOIS, MAS FICA MELHOR EM UNS, POR CAUSA DO AMPLO ESPAÇAMENTO.

DE VOLTA À NORMALIDADE POR UM INSTANTE...

O CALCANHAR

O CALCANHAR É A PARTE PRINCIPAL.
O PÉ É SECUNDÁRIO E ACOMPANHA O MOVIMENTO.
O CALCANHAR VAI PRIMEIRO E O RESTO DO PÉ VEM
LOGO A SEGUIR, TOCANDO O CHÃO MAIS ADIANTE –
MAS É O CALCANHAR QUE O CONTROLA.

PARA CAMINHADAS E CORRIDAS –
MANTENHA O CALCANHAR COLADO NO CHÃO
PARA TER A SENSAÇÃO DE PESO.
RETENHA O PÉ ATÉ O ÚLTIMO MOMENTO POSSÍVEL.

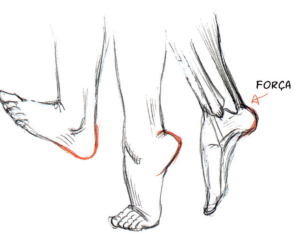
FORÇA

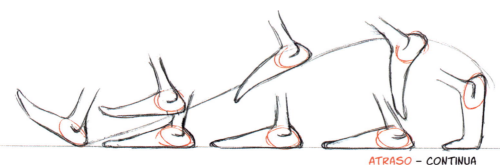
E RELUTANTEMENTE SAI DO CHÃO
ATRASO – CONTINUA COLADO

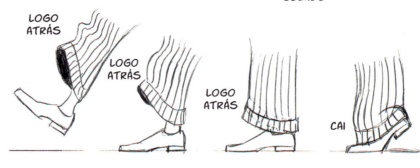

ROUPAS ESTÃO SEMPRE ATRASADAS –
LOGO ATRÁS
LOGO ATRÁS
LOGO ATRÁS
CAI
A BARRA DA CALÇA ALCANÇA O RESTO – DÁ UM POUQUINHO MAIS DE VIDA

AÇÃO DO PÉ

VAMOS REVISITAR A PERNA QUE DÁ O PASSO EM UMA CAMINHADA NORMAL – COMEÇANDO PELOS CONTATOS.

(DIGAMOS QUE SEJA UM PASSO DE 8 FRAMES)

SEPARANDO –

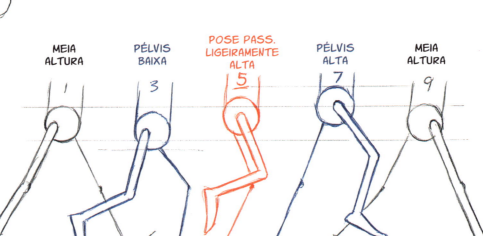

MEIA ALTURA — 1
PÉLVIS BAIXA — 3
POSE PASS. LIGEIRAMENTE ALTA — 5
PÉLVIS ALTA — 7
MEIA ALTURA — 9

ESTE É O PADRÃO DE UM PASSO NORMAL COMEÇANDO PELA POSE DE CONTATO – FUNCIONA NA MAIORIA DOS CASOS.

MAS VAMOS COMEÇAR COM AS DUAS POSES MAIS BAIXAS – COMO MILT DIZIA, SÃO POSES MAIS ESTÁTICAS – PORÉM, COM A POSE DE PASSAGEM NA SUBIDA, JÁ CUIDAMOS DE TODAS AS SUBIDAS E DESCIDAS.

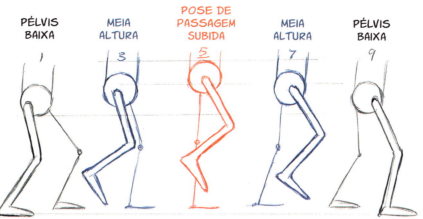

AGORA NÃO PRECISAMOS PENSAR MUITO NAS SUBIDAS E DESCIDAS E PODEMOS NOS CONCENTRAR EM FAZER COISAS DIFERENTES COM OS PÉS.

DESSA VEZ VAMOS DEIXAR OS DOIS PÉS RETOS

LEVE A MASSA TODA COMO SE FOSSE UM PASSO NORMAL –

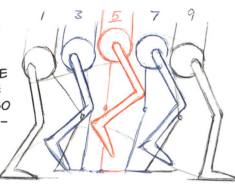

A SEGUIR, ACRESCENTE INTERVALOS SIMPLES E TEREMOS UMA CAMINHADA BEM PATÉTICA – FRACA, MONÓTONA...

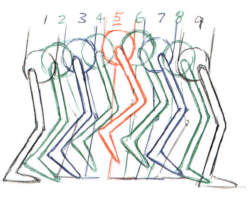

AGORA, COMECE COM A MESMA COISA –

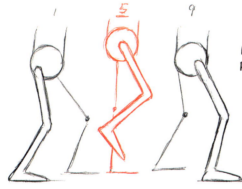

MAS ALTERE AS PRÓXIMAS DUAS POSES DE PASSAGEM – 3 E 7 = MAIS MUDANÇA, MAIS VITALIDADE

ATRASE O MOMENTO EM QUE O DEDO SAI DO CHÃO

LEVANTE ESTE PÉ UM POUCO MAIS, EM UM ÂNGULO DIFERENTE

ADICIONE INTERVALOS SIMPLES

(TENDO EM MENTE QUE O CALCANHAR VAI PRIMEIRO E O PÉ ACOMPANHA)

E PRESTE ATENÇÃO NOS ARCOS!

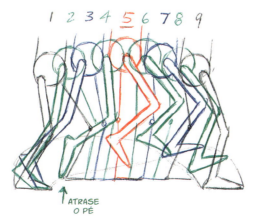

ATRASE O PÉ

OBVIAMENTE, TEMOS MAIS VIDA AGORA.

137

AGORA VAMOS EXPERIMENTAR ALGO MAIS ENÉRGICO. DESENHE A PERNA **3** RETA NO MOMENTO EM QUE ELA ERGUE O CORPO. E FAÇA A DO **7** RETA TAMBÉM, QUANDO ELA TOCA O CHÃO.

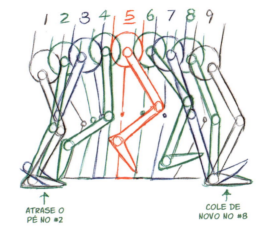

AGORA JÁ TEMOS ALGUMAS MUDANÇAS! DE DOBRADA PARA RETA
– PARA DOBRADA
– PARA RETA
– PARA DOBRADA.

(EMBORA ATÉ AGORA ISSO NÃO SEJA MUITO DIFERENTE DO QUE CONSEGUIRÍAMOS SE COMEÇÁSSEMOS A PARTIR DO MÉTODO DE CONTATO.)

ENFIM, ACRESCENTE INTERVALOS RETOS, MAS DEIXE A SOLA DO PÉ COLADA NO CHÃO NO **2** E FAÇA O PÉ COLAR DE NOVO NO **8** E **9**

TEMOS AGORA MUDANÇA E VITALIDADE – A PERNA E O PÉ PASSAM RÁPIDO PELO MEIO E FICAM MAIS AGRUPADOS NO INÍCIO E NO FIM DO PASSO.

AGORA VAMOS ENXERGAR MÉTODO NA LOUCURA – EIS O QUE ART BABBITT FARIA: COMECE COM AS MESMAS TRÊS POSES BÁSICAS

MAS VIRE O PÉ DO #1 PARA TRÁS →

DEIXE A POSE DE PASSAGEM COMO ESTÁ, MAS ATRASE O PÉ NO **3**, E VIRE-O PARA TRÁS DE NOVO NO **7**.

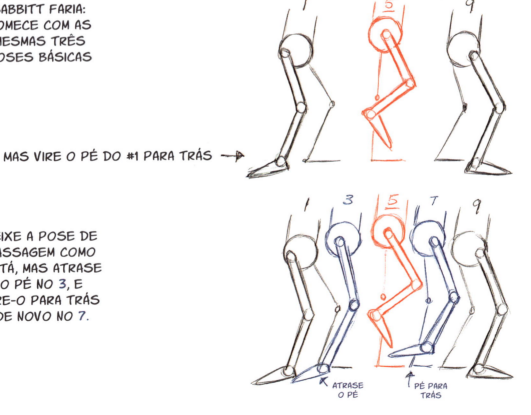

ATRASE O PÉ NO #2

COLE DE NOVO NO #8

ATRASE O PÉ

PÉ PARA TRÁS

138

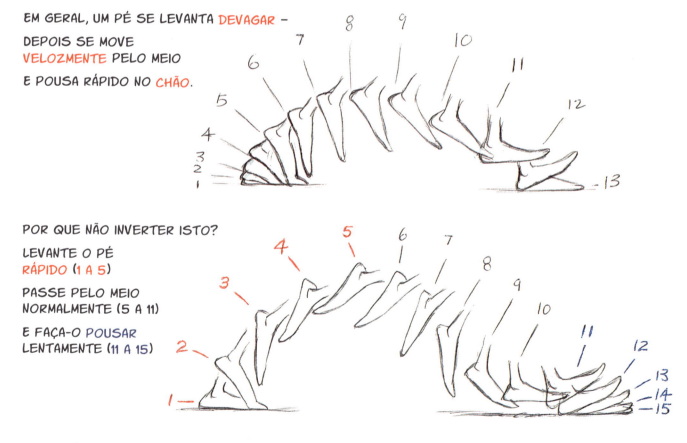

AGORA ACRESCENTE 2, 4, 6 E 8

2 E 8 TAMBÉM SÃO EXCÊNTRICOS

DESENHE O #2 COM A PERNA RETA! E NÃO MOVA O PÉ

FAÇA O #8 COM A PERNA RETA DE NOVO! E O CALCANHAR TOCA O CHÃO

#4 É SÓ UM INTERVALO

#6 É UM INTERVALO, MAS O CALCANHAR GUIA O ARCO

ESSE JEITO DE TRABALHAR E PENSAR É A BASE DO TIPO DE COISA QUE ART FAZIA COM AS CAMINHADAS DO PATETA. ELE EXERCEU UMA ENORME INFLUÊNCIA NOS ANIMADORES.

ART SEMPRE DIZIA,
"SE TIVERMOS A OPORTUNIDADE DE INVENTAR, CERTAMENTE TEMOS O MEIO ADEQUADO PARA ISSO.
ISTO É O QUE NOS DISTINGUE DE UM FILME – NÓS PODEMOS INVENTAR".

EM GERAL, UM PÉ SE LEVANTA DEVAGAR –

DEPOIS SE MOVE VELOZMENTE PELO MEIO

E POUSA RÁPIDO NO CHÃO.

POR QUE NÃO INVERTER ISTO?

LEVANTE O PÉ RÁPIDO (1 A 5)

PASSE PELO MEIO NORMALMENTE (5 A 11)

E FAÇA-O POUSAR LENTAMENTE (11 A 15)

E ISSO É EXATAMENTE O QUE A IMITAÇÃO DE AÇÃO AO VIVO FAZ NAS PRÓXIMAS DUAS PÁGINAS.

139

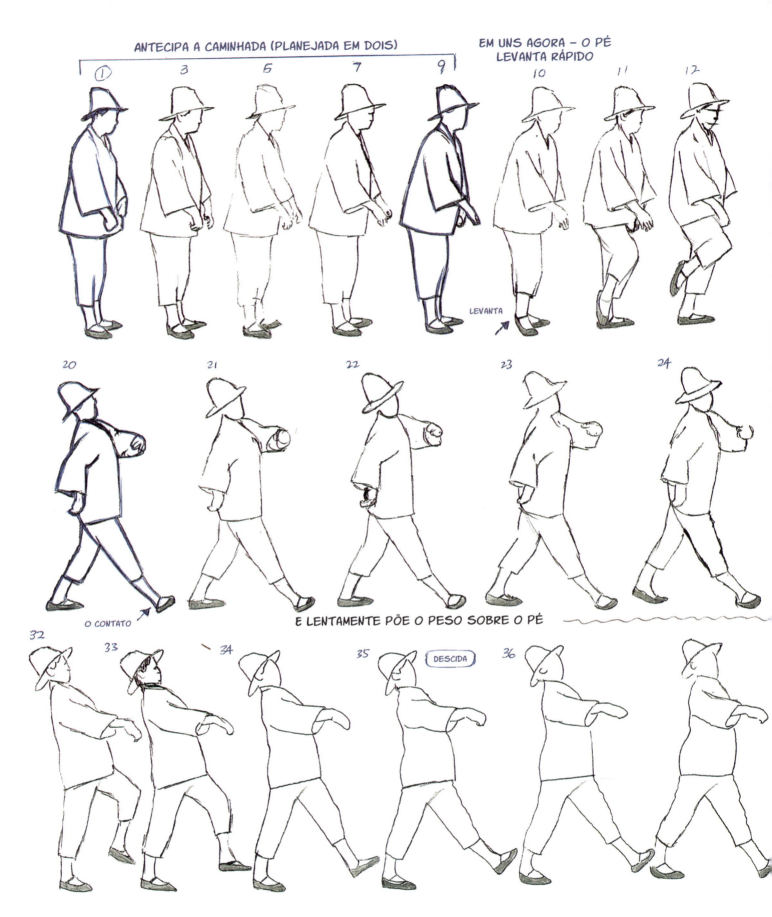

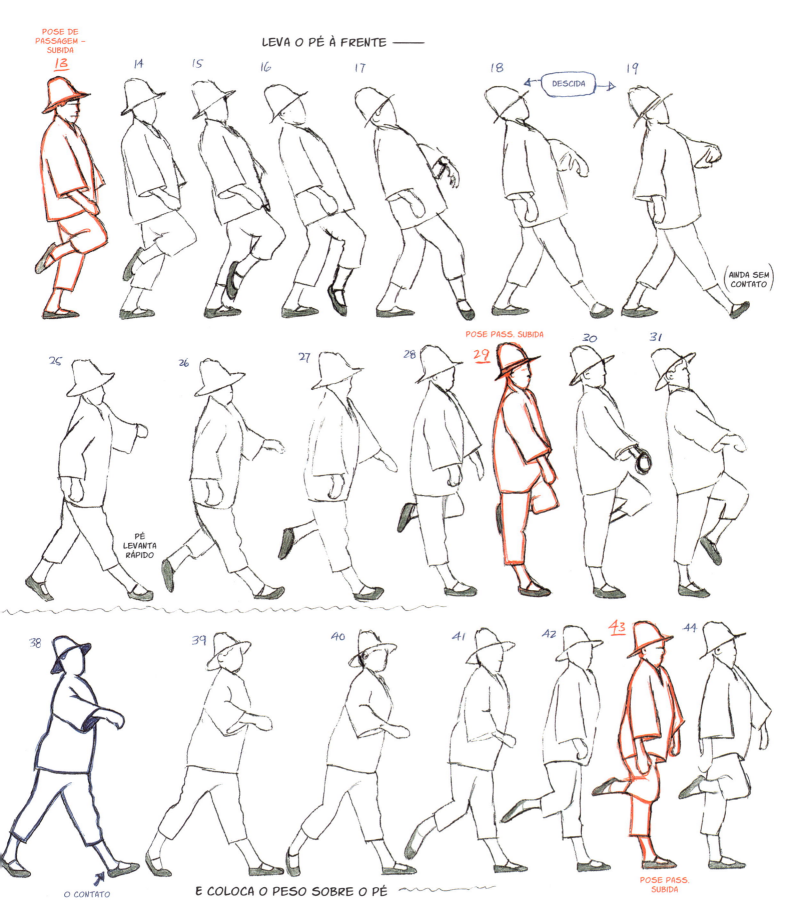

ESPAÇAMENTO NORMAL DA CAMINHADA

NÓS AINDA NÃO CHEGAMOS A MOSTRAR O ESPAÇAMENTO E O AMORTECIMENTO DE UMA CAMINHADA NORMAL.
EIS AQUI UMA FÓRMULA DE ESPAÇAMENTO PARA A CAMINHADA "CONVENCIONAL" DE 12 FRAMES (SEPARADOS PARA MAIOR CLAREZA).

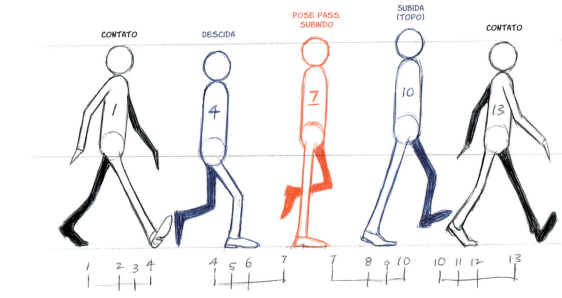

PASSAMOS RÁPIDO PELO CONTATO E AMORTECEMOS ATÉ O #4; ACELERAMOS A PARTIR DA DESCIDA; PASSAMOS RÁPIDO PELA POSE DE PASSAGEM #7; AMORTECEMOS ATÉ O TOPO #10 E ACELERAMOS A PARTIR DO #10.

PARECE UM POUCO ESQUISITO COM OS FRAMES SEPARADOS ASSIM, MAS FUNCIONA PERFEITAMENTE QUANDO ESTÃO PRÓXIMOS, COMO DEVEM SER:

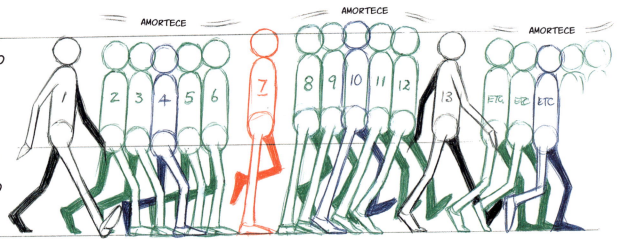

UMA CAMINHADA DE 8 FRAMES USA EXATAMENTE OS MESMOS DESENHOS – SÓ QUE COM INTERVALOS SIMPLES:

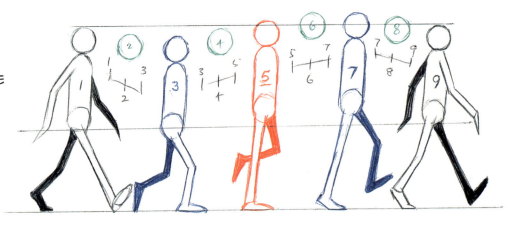

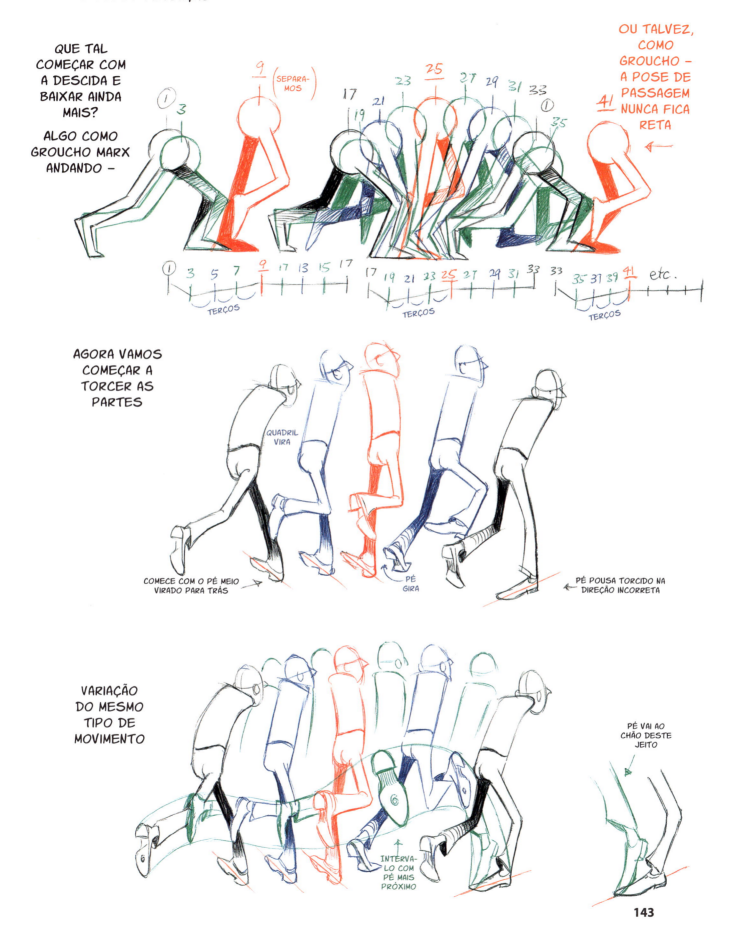

FORMAS DE COMO O PÉ PODE CHEGAR ATÉ O CHÃO,
VAMOS BRINCAR UM POUCO MAIS COM ISSO...

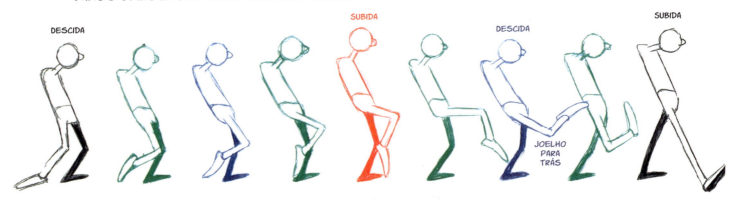

OU ISTO PARA O OUTRO PÉ:

ANDANDO PARA TRÁS COM OS PÉS VIRADOS PARA TRÁS:

NENHUM HUMANO CONSEGUIRIA FAZER ISTO, MAS AQUI É CONVINCENTE:

MAIS UMA VEZ, PODEMOS INVENTAR COISAS QUE NÃO ACONTECEM NO MUNDO REAL.
ART BABBITT DIZIA: "UMA BOA BAILARINA INVENTA. NÃO É NATURAL PARA UMA PESSOA SALTAR NO AR, FAZER UM MOVIMENTO DE TESOURA COM OS PÉS E POUSAR SOBRE A PONTA DOS DEDOS. PODEMOS FAZER QUALQUER COISA QUE QUISERMOS, DESDE QUE A FAÇAMOS 'FUNCIONAR' – DESDE QUE A TORNEMOS CONVINCENTE".
VAMOS FAZER UMA BAILARINA DANÇAR "NA PONTA" – EM DOIS:

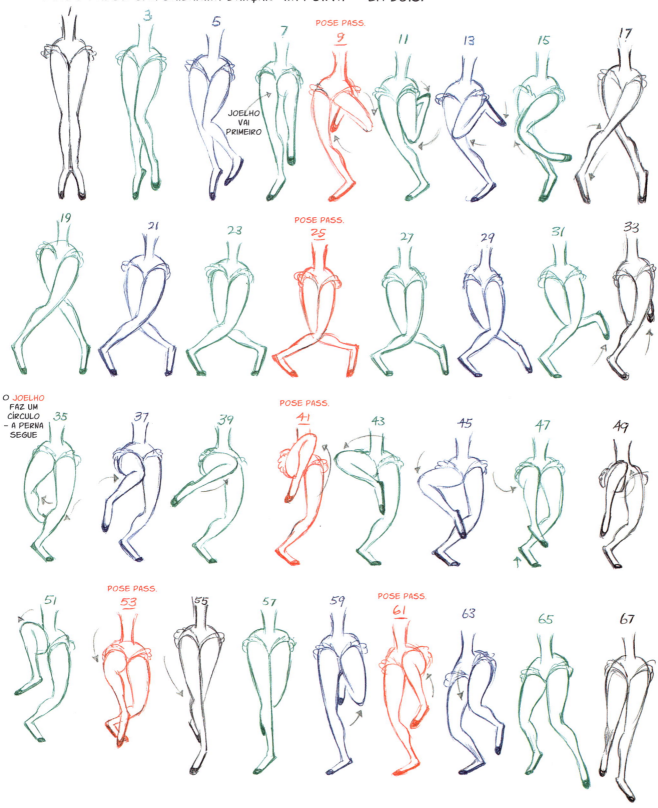

145

DESLOCAMENTO DE PESO

O PESO DESLOCA-SE DE UM PÉ AO OUTRO DURANTE UMA PASSADA NORMAL.

CADA VEZ QUE ERGUEMOS UM PÉ, O PESO DE NOSSO CORPO SE DESLOCA PARA A FRENTE E UM POUCO PARA O LADO SOBRE O OUTRO PÉ.

E O MOVIMENTO DOS OMBROS GERALMENTE É OPOSTO AO DOS QUADRIS E DAS NÁDEGAS.

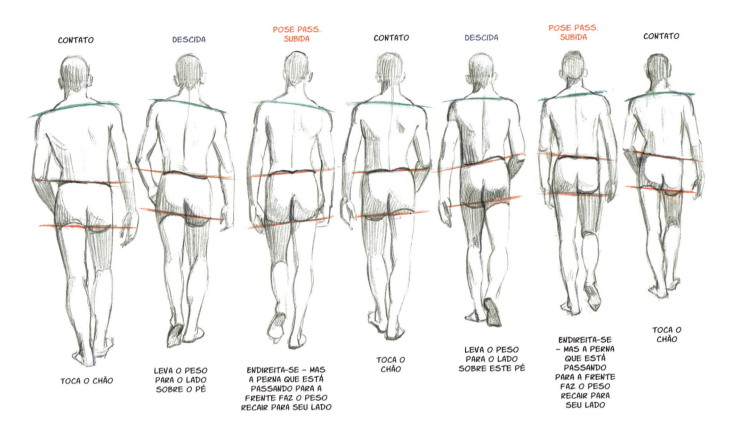

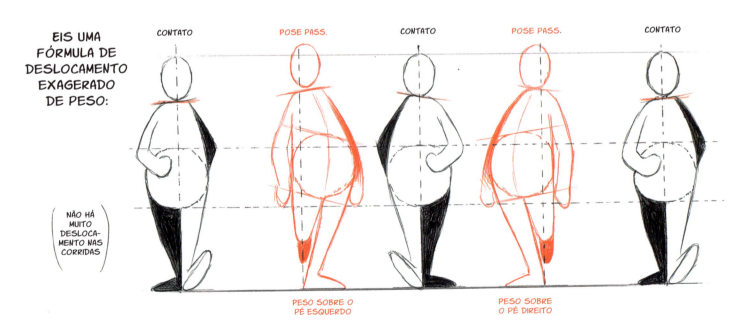

A LINHA DA CINTURA

INCLINE A LINHA DA CINTURA PARA UM LADO E PARA O OUTRO, FAVORECENDO A PERNA QUE ESTÁ **MAIS BAIXA**.

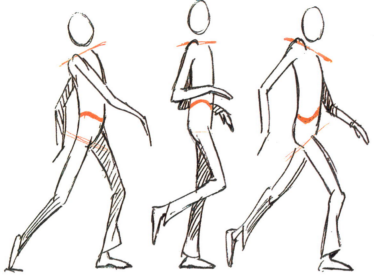

GERALMENTE A LINHA DA CINTURA ESTÁ INCLINADA **MAIS PARA BAIXO** DO MESMO LADO EM QUE O PÉ ESTÁ MAIS **BAIXO**, E **MAIS ALTA** DO LADO EM QUE O PÉ ESTÁ MAIS ALTO.

E É COMUM OS OMBROS ESTAREM OPOSTOS NO MOVIMENTO DA PÉLVIS

(MAS PODEMOS FAZER O QUE QUISERMOS)

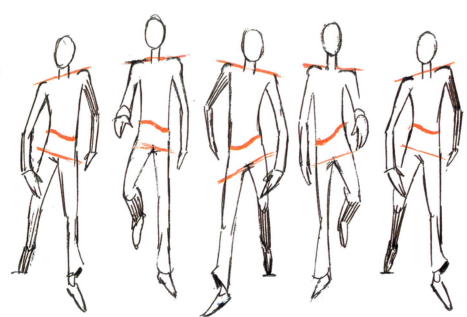

147

MOVIMENTO DOS BRAÇOS

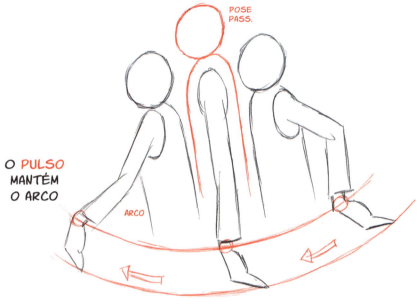

ENQUANTO O OMBRO SOBE NA POSE DE PASSAGEM, A MÃO ESTÁ NO PONTO MAIS BAIXO DO ARCO

O **PULSO** MANTÉM O ARCO

A MAIORIA DAS AÇÕES SEGUE ARCOS – GERALMENTE UMA AÇÃO ESTÁ EM UM ARCO

ENQUANTO BALANÇAM PARA TRAZER EQUILÍBRIO AO AVANÇO DA CAMINHADA, OS BRAÇOS TENDEM A FAZER UM MOVIMENTO ONDULATÓRIO, COMO O DE UM PÊNDULO.

NA MAIOR PARTE DO TEMPO A TRAJETÓRIA DA AÇÃO É UM ARCO OU UMA ESPÉCIE DE NÚMERO 8 – MAS ÀS VEZES É ANGULAR OU RETA

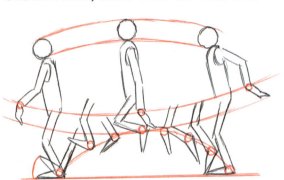

COM A PERNA É O **CALCANHAR** QUE MANTÉM O ARCO

E SÓ PARA DIFICULTAR A VIDA, DEVEMOS LEMBRAR QUE, EM UMA CAMINHADA "NORMAL", OS BRAÇOS ESTÃO MAIS AFASTADOS NA POSIÇÃO MAIS BAIXA, NÃO NA POSE DE CONTATO.

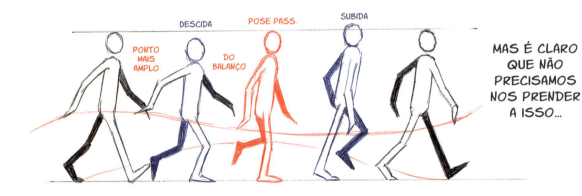

MAS É CLARO QUE NÃO PRECISAMOS NOS PRENDER A ISSO...

E QUE TAL DESENHAR BRAÇOS LÁ EM CIMA, NOS EXTREMOS, E LÁ EMBAIXO, NA POSE DE PASSAGEM?

(TAMBÉM NA DESCIDA)

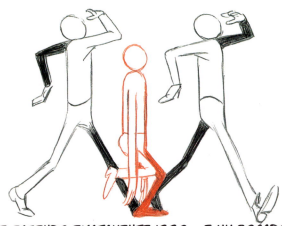

EIS AQUI UM CAMINHAR ALEGRE FAZENDO EXATAMENTE ISSO – E UM BOCADO DAS COISAS SOBRE AS QUAIS JÁ FALAMOS: LINHA DA CINTURA, OMBROS OPOSTOS AOS QUADRIS, CABEÇA INCLINANDO E ATRASANDO, PÉS TORCENDO, CURVA DO CORPO INVERTIDA.

150

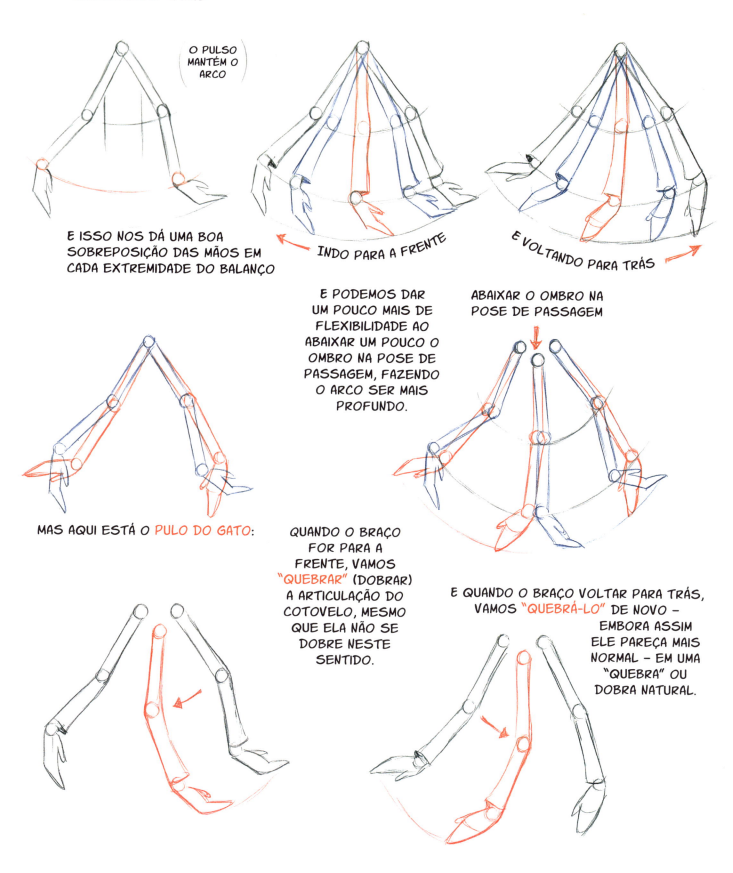

LOGO, PARA TERMOS MAIS FLEXIBILIDADE...

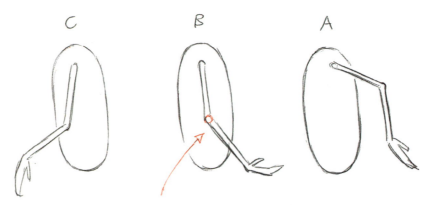

AO QUEBRAR A ARTICULAÇÃO

... OBTEMOS MOVIMENTO MAIS ELÁSTICO A PARTIR DE LINHAS RETAS. NÃO PRECISAMOS DESENHAR BRAÇOS CARTUNESCOS E BORRACHUDOS PARA TER ELASTICIDADE.

VAMOS DEIXAR ISSO MUITO CLARO, JÁ QUE VEREMOS MOVIMENTOS COMO ESSE MUITAS VEZES...

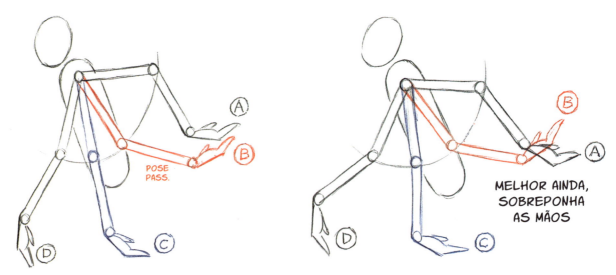

MAS ASSIM NÃO FICA ESTRANHO? NÃO NA TELA. DEPOIS DE INTERVALADO, O MOVIMENTO VAI DURAR EM TORNO DE 4 FRAMES, OU 1/6 DE SEGUNDO, RÁPIDO DEMAIS PARA "LER". MAS VAMOS "SENTIR". VAMOS SENTIR MAIS FLEXIBILIDADE – MAIS "MUDANÇA".

ALGUÉM PERGUNTOU A FRED ASTAIRE COMO ELE CONSEGUIA DANÇAR E SE MOVER DO JEITO QUE FAZIA. ELE DISSE: "OH, EU COMEÇO SIMPLESMENTE COLOCANDO OS DOIS PÉS NO AR". MAS SE VOCÊ ANALISÁ-LO FRAME A FRAME, VAI VER QUE ELE ESTÁ "QUEBRANDO" ARTICULAÇÕES AQUI E ALI A TODO MOMENTO. A PARTIR DISSO, COMEÇARAM A CHAMÁ-LO DE "O MICKEY MOUSE HUMANO".

152

AQUI ESTÁ UMA ADAPTAÇÃO DE UM BALANÇAR DE BRAÇOS EXTRAVAGANTE, SOBERBAMENTE ANIMADO – PODEMOS VER QUE AS ARTICULAÇÕES SE QUEBRAM INSANAMENTE:

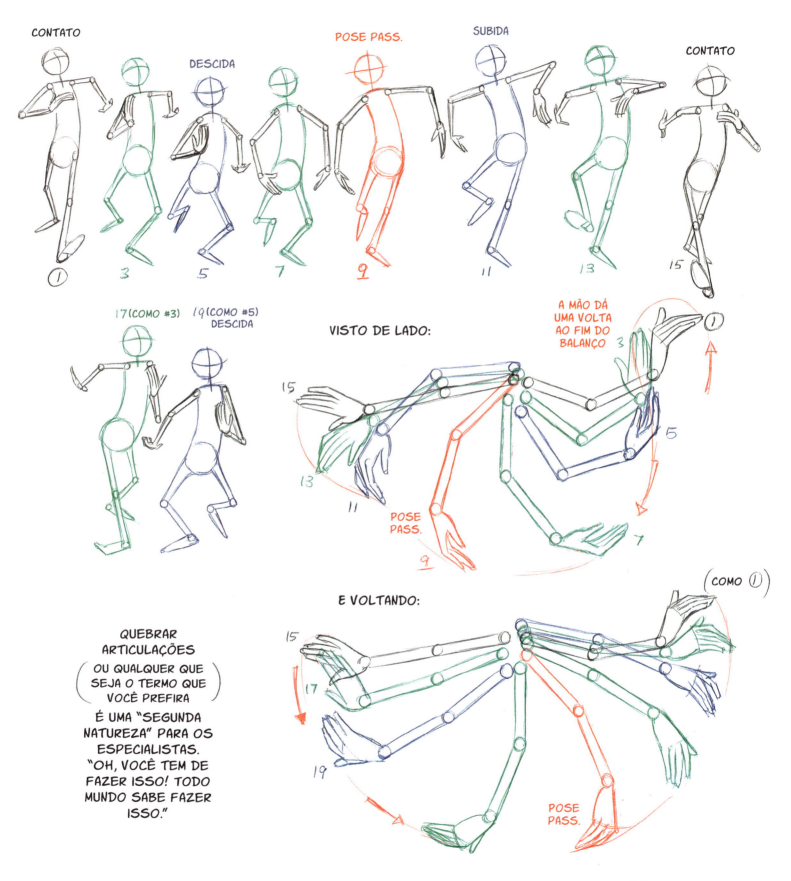

VAMOS CONTINUAR MAIS UM POUCO NOS BONECOS DE PALITO

ACREDITO QUE, ESTANDO OS DESENHOS MINIMAMENTE INTERESSANTES, É MAIS DIFÍCIL OLHAR PARA ALÉM DO CHARME E DO ESTILO E ENXERGAR CLARAMENTE A ESTRUTURA DO MOVIMENTO SUBJACENTE. ATÉ MESMO A ADIÇÃO DE UM OLHO PARECE CRIAR PERSONALIDADE E DESVIAR A ATENÇÃO DO ANIMADOR PARA LONGE DA ESTRUTURA. E É A ESTRUTURA QUE NÓS BUSCAMOS AQUI; ATUAÇÃO E DESENHOS BONITINHOS PODEM FICAR PARA DEPOIS.

PODEMOS ALTERAR O *TIMING* DE UM BALANÇO DE BRAÇOS.
DIGAMOS QUE VAMOS FAZER O BALANÇO DOS BRAÇOS **MAIS LENTO** QUE O DAS PERNAS... ANIMAMOS CADA PASSADA EM 8 FRAMES – DANDO 4 PASSOS AO TODO (SEPARADOS ABAIXO PARA FICAR MAIS PERCEPTÍVEL).

AGORA VAMOS ADICIONAR OS BRAÇOS, MAS VAMOS COLOCÁ-LOS EM BALANÇOS DE **16** FRAMES, ASSIM, COM AS PERNAS EM **8** FRAMES E OS BRAÇOS EM **16**, O BALANÇO DOS BRAÇOS DURA O **DOBRO DO TEMPO** DAS PASSADAS.
OS EXTREMOS DOS BRAÇOS ESTÃO NOS MESMOS DESENHOS QUE OS DAS PERNAS, MAS NA POSE #17, OS BRAÇOS ESTÃO ANORMALMENTE **EMPARELHADOS** COM AS PERNAS.

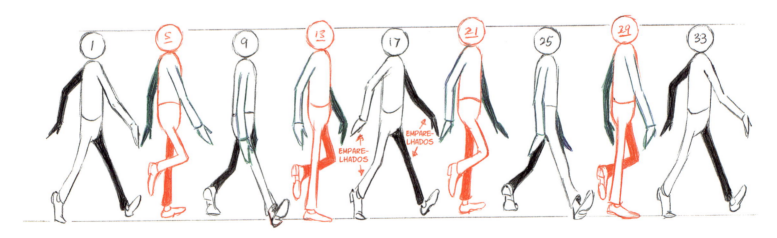

ESSE TIPO DE COISA É BASTANTE EFICAZ EM UMA CORRIDA!

AGORA VAMOS FAZER O INVERSO:
ANIMAR OS BRAÇOS GINGANDO DUAS VEZES MAIS RÁPIDO QUE AS PERNAS.
VAMOS DESENHAR A CAMINHADA EM PASSOS DE 16 FRAMES E TRABALHAR COM OS BRAÇOS EM 8.
TOMEMOS UM PASSO (SEPARADO PARA MAIOR CLAREZA) –
PRECISAREMOS DE MAIS INTERVALOS PARA MOSTRAR ISSO.

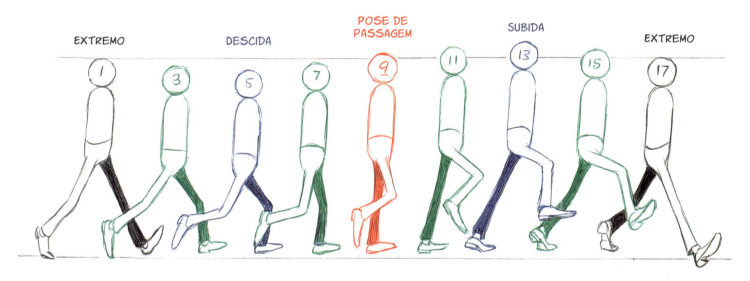

AGORA ADICIONE OS BRAÇOS –
AS POSIÇÕES EXTREMAS ESTARÃO EM 1, 9 E 17.

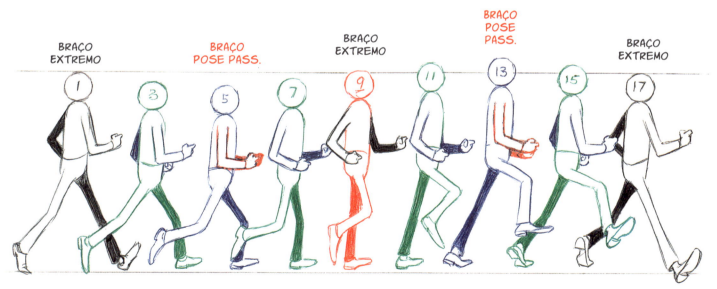

VAMOS PRECISAR DE INTERVALOS SIMPLES – PODE SER EM UNS PORQUE HAVERÁ MUITA AÇÃO NOS BRAÇOS EM UM CURTO ESPAÇO DE TEMPO (E NÃO VAI FUNCIONAR EM CORRIDAS POR ESSE MESMO MOTIVO).

AÇÃO CONTRÁRIA

AÇÃO CONTRÁRIA EXAGERADA, COMO NO CAMINHAR DE UM HOMEM GORDO.

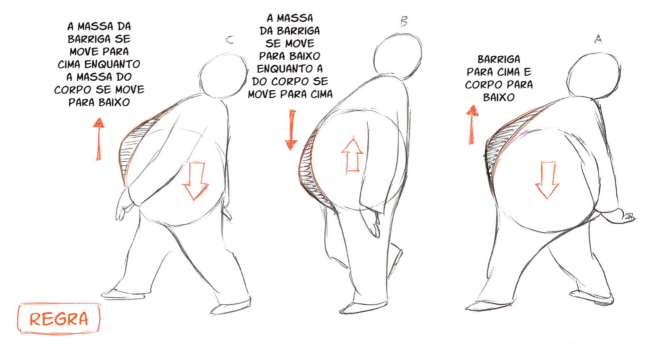

REGRA

QUANDO O PERSONAGEM SOBE, AS ROUPAS, OS CABELOS E AS PARTES MACIAS DESCEM.

MAIS UMA VEZ, EXAGERANDO: AS NÁDEGAS, OS SEIOS E OS CABELOS SEGUEM O MOVIMENTO CONTRÁRIO DAS SUBIDAS E DAS DESCIDAS DO CORPO —

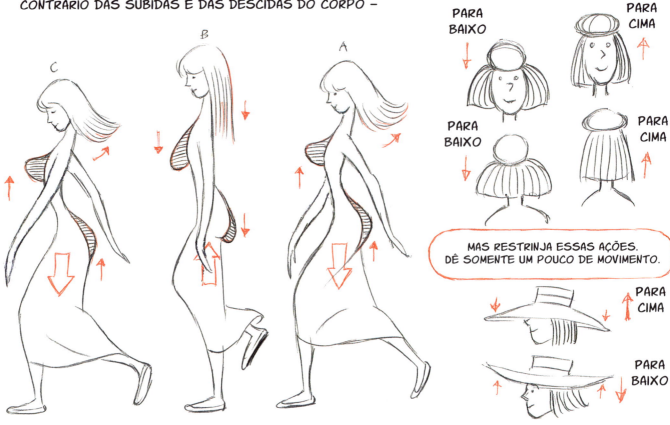

MAS RESTRINJA ESSAS AÇÕES. DÊ SOMENTE UM POUCO DE MOVIMENTO.

À MEDIDA QUE AVANÇAMOS PARA O FIM DESSAS CAMINHADAS, VAMOS VER O QUE O FINAL NOS RESERVA...

VAMOS CONSIDERAR UMA MULHER ANDANDO:

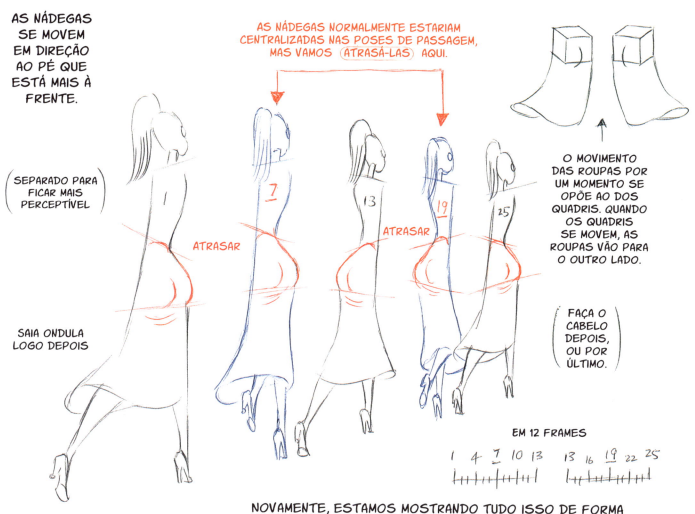

AS NÁDEGAS SE MOVEM EM DIREÇÃO AO PÉ QUE ESTÁ MAIS À FRENTE.

(SEPARADO PARA FICAR MAIS PERCEPTÍVEL)

AS NÁDEGAS NORMALMENTE ESTARIAM CENTRALIZADAS NAS POSES DE PASSAGEM, MAS VAMOS (ATRASÁ-LAS) AQUI.

ATRASAR

ATRASAR

SAIA ONDULA LOGO DEPOIS

O MOVIMENTO DAS ROUPAS POR UM MOMENTO SE OPÕE AO DOS QUADRIS. QUANDO OS QUADRIS SE MOVEM, AS ROUPAS VÃO PARA O OUTRO LADO.

(FAÇA O CABELO DEPOIS, OU POR ÚLTIMO.)

EM 12 FRAMES

NOVAMENTE, ESTAMOS MOSTRANDO TUDO ISSO DE FORMA EXAGERADA. FICA DE ACORDO COM O SEU GOSTO USAR ESSES RECURSOS DE MANEIRA MAIS AMPLA OU MAIS SUTIL...

E LEMBRE QUE MULHERES **TENDEM** A ANDAR EM UMA LINHA RETA – "ANDAR NA CORDA BAMBA".

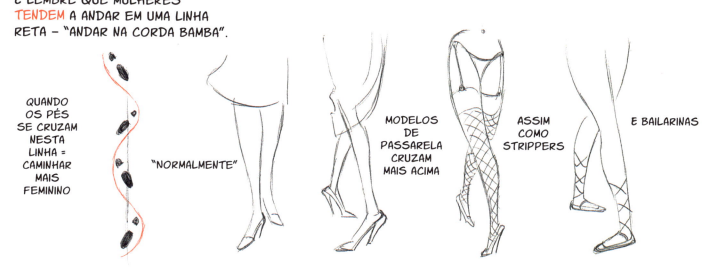

QUANDO OS PÉS SE CRUZAM NESTA LINHA = CAMINHAR MAIS FEMININO

"NORMALMENTE"

MODELOS DE PASSARELA CRUZAM MAIS ACIMA

ASSIM COMO STRIPPERS

E BAILARINAS

157

EIS UMA FÓRMULA PARA CAMINHADAS SALTITANTES – PASSOS EM 8 FRAMES.

O RESTANTE SÃO INTERVALOS DIRETOS ENTRE UMA POSE E OUTRA.

NOS ANOS 1950, QUANDO OS ANIMADORES SE AFASTARAM DO "NATURALISMO", ELES INVENTARAM ALGUMAS CAMINHADAS BEM CHARMOSAS – ESPECIALMENTE PARA CRIANÇAS. EM GERAL FAZIAM ASSIM: O PERSONAGEM DAVA UM PASSO, ERGUIA-SE NO AR POR UNS 4 A 6 FRAMES, DEPOIS VOLTAVA PARA O CHÃO E DAVA OUTRO PASSO.

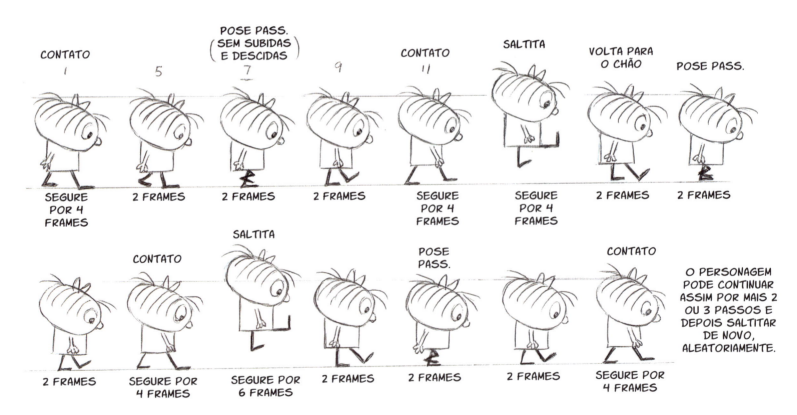

O CHARME DESSA CAMINHADA ESTÁ EM SUA "RIGIDEZ ESTILIZADA". AINDA QUE BASTANTE INVENTIVA, É DIFÍCIL DE LEVAR ESSA ABORDAGEM MAIS LONGE – SE NÃO FIZERMOS PARTES QUE SE ALONGAM, SOBREPÕEM OU ATRASAM, A COISA TODA VAI PARECER UM PEDAÇO DE CARTOLINA OU UM RECORTE DE PAPEL SE MOVENDO POR AÍ.

ESTE É O CAMINHAR DE UM PUGILISTA, COM A CABEÇA FLUTUANDO SEMPRE NA MESMA ALTURA E, COMO CARACTERÍSTICA PRINCIPAL, O QUADRIL SE MOVENDO PARA CIMA E PARA BAIXO E DE UM LADO PARA O OUTRO; A AÇÃO DAS NÁDEGAS LHE DÁ O PESO. MAS SÓ PARA COMPLICAR AS COISAS, DESENHAMOS COMO EXTREMOS O QUE NORMALMENTE SERIA NOSSA POSE DE PASSAGEM – E O "CONTATO" AGORA É A POSE DE PASSAGEM. CLARO QUE NÃO HÁ REGRA ALGUMA – PODEMOS COMEÇAR A CONSTRUIR DE QUALQUER PONTO.

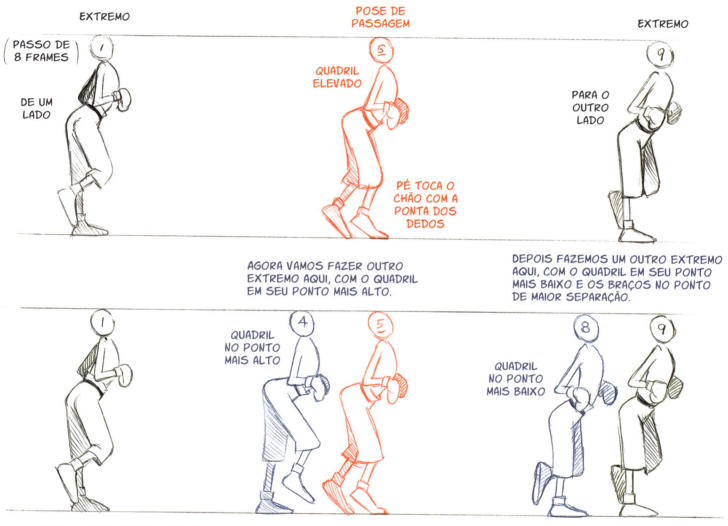

AGORA QUE TEMOS AS POSES MAIS ALTAS E AS MAIS BAIXAS, JUNTAMOS TUDO E OBTEMOS COM EFICIÊNCIA O RESULTADO DESEJADO.

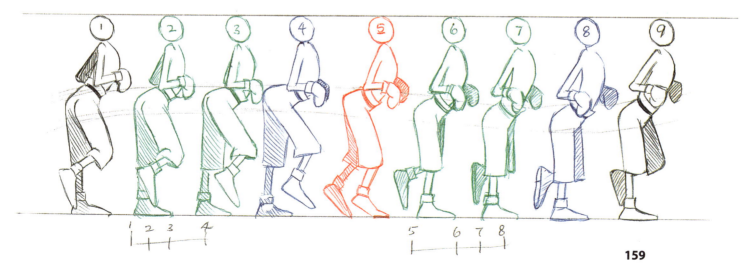

EIS AQUI UM AUXÍLIO TÉCNICO PARA PLANEJAR UMA CAMINHADA EM PERSPECTIVA (SE QUISERMOS SER BEM TÉCNICOS NO ASSUNTO)

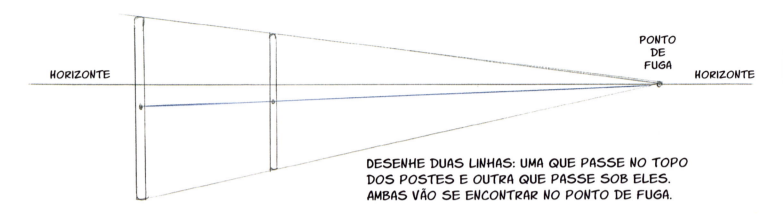

DESENHE DUAS LINHAS: UMA QUE PASSE NO TOPO DOS POSTES E OUTRA QUE PASSE SOB ELES. AMBAS VÃO SE ENCONTRAR NO PONTO DE FUGA.

DEPOIS, DESENHE OUTRA LINHA (AZUL) QUE PASSE NO MEIO DOS POSTES.

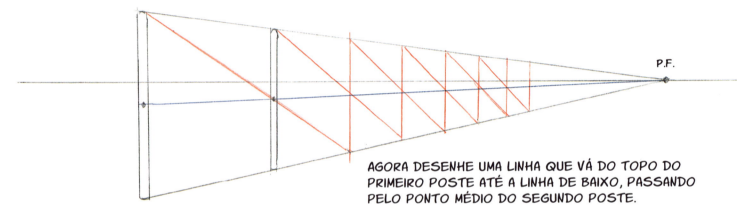

AGORA DESENHE UMA LINHA QUE VÁ DO TOPO DO PRIMEIRO POSTE ATÉ A LINHA DE BAIXO, PASSANDO PELO PONTO MÉDIO DO SEGUNDO POSTE.

AGORA SABEMOS ONDE POSICIONAR O TERCEIRO POSTE E TODOS OS SEGUINTES.

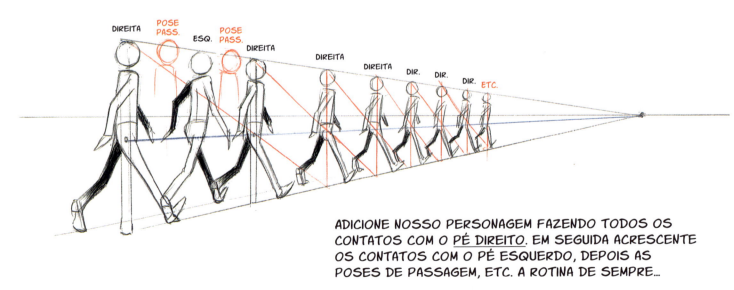

ADICIONE NOSSO PERSONAGEM FAZENDO TODOS OS CONTATOS COM O PÉ DIREITO. EM SEGUIDA ACRESCENTE OS CONTATOS COM O PÉ ESQUERDO, DEPOIS AS POSES DE PASSAGEM, ETC. A ROTINA DE SEMPRE...

TENDO PASSADO POR TODAS ESSAS FÓRMULAS E CONSTRUÇÕES DE CAMINHADAS, CHEGAMOS À QUESTÃO CENTRAL: NÃO HÁ DOIS PERSONAGENS QUE ANDEM DO MESMO JEITO. TUDO QUE PODEMOS FAZER É GENERALIZAR.

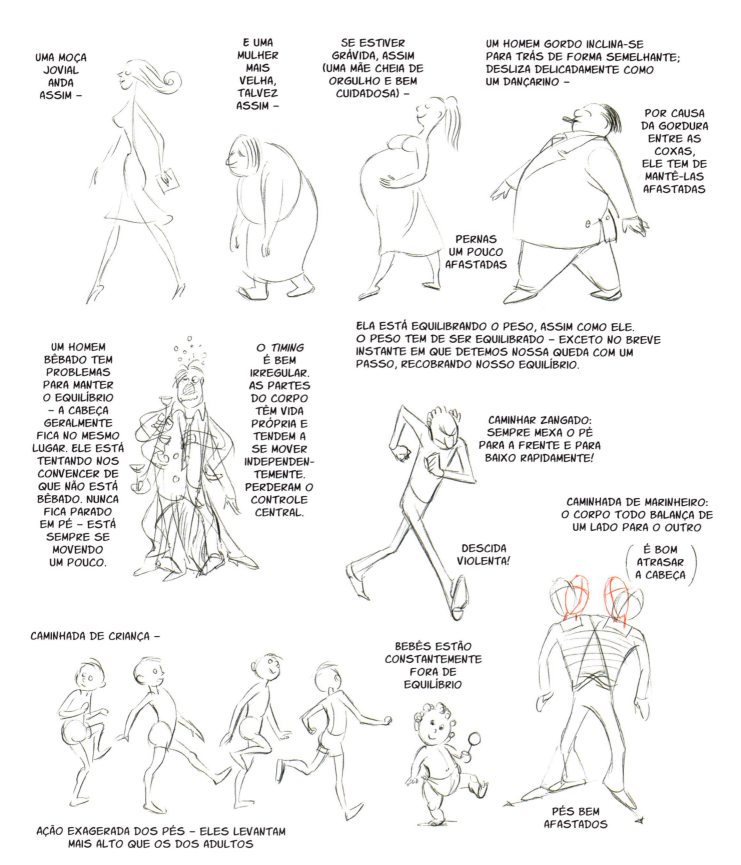

161

O **TIMING** É TÃO IMPORTANTE NAS CAMINHADAS QUE KEN HARRIS DISSE (ASSIM COMO MILT KAHL): "BASEIE SUAS CAMINHADAS EM PASSOS DE 12 FRAMES; A PARTIR DAÍ, TUDO VAI SER UM POUCO MAIS RÁPIDO OU UM POUCO MAIS DEVAGAR QUE 12".

MAIS UM VEZ, O PONTO NÃO É SOMENTE A APARÊNCIA, E SIM: COMO A PESSOA ESTÁ **SE SENTINDO**?

TRISTE
SOLITÁRIA
ALEGRE
PENSATIVA
BÊBADA
ENÉRGICA
VELHA
JOVEM
CONFUSA
SURPRESA
ESPERANÇOSA
CONFIANTE
EMPÁTICA
CONVENCIDA
NERVOSA
DOENTE
ZANGADA
DEBILITADA
INIBIDA
BELICOSA
DEPRIMIDA
JUBILOSA
ACANHADA?

AO SUBIR AS ESCADAS, O PÉ DA FRENTE TOCA INTEIRO O DEGRAU E O DE TRÁS DOBRA E DEMORA PARA SUBIR

AO DESCER, O PERSONAGEM SE ACHATA MAIS QUE O NORMAL A CADA PASSO

VEJAMOS UM BÊBADO, POR EXEMPLO – EXISTEM TANTOS TIPOS DIFERENTES:

O BÊBADO BOBALHÃO
O BÊBADO LASCIVO
O BÊBADO AUTOPIEDOSO
O BÊBADO ALEGRE, EXPANSIVO
O BÊBADO ATLÉTICO DESCONTROLADO
O BÊBADO EDUCADO, EXCESSIVAMENTE GRACIOSO
O BÊBADO MUITO SOLENE
O VIGÁRIO (EU VI UM VIGÁRIO DAR COM A CARA EM UMA PAREDE)
A *SOCIALITE* INIBIDA
O BÊBADO BRIGÃO
O SENTIMENTAL
O BÊBADO DE PRIMEIRA VIAGEM
ETC., ETC.

OS TIPOS SEXUAIS E EXIBIDOS

A PÉLVIS VAI LEVEMENTE MAIS À FRENTE E A PARTE SUPERIOR DO CORPO GIRA SOBRE OS QUADRIS, GINGANDO COMO UM PATO PARA EQUILIBRAR O QUADRIL.

EM RESUMO:

JEITOS DE OBTER VITALIDADE EM UMA CAMINHADA

A RECEITA

1. INCLINE O CORPO

2. USE PERNAS RETAS NAS POSES DE CONTATO E DE IMPULSO (QUANDO AS PERNAS VÃO DE ESTICADAS PARA DOBRADAS E DE DOBRADAS PARA ESTICADAS)

3. TORÇA O CORPO:
   INCLINE OS OMBROS E OS QUADRIS
   FAÇA OS OMBROS OPOSTOS AOS QUADRIS
   GIRE OS QUADRIS

4. MEXA OS JOELHOS PARA DENTRO OU PARA FORA

5. INCLINE A LINHA DA CINTURA A FAVOR DA PERNA QUE ESTIVER MAIS BAIXA

6. FAÇA OS PÉS CAÍREM COM PESO

7. ATRASE O PÉ E OS DEDOS DO PÉ, PARA SAÍREM DO CHÃO SÓ NO ÚLTIMO INSTANTE

8. INCLINE A CABEÇA OU FAÇA-A IR PARA A FRENTE E PARA TRÁS

9. ATRASE PARTES; NÃO DEIXE O CONJUNTO MOVER-SE TODO AO MESMO TEMPO

10. USE AÇÕES CONTRÁRIAS – GORDURA, NÁDEGAS, SEIOS, ATRASE ROUPAS, CALÇAS, CABELOS, ETC.

11. QUEBRE AS ARTICULAÇÕES

12. MAIS SUBIDAS E DESCIDAS (PARA PESO)

13. USE TEMPOS DIFERENTES PARA PERNAS *VERSUS* BRAÇOS *VERSUS* CABEÇA *VERSUS* TRONCO, ETC.

14. TORÇA OS PÉS – NÃO OS DEIXE PARALELOS

15. SE PEGARMOS UMA AÇÃO CLICHÊ, NORMAL, E ALTERARMOS UMA ÚNICA PARTEZINHA, JÁ VAMOS CONSEGUIR ALGO DIFERENTE!

GOSTARIA DE ENCERRAR ESSAS CAMINHADAS COM ESTE EXEMPLO DE ANDAR APRUMADO AO ESTILO MILT KAHL.

EM SUA CARREIRA, ELE ANIMOU DIVERSAS CAMINHADAS VIGOROSAS, SUPEROTIMISTAS E CHEIAS DE ATITUDE. EU ADAPTEI E COMBINEI VÁRIAS DELAS EM UMA ÚNICA (USANDO UMA FIGURA GENÉRICA, NÃO UM PERSONAGEM) – UM MODELO PRELIMINAR, SÓ PARA MOSTRAR O PROCESSO DE TRABALHO DE UM MESTRE. ESTE EXEMPLO CERTAMENTE NÃO É SÓ MAIS UMA FÓRMULA, E SIM UM VISLUMBRE DE COMO UM MESTRE TRABALHA E PENSA – COMO ELE COMEÇA DE UMA SIMPLES BASE COM OS CONTATOS E ACRESCENTA TODA A CARGA DE PROFUNDIDADE E DE INTERESSE À MEDIDA QUE VAI CRIANDO.

É UMA CAMINHADA REPLETA DE TODAS AS COISAS SOBRE AS QUAIS TEMOS FALADO ATÉ AGORA.

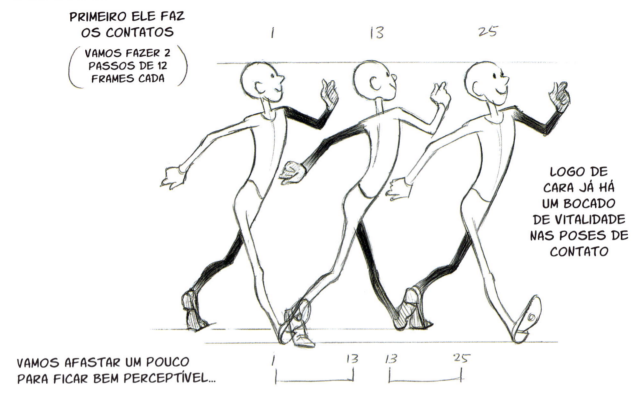

164

AS POSES DE PASSAGEM VÊM LOGO A SEGUIR:

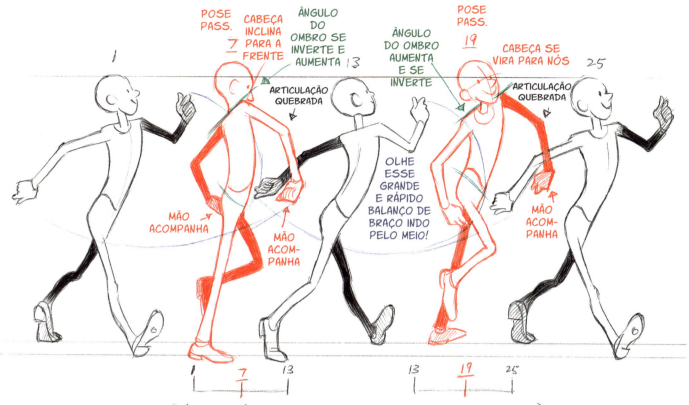

(SÓ ISSO JÁ DARIA UMA GRANDE CAMINHADA DO JEITO QUE ESTÁ – MESMO SEM A ADIÇÃO DE MAIS ALTOS E BAIXOS!)

AGORA VAMOS ADICIONAR AS POSES BAIXAS, DE DESCIDA:

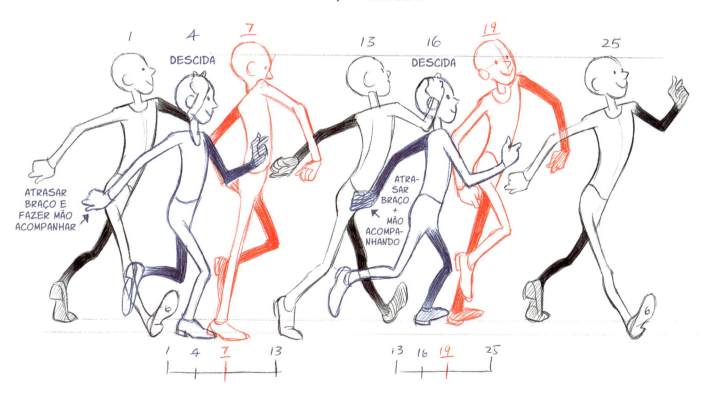

165

AGORA VAMOS INSERIR AS POSES DE SUBIDA:

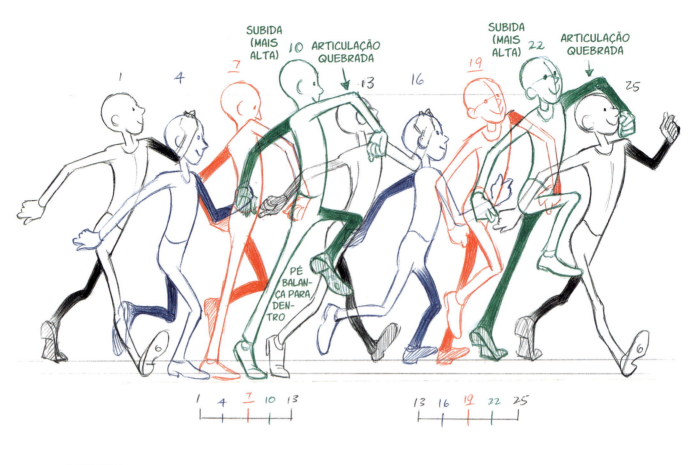

A SEGUIR, ACRESCENTE OS INTERVALOS (EM TERÇOS)

E PODE APOSTAR QUE VÃO ACABAR SENDO INTERVALOS BEM PENSADOS – E NÃO MECÂNICOS.

EXEMPLO:

NOS DOIS ÚLTIMOS INTERVALOS, A PERNA DIREITA NÃO É APENAS UM INTERVALOS SIMPLES. O RESTO SIM.

AGORA O CONJUNTO TODO ESTÁ CHEIO DE VITALIDADE E DE "MUDANÇAS".

"UM USO SOFISTICADO DO BÁSICO."

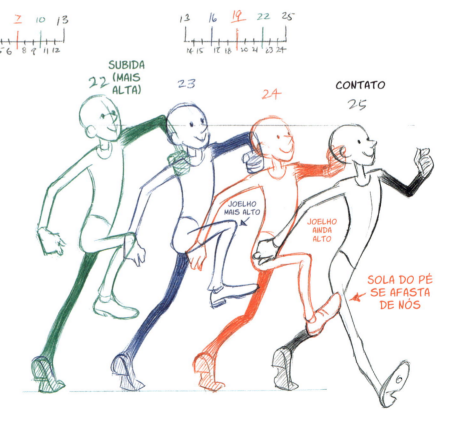

166

CAMINHADAS FURTIVAS

EXISTEM TRÊS CATEGORIAS DEFINIDAS DE CAMINHADAS FURTIVAS:

① A TRADICIONAL   ② A CAMINHADA PARA TRÁS   ③ OS PASSOS FURTIVOS NA PONTA DOS PÉS

CORPO PARA TRÁS ENQUANTO O PÉ AVANÇA
CORPO PARA A FRENTE ENQUANTO O PÉ RECEBE O PESO

CORPO PARA A FRENTE ENQUANTO A PERNA SE ESTENDE PARA TRÁS
DEPOIS O CORPO ACOMPANHA

POSE MEIO CONTIDA
DESCENDO SOBRE OS DEDOS DOS PÉS

VERSÃO MÉDIA: 24 FRAMES PARA CADA PASSO.
VERSÃO RÁPIDA: 16 FRAMES POR PASSO.
VERSÃO LENTA: 32 FRAMES PARA CADA PASSO.

EXPRESSA MEDO OU MALÍCIA – MAIS OU MENOS O OPOSTO DE UMA CAMINHADA PARA A FRENTE.

NA PONTA DOS PÉS E BRINCALHÃO – CONFIANTE EM SI MESMO.
10 FRAMES – 12, 13, 14 FRAMES.
O QUE QUISERMOS.
OS MAIS RÁPIDOS SÃO EM 3 OU 4 FRAMES.

UMA CAMINHADA FURTIVA TRADICIONAL TEM UMA CONSTRUÇÃO MUITO INTERESSANTE.
OS ASPECTOS PRINCIPAIS SÃO:

Ⓐ O CORPO VAI PARA A FRENTE E PARA TRÁS.
O CORPO VAI PARA TRÁS QUANDO O PÉ SOBE.
OS BRAÇOS SÃO USADOS PARA EQUILÍBRIO.

Ⓑ QUANDO A PERNA SE ESTENDE E TOCA O CHÃO, O CORPO AINDA ESTÁ PARA TRÁS E A CABEÇA ESTÁ LEVEMENTE ATRASADA.

Ⓒ DEPOIS QUE O PÉ TOCA O CHÃO, O CORPO AVANÇA, INDO PARA A FRENTE À MEDIDA QUE O PÉ RECEBE O PESO.
A SEGUIR, O CORPO VAI PARA TRÁS DE NOVO (COMO EM A), ENQUANTO O OUTRO PÉ VAI PARA A FRENTE.

ASSIM COMO EM UMA CAMINHADA NORMAL, TEMOS AQUI
3 DESENHOS IMPORTANTES –
OS 2 CONTATOS
E UMA POSE DE PASSAGEM BASTANTE EXPRESSIVA.

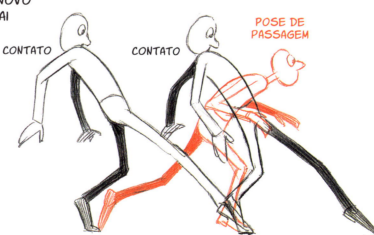
CONTATO   CONTATO   POSE DE PASSAGEM

167

KEN HARRIS UMA VEZ NOS MOSTROU ESTA FÓRMULA PARA UMA CAMINHADA FURTIVA LENTA:
VAI LEVAR 2 PÉS DE FILME = 32 FRAMES = 1 ⅓ SEGUNDO PARA CADA PASSO.
EM DOIS (MAS É CLARO QUE FICA AINDA MELHOR SE ADICIONARMOS INTERVALOS EM UNS).

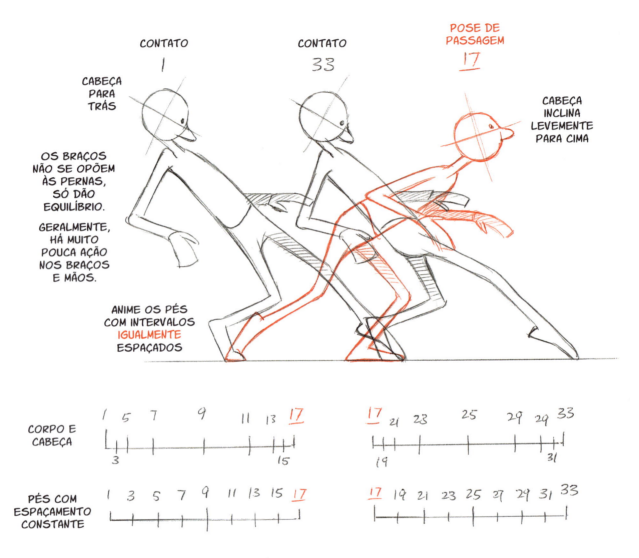

É UM BOM EXEMPLO DE AÇÃO CONTRÁRIA —
À MEDIDA QUE ELE AVANÇA, A CABEÇA VAI PARA A FRENTE E AS MÃOS, PARA TRÁS.
ESSE É O FUNDAMENTO. VAI FUNCIONAR BEM SE SIMPLESMENTE INTERVALARMOS AS 3 POSES
COMO ESTÃO — E NÃO ADICIONARMOS NENHUMA AÇÃO SOFISTICADA A MAIS.

SE AS MÃOS ESTIVESSEM ABERTAS,
O PERSONAGEM PARECERIA ASSUSTADO.

OBVIAMENTE, PODEMOS ADICIONAR
QUALQUER COISA QUE QUISERMOS
— MAS JÁ BASTA USAR SÓ 3
DESENHOS E OS GRÁFICOS.
PODEMOS USAR ARCOS OU APENAS
INTERVALOS MECÂNICOS SIMPLES.
VAI FUNCIONAR BEM.

168

MAS É CLARO, PODEMOS ATRASAR ALGUMAS PARTES...

CABEÇA INCLINADA PARA TRÁS E OLHANDO PARA BAIXO

CABEÇA AINDA VAI PARA TRÁS NA POSIÇÃO INICIAL

CABEÇA CONTINUA PARA A FRENTE

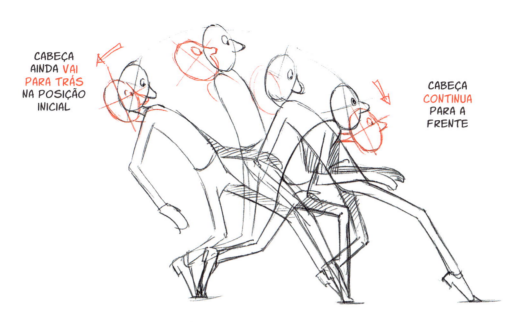

E PODERIA CONTINUAR NA PONTA DOS PÉS O TEMPO TODO, PARA REFORÇAR A SENSAÇÃO DE CAUTELA...

EXPERIMENTE VISTO DE FRENTE.

A LINHA DA CINTURA MOSTRA O QUE ESTÁ ACONTECENDO:

QUE TAL UMA VISTA DE ¾?

EM UMA VISTA DE ¾, NOS DEPARAMOS COM PROBLEMAS DE DESENHO – PERSPECTIVA, VOLUMES, ETC. POR ISSO É QUE MUITOS ANIMADORES FICAM SÓ NO PERFIL.

É UMA BOA IDEIA PLANEJAR PRIMEIRO EM PERFIL

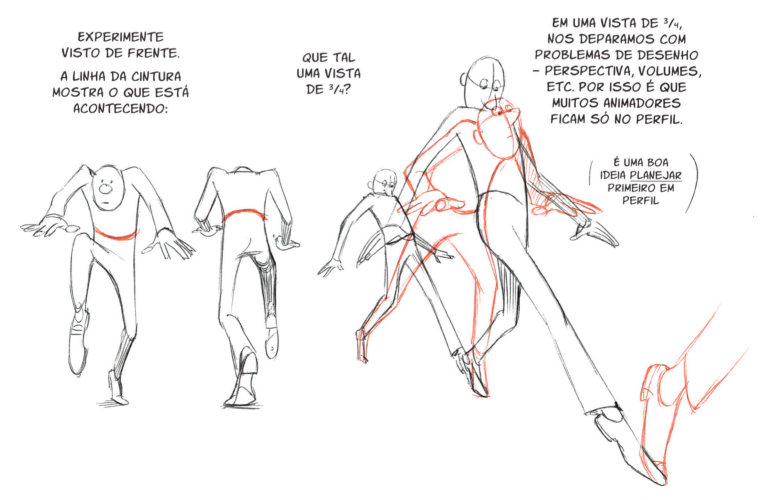

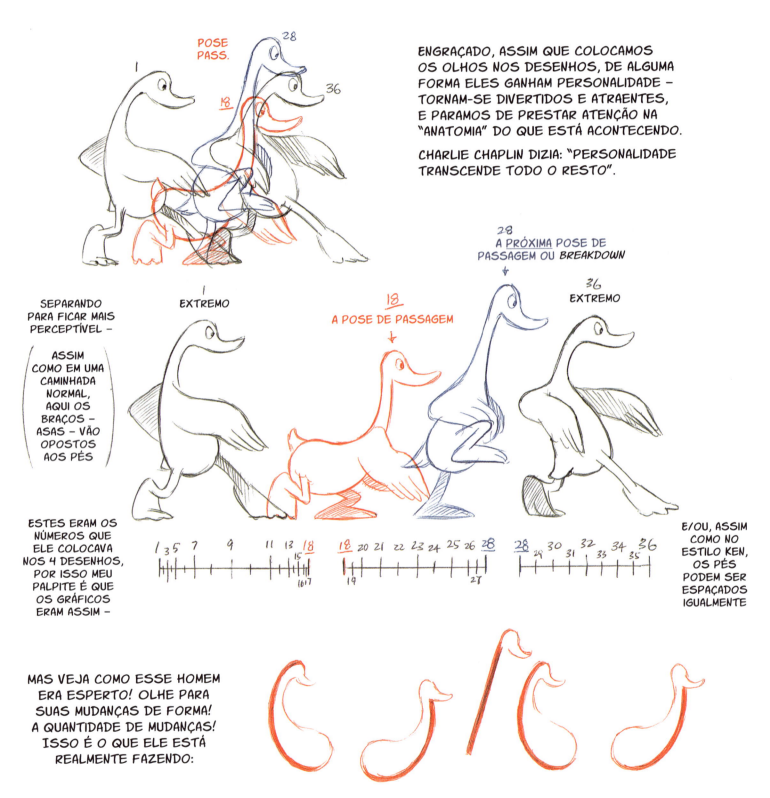

DEPOIS QUE ART BABBITT CONCLUIU SEU PRIMEIRO MÊS DE TREINAMENTO INTENSIVO EM MEU ESTÚDIO EM LONDRES, QUATRO DE NÓS FICAMOS A NOITE TODA SENTADOS ANIMANDO PARA ELE UMA SÁTIRA RÁPIDA DE SEUS SEMINÁRIOS.
FIZ ESTE CAVALO CAMINHANDO FURTIVAMENTE COMO EXERCÍCIO DE ANIMAÇÃO EXAGERADA – O QUE ACABOU SAINDO BEM ENGRAÇADO. ISSO MOSTRA QUÃO LONGE PODEMOS IR, MANTENDO-NOS AINDA NO BÁSICO.

AQUI ESTÃO APENAS OS EXTREMOS E AS POSES DE PASSAGEM – AS POSES MÉDIAS. CIRCULEI OS EXTREMOS PARA FICAR MAIS PERCEPTÍVEL.

(EM DOIS) PASSOS DE 12 E 14 FRAMES.

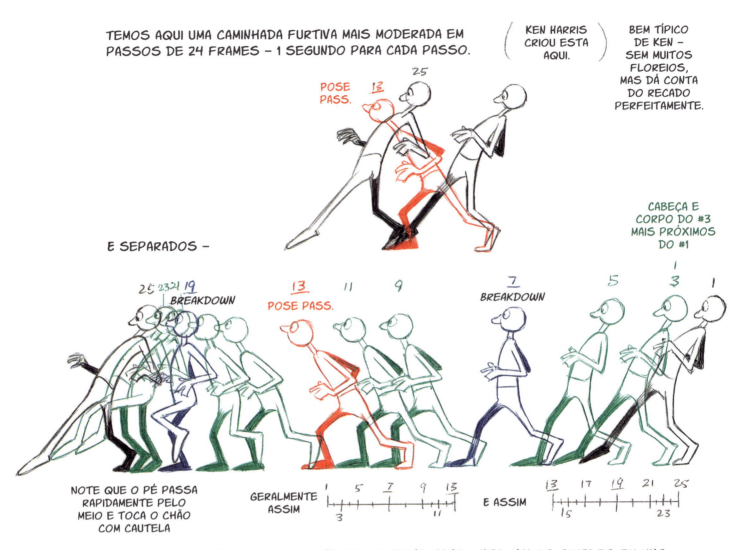

PASSOS FURTIVOS NA PONTA DOS PÉS

SÃO ALGO ENTRE UMA CAMINHADA NORMAL, UMA CORRIDA E UM CAMINHAR FURTIVO.

OS PÉS MOVIMENTAM-SE PARA CIMA E PARA BAIXO COMO PISTÕES - TEM DE SER EM UNS.

PODE SER BEM RÁPIDO, COMO PASSOS DE 4 FRAMES = 6 PASSOS POR SEGUNDO. OU CADA PASSO PODE TER 6, 8, 10, 12, 14 FRAMES, ETC. MAS É MAIS ADEQUADO PARA MOVIMENTOS RÁPIDOS.

NÃO É UM GRANDE PROBLEMA PARA CRIATURAS PEQUENAS OU BAIXINHAS, COM PERNAS CURTAS.

EIS AQUI UMA FÓRMULA BEM CONHECIDA PARA CRIATURAS DE PERNAS CURTAS (EM PASSOS DE 4 FRAMES):

MAS COM UM PERSONAGEM MAIS ALTO, COM PERNAS COMPRIDAS, TEMOS AQUELE PROBLEMA DE MUITA AÇÃO PARA MUITO POUCO TEMPO.

OS PÉS TENDEM A "TREMER", E A PERNA NO ALTO PARECE ESTAR APENAS PENDURADA ALI.

PARA CONTORNAR O PROBLEMA, TOMAMOS MAIS TEMPO NA AÇÃO.

COM ISSO, PODEMOS TORCER A PÉLVIS

- ALÉM DISSO, PODEMOS VARIAR AS POSES DO CICLO.

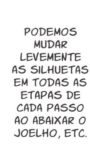

PODEMOS MUDAR LEVEMENTE AS SILHUETAS EM TODAS AS ETAPAS DE CADA PASSO AO ABAIXAR O JOELHO, ETC.

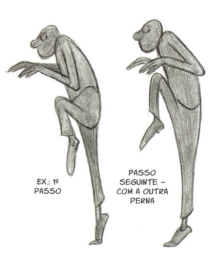

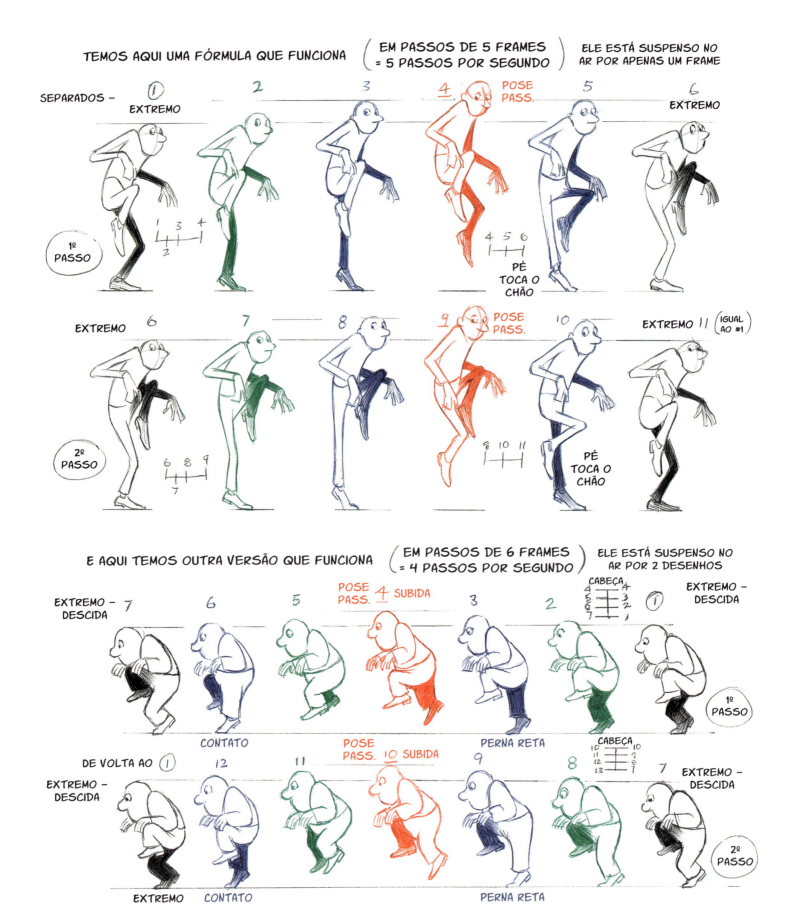

EM PASSOS FURTIVOS RÁPIDOS, PODEMOS TER UM POUCO DE AÇÃO CONTRÁRIA (ESSE É UM RECURSO DE EXAGERO)

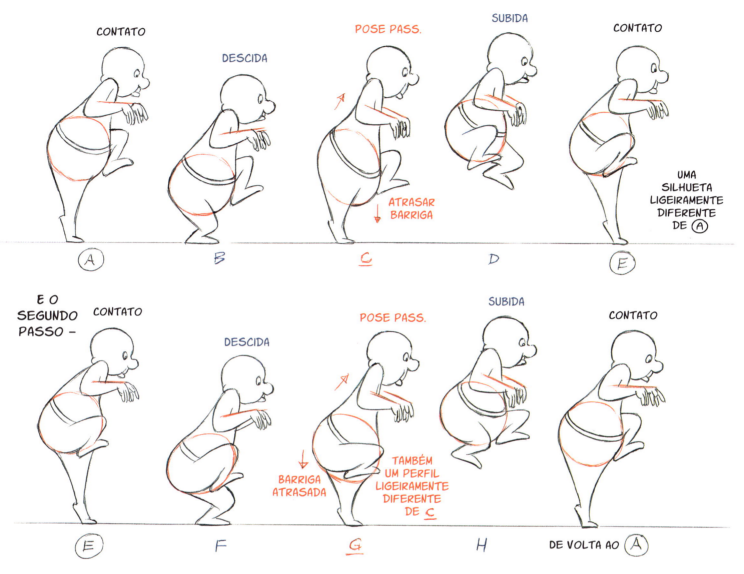

(ENFIM, ESSA É A IDEIA – QUE SE PODE APLICAR DE UM JEITO MAIS SUTIL A UM PERSONAGEM COM AÇÕES MENOS CARTUNESCAS)

CORRIDAS, SALTOS E PULOS

EM UMA CAMINHADA, HÁ SEMPRE UM PÉ NO CHÃO. SOMENTE UM PÉ DEIXA O CHÃO DE CADA VEZ.
EM UMA CORRIDA, OS DOIS PÉS ESTÃO FORA DO CHÃO EM ALGUM PONTO, POR 1, 2 OU 3 POSES.

TOMEMOS UMA CAMINHADA LIGEIRA EM PASSOS DE 6 FRAMES – SE SEMPRE HÁ UM PÉ TOCANDO O CHÃO, NÃO TEMOS UMA CORRIDA, TEMOS UMA CAMINHADA BEM RÁPIDA. (4 PASSOS POR SEGUNDO)

1 EXTREMO 2 DESCIDA 3 4 POSE PASS. 5 SUBIDA 6 7 EXTREMO

MAS EXPERIMENTE APENAS TIRAR A POSE #6 DO CHÃO, E OBTEMOS UMA CORRIDA.

E ALTERE O PÉ DA POSE #7

NÃO TEM DE SER DESSE JEITO, MAS ASSIM JÁ PODEMOS VER A CARACTERÍSTICA QUE DISTINGUE UMA CORRIDA DE UMA CAMINHADA.

AQUI TEMOS A MESMA COISA, COM UM POUCO MAIS DE VITALIDADE – MAIS INCLINADO –,
COM MAIS BALANÇO NOS BRAÇOS, MAS AINDA COM OS PÉS FORA DO CHÃO POR APENAS UM FRAME.
UMA CORRIDA "NORMAL" EM PASSOS DE 6 FRAMES (4 PASSOS POR SEGUNDO):

PODEMOS PEGAR A MESMA CORRIDA E COLOCAR A POSIÇÃO MAIS BAIXA NO #3 E A MAIS ALTA LOGO A SEGUIR, NO #4.

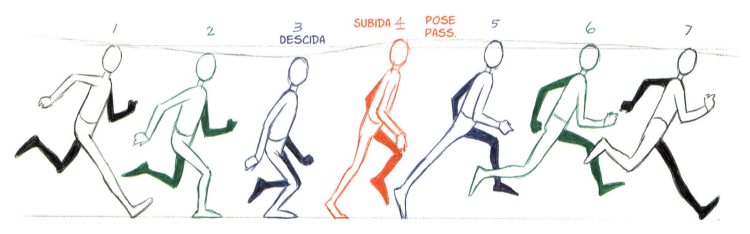

E AQUI ESTÁ ALGO BEM PARECIDO, COM PROPORÇÕES MAIS CARTUNESCAS:
UMA CORRIDA CARICATURADA EM PASSOS DE 6 FRAMES, MAS COM OS PÉS FORA DO CHÃO
POR 2 POSIÇÕES – E UM BALANÇO DE BRAÇOS MAIS INTENSO.

177

OUTRA CORRIDA EM PASSOS DE 6 FRAMES –
AQUI TEMOS A VERSÃO "REAL" DA MESMA CORRIDA.
NOTE A AÇÃO DE BRAÇOS REDUZIDA – COM QUASE NENHUMA SUBIDA OU DESCIDA NO CORPO
E OS DOIS PÉS FORA DO CHÃO POR 2 FRAMES.

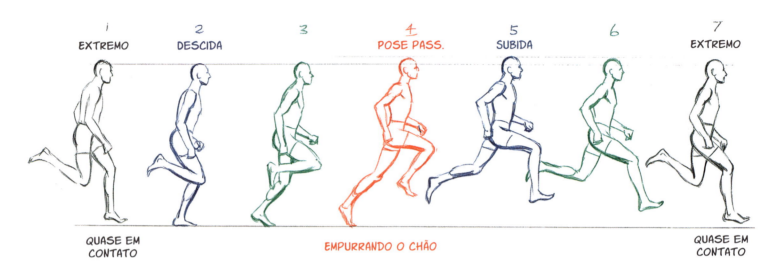

1 EXTREMO
2 DESCIDA
3
4 POSE PASS.
5 SUBIDA
6
7 EXTREMO

QUASE EM CONTATO

EMPURRANDO O CHÃO

QUASE EM CONTATO

COM AS CORRIDAS PODEMOS FAZER TODAS AS COISAS QUE FAZÍAMOS COM AS CAMINHADAS.
A CABEÇA PODE IR PARA CIMA E PARA BAIXO, DE UM LADO PARA O OUTRO, PARA A FRENTE E PARA TRÁS. O CORPO PODE SE DOBRAR E TORCER EM DIREÇÕES OPOSTAS, OS PÉS PODEM VIRAR PARA DENTRO E PARA FORA, ETC.

MAS NÃO PODEMOS FAZER **TANTO QUANTO** EM UMA CAMINHADA, PORQUE NÃO TEMOS TANTAS POSIÇÕES PARA ISSO, JÁ QUE UMA CORRIDA É MAIS RÁPIDA (UMA PESSOA ANDANDO EM PASSOS DE 12 FRAMES PODE CORRER EM 6).

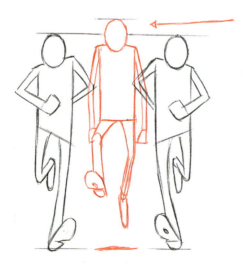
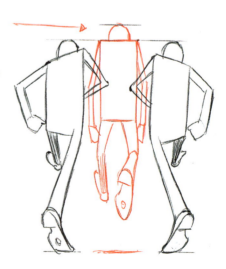

REGRA GERAL:
EM UMA CORRIDA, QUANDO LEVANTAR O CORPO NA POSE MAIS ALTA, LEVANTE SÓ ½ CABEÇA OU MESMO ⅓ DE CABEÇA, NUNCA UMA CABEÇA INTEIRA.
UMA É DEMAIS.

178

OBVIAMENTE, CORRIDAS TÊM DE SER EM UNS, PORQUE HÁ MUITA AÇÃO EM MUITO POUCO ESPAÇO DE TEMPO.

ASSIM COMO EM CAMINHADAS, PODEMOS CURVAR O CORPO, INVERTENDO A CURVA NO PASSO OPOSTO, E DEIXÁ-LO RETO NA POSE DE PASSAGEM.

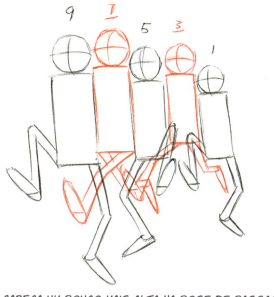

CABEÇA UM POUCO MAIS ALTA NA POSE DE PASSAGEM

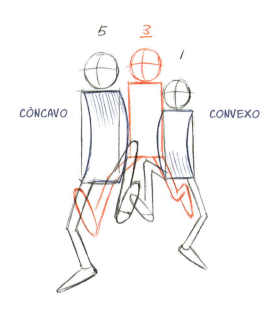

OU PODEMOS TORCER O CORPO PARA OS LADOS NOS EXTREMOS A FIM DE OBTER UM EFEITO MAIS ENGRAÇADO...

OU COMO EM UMA CAMINHADA, PODEMOS VARIAR, FAZENDO O CORPO DESCER NA POSE INTERMEDIÁRIA, MAS AINDA TRATANDO OS PÉS DA MESMA MANEIRA.

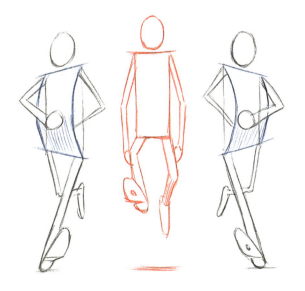

E OS OMBROS FICAM OPOSTOS AOS QUADRIS

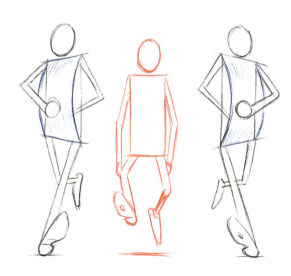

179

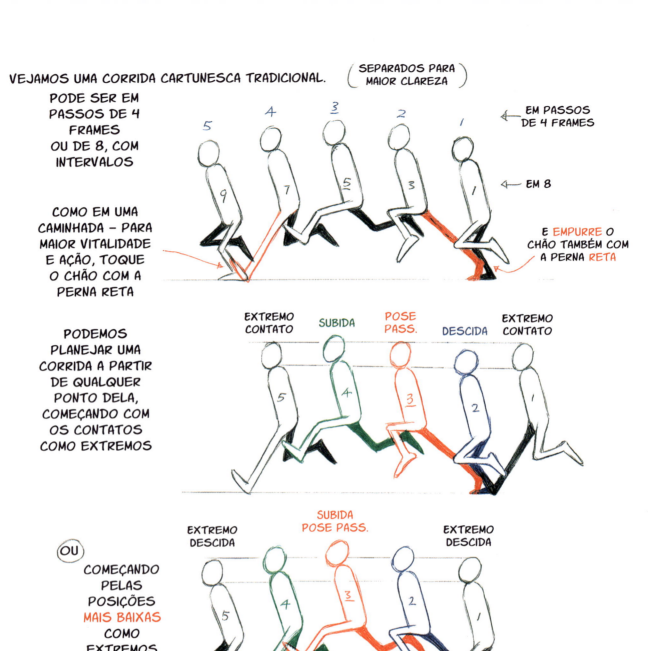

EM UMA CORRIDA VELOZ (DIGAMOS, EM 4 FRAMES), A POSE **#5** NÃO DEVERIA TER **EXATAMENTE** A MESMA SILHUETA DA POSE OPOSTA, **#1**. PROCURE VARIAR — FAÇA-A MAIS ALTA OU MAIS BAIXA.

E EM UMA CORRIDA VELOZ, AS POSES DEVEM SE SOBREPOR **LEVEMENTE**, PARA AJUDAR A GUIAR OS OLHOS.

EM UMA CORRIDA "NORMAL", OS BRAÇOS (ASSIM COMO EM UMA CAMINHADA) SÃO OPOSTOS ENTRE SI.

PODEMOS DEIXAR O PÉ ESCORREGAR UM POUCO NO CHÃO EM UMA CORRIDA VELOZ, MAS NÃO EM UMA CAMINHADA.

AQUI TEMOS UM CLICHÊ (UMA PERNA SEMPRE FORNECE O APOIO)

EIS UMA CORRIDA DE 4 DESENHOS EM QUE O QUE SERIA NORMALMENTE A POSE DE PASSAGEM ESTÁ SENDO USADA COMO A POSE MAIS BAIXA — INCLUINDO OS BRAÇOS.

MAS, PARA VARIAR, QUE TAL POSICIONAR AS PERNAS DE MODO **EXATAMENTE OPOSTO** A UMA CORRIDA NORMAL?

E NA POSE MÉDIA (POSE PASS.), A CABEÇA E O CORPO VÃO UM POUCO MAIS PARA A FRENTE (MAS NÃO MUITO).

É POSSÍVEL HAVER UMA GRANDE INCLINAÇÃO PARA A FRENTE –

NA "REALIDADE", QUANTO **MAIS RÁPIDO** CORRE O PERSONAGEM, MAIS ELE SE **INCLINA PARA A FRENTE**.

(ELE NÃO PRECISA ESTAR EM EQUILÍBRIO O TEMPO **TODO**)

OBVIAMENTE, PODEMOS LEVAR TUDO MUITO MAIS LONGE –
EIS AQUI UMA CORRIDA EM PASSOS DE 6 FRAMES
(PLANEJADA A PARTIR DAS POSES COM OS PÉS AFASTADOS):

COMO AS PERNAS SÃO LONGAS, ESSE MOVIMENTO PRECISA DE PELO MENOS 6 POSIÇÕES PARA FUNCIONAR – É PRECISO MANTER O CALCANHAR SE MOVENDO EM ARCO. O CALCANHAR CONDUZ E A PONTA DO PÉ ACOMPANHA.

QUE TAL ESTA AQUI –
UMA CORRIDA COM PASSOS DE 6 FRAMES

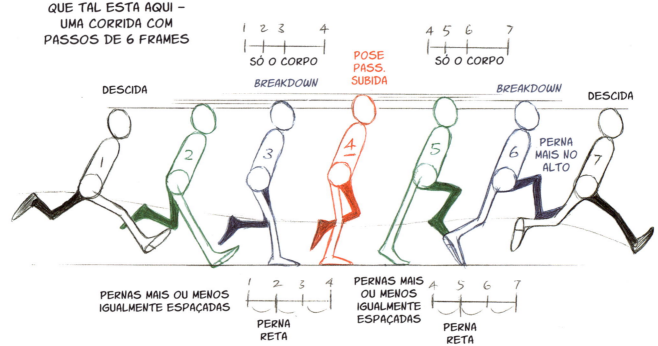

CURIOSAMENTE,
ART BABBITT SENTIA QUE UMA CORRIDA DE 6 FRAMES FICAVA MAIS AGRADÁVEL DO QUE UMA DE 4 OU 5 FRAMES. E KEN HARRIS, UM DOS MAIORES EXPOENTES DA AÇÃO RÁPIDA NA WARNER, SEMPRE PREFERIU FAZER CORRIDAS EM 6 E 8 FRAMES.

182

MAS E OS BRAÇOS? MOVEM-SE DUROS PARA A FRENTE E PARA TRÁS? SACODEM-SE VIOLENTAMENTE? FICAM FROUXAMENTE PENDURADOS? BALANÇAM DE UM LADO A OUTRO? OU MAL SE MEXEM?

EM UMA CORRIDA PADRÃO OU CLICHÊ, OS BRAÇOS (ASSIM COMO EM UMA CAMINHADA) SÃO OPOSTOS ÀS PERNAS.

VAMOS EXPERIMENTAR UM MOVIMENTO RESTRITO DE BRAÇOS. ELES AINDA SE OPÕEM ÀS PERNAS, MAS SEU MOVIMENTO É MAIS LIMITADO.

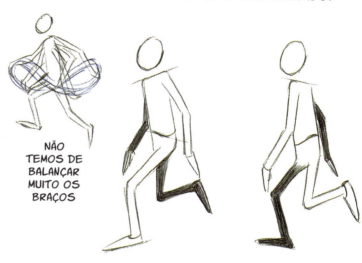

NÃO TEMOS DE BALANÇAR MUITO OS BRAÇOS

BRAÇOS DOBRADOS NO COTOVELO – BASTANTE RESTRITO.

MOVIMENTO RESTRITO EM UMA CORRIDA DE MULHER:

EM UMA CORRIDA MUITO **RÁPIDA**, EXISTE O RISCO DE TERMOS MOVIMENTOS DEMAIS NOS BRAÇOS.
PODE FICAR MUITO RÁPIDO E CONFUSO.
A AÇÃO DAS PERNAS DEVE PREDOMINAR.

JÁ VIU ISSO?

183

QUE TAL BALANÇAR OS BRAÇOS DE UM LADO PARA O OUTRO, E FORÇAR A PERSPECTIVA?

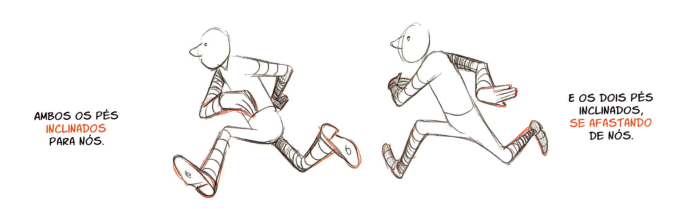

AMBOS OS PÉS INCLINADOS PARA NÓS.

E OS DOIS PÉS INCLINADOS, SE AFASTANDO DE NÓS.

AQUI TEMOS UMA CORRIDA ZANGADA EM PASSOS DE 8 FRAMES (3 PASSOS POR SEGUNDO) — É PRECISO TEMPO PARA ACOMODAR A AÇÃO INTENSA DOS BRAÇOS E DAS PERNAS.

184

E QUE TAL VARIAR TODAS AS OUTRAS POSES DE PASSAGEM À MEDIDA QUE A CORRIDA AVANÇA? FAÇA AS POSES DE PASSAGEM SEGUINTES FICAREM MAIS BAIXAS – MESMO QUE AMBOS OS PÉS ESTEJAM FORA DO CHÃO.

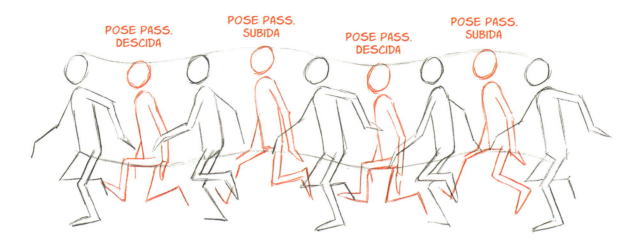

OU) COMO FIZEMOS COM A CAMINHADA – VAMOS FAZER OS BRAÇOS SE MOVENDO DUAS VEZES MAIS RÁPIDO QUE OS PÉS.

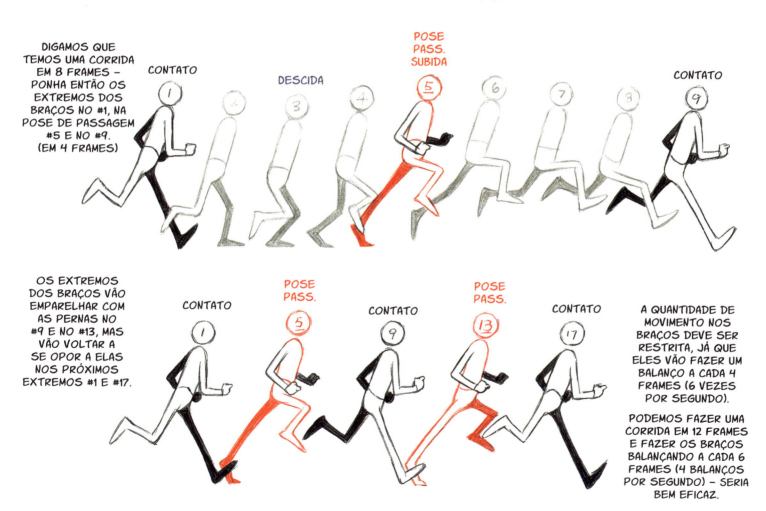

DIGAMOS QUE TEMOS UMA CORRIDA EM 8 FRAMES – PONHA ENTÃO OS EXTREMOS DOS BRAÇOS NO #1, NA POSE DE PASSAGEM #5 E NO #9. (EM 4 FRAMES)

OS EXTREMOS DOS BRAÇOS VÃO EMPARELHAR COM AS PERNAS NO #9 E NO #13, MAS VÃO VOLTAR A SE OPOR A ELAS NOS PRÓXIMOS EXTREMOS #1 E #17.

A QUANTIDADE DE MOVIMENTO NOS BRAÇOS DEVE SER RESTRITA, JÁ QUE ELES VÃO FAZER UM BALANÇO A CADA 4 FRAMES (6 VEZES POR SEGUNDO).

PODEMOS FAZER UMA CORRIDA EM 12 FRAMES E FAZER OS BRAÇOS BALANÇANDO A CADA 6 FRAMES (4 BALANÇOS POR SEGUNDO) – SERIA BEM EFICAZ.

POR OUTRO LADO, TAMBÉM PODEMOS FAZER UMA CORRIDA EM QUE OS BRAÇOS SE MOVEM DUAS VEZES MAIS DEVAGAR QUE OS PÉS.

PODEMOS FAZER UMA CORRIDA EM 8 FRAMES E OS BRAÇOS EM BALANÇOS DE 16 FRAMES. VAMOS TAMBÉM INCLINAR O CORPO UM POUCO PARA TRÁS, UM POUCO FORA DE EQUILÍBRIO, E OS BRAÇOS VÃO BALANÇAR BASTANTE PARA MANTER A ESTABILIDADE.

BRAÇOS EMPARELHAM COM AS PERNAS NO #17

PODEMOS BALANÇAR OS BRAÇOS EM UM ARCO BEM GRANDE, PORQUE TEMOS TEMPO PARA FAZER ISSO – INVISTA NO BRAÇO QUE ESTÁ NA FRENTE PARA TRAZER EQUILÍBRIO.

AQUI VEMOS UMA CORRIDA EM 5 DESENHOS MOSTRANDO COMO PODEMOS VARIAR AS SILHUETAS EM UMA CORRIDA VELOZ – NOVAMENTE, PARA QUE OS OLHOS NÃO LEIAM O MOVIMENTO SOMENTE COMO A MESMA PERNA E O MESMO BRAÇO INDO PARA A FRENTE E PARA TRÁS.

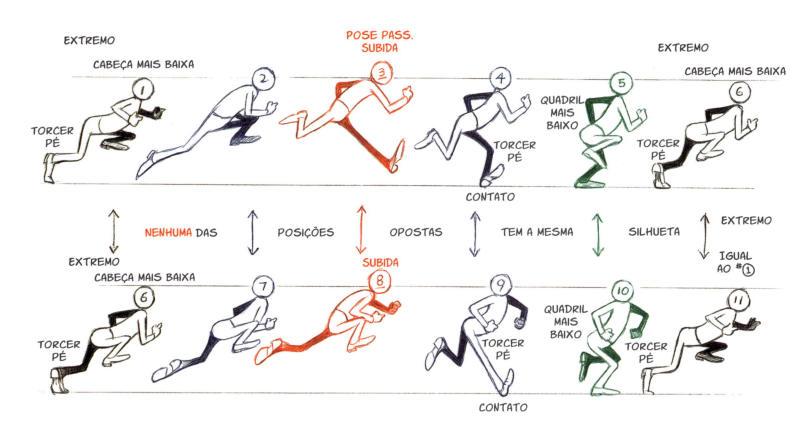

ALÉM DISSO, AS COSTAS VÃO DO CÔNCAVO AO CONVEXO, OS PÉS TORCEM E OS BRAÇOS E PERNAS SÃO BEM DIFERENTES.

186

AQUI TEMOS UM CORREDOR SE EXERCITANDO EM PASSOS DE 6 FRAMES.

COMO ESTA CORRIDA É RELATIVAMENTE MAIS LENTA QUE O EXEMPLO ANTERIOR EM 5 DESENHOS, E COMO A DISTÂNCIA DAS PASSADAS É BEM MAIS REDUZIDA – OS DOIS PÉS ESTÃO NO AR POR APENAS UM FRAME –, AS SILHUETAS OPOSTAS PODEM SER MAIS PARECIDAS, MAS AINDA DIFERENTES.

OS PÉS VIRAM E OS BRAÇOS SACODEM EM UM PEQUENO CÍRCULO. A CABEÇA APENAS SOBE E DESCE. UMA JOVEM SE EXERCITANDO PODE CORRER EM 8 FRAMES – COM AÇÃO REDUZIDA – E SÓ HÁ 1 DESENHO COM OS PÉS FORA DO CHÃO.

VEJAMOS AGORA UM HOMEM GORDO CORRENDO EM 6 FRAMES –
VAMOS TER VÁRIAS SUBIDAS E DESCIDAS POR CAUSA DO PESO, E COMO ELE É MUITO PESADO, A POSE MAIS BAIXA VEM SEGUIDA DA MAIS ALTA. DEPOIS ELE TEM DE SE REERGUER NOS PRÓXIMOS 5 FRAMES, PARA ENTÃO CAIR PESADAMENTE DE NOVO; E SUA CABEÇA INCLINA-SE PARA A FRENTE PARA AJUDAR NO IMPULSO DE VOLTA.

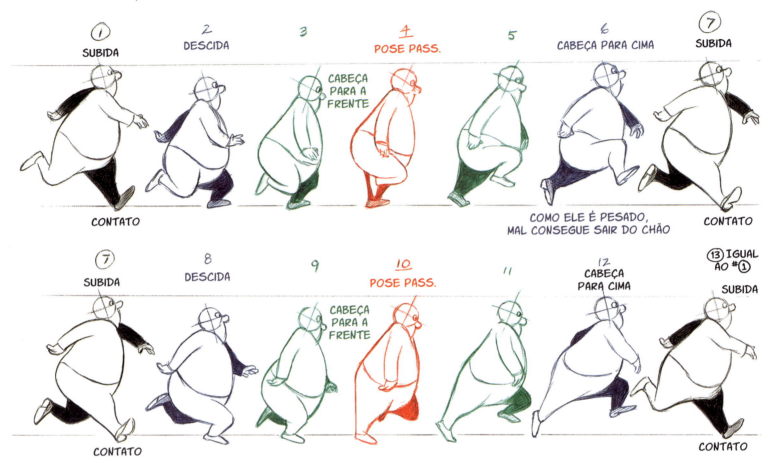

UMA COISA IMPORTANTE: QUANDO UM CORREDOR FAZ UMA CURVA, ELE SE INCLINA PARA O CENTRO DELA – NA DIREÇÃO PARA ONDE VAI VIRAR:

COMO UMA MOTOCICLETA, ELE SE INCLINA NA CURVA (DEPENDENDO DA VELOCIDADE).

OS PÉS PODEM APONTAR PARA OS LADOS – TOME TODO TIPO DE LIBERDADE – MAS NOSSOS OLHOS VÃO ACOMPANHAR O CORPO.

ALGUÉM UMA VEZ DISSE QUE O TEMA "PERSEGUIÇÃO" É UMA INVENÇÃO QUE TEM RELAÇÃO ORGÂNICA COM OS FILMES. CERTAMENTE HÁ MILHARES DE DESENHOS ANIMADOS BASEADOS EM "PERSEGUIÇÕES" QUE PRODUZEM INCONTÁVEIS VARIAÇÕES CRIATIVAS DE CORRIDAS VELOZES.

(EM 3 OU 4 FRAMES)

PODE SER EM 4 FRAMES, MAS GERALMENTE

(EM 5, 6, 7 OU 8 FRAMES)

AS CORRIDAS MAIS RÁPIDAS SÃO ADEQUADAS PARA PERSONAGENS BAIXINHOS QUE PRECISAM DE POUCAS POSES OPERANDO EM MENOS TEMPO, JÁ QUE TODAS AS PARTES SE SOBREPÕEM.

JÁ OS PERSONAGENS DE PERNAS MAIS LONGAS PRECISAM DE UM POUCO MAIS DE TEMPO PARA QUE ISSO FUNCIONE BEM – UMA OU DUAS POSES A MAIS PARA AJUDAR A CONDUZIR O OLHAR.

A FÓRMULA DA CORRIDA DE 4 DESENHOS

EFICAZ PARA PERSONAGENS DE PERNAS CURTAS.
ESTA É TÃO RÁPIDA (6 PASSOS POR SEGUNDO) QUE NÃO HÁ TEMPO O SUFICIENTE PARA SACUDIR OS BRAÇOS VIOLENTAMENTE – ENTÃO OS ANIMADORES ACHARAM MELHOR ESTICÁ-LOS PARA A FRENTE. A AÇÃO DAS PERNAS ACONTECE ABAIXO E ATRÁS DO CORPO (OK DESLIZAR UM POUCO OS PÉS).

MUITO POUCA SUBIDA E DESCIDA NA CABEÇA E NO CORPO

DESCIDA — 1 — 2 — SUBIDA 3 — 4 — DESCIDA 5

EXTREMO — PÉ EMPURRA O CHÃO — POSE PASS. — CONTATO — EXTREMO

É IMPORTANTE TERMOS A PERNA RETA AQUI

E, NOVAMENTE, DEVEMOS VARIAR UM POUCO AS SILHUETAS PARA AJUDAR OS OLHOS A LER AMBAS AS PERNAS

IGUAL AO #① DESCIDA

DESCIDA — 5 — 6 — SUBIDA 7 — 8 — 9

EXTREMO — PÉ EMPURRA O CHÃO — POSE PASS. — CONTATO — EXTREMO

VARIAÇÕES DAS CORRIDAS DE 4 DESENHOS – ESTA FOI PLANEJADA A PARTIR DAS SUBIDAS, NO AR, MAS AINDA SEGUE O MESMO PADRÃO BÁSICO DA FÓRMULA ANTERIOR.

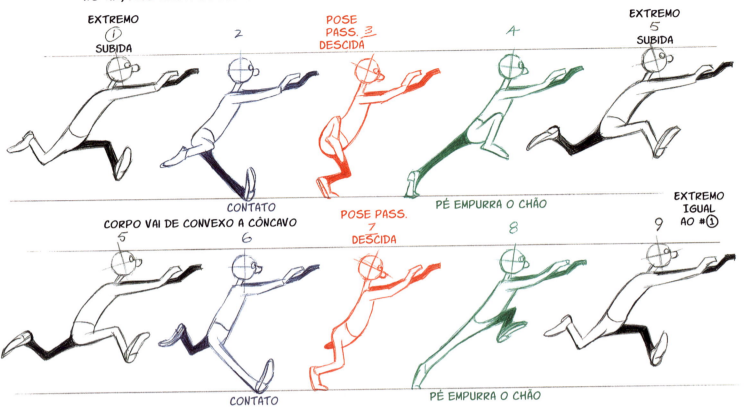

E ESTA É BEM INSANA, COM BRAÇOS BALANÇANDO, PLANEJADA A PARTIR DAS POSES EM QUE O PÉ EMPURRA O CHÃO, MAS AINDA BASEADA NO MESMO PADRÃO DA FÓRMULA.

FIZ ESTA CORRIDA EM PASSOS DE 4 FRAMES, PLANEJADA A PARTIR DOS IMPULSOS NAS POSES 1 E 5. PODERIA HAVER UM POUCO MAIS DE SUBIDA E DESCIDA E ALONGAMENTO NO CORPO, MAS A AÇÃO DAS PERNAS CONDUZ O MOVIMENTO.
É UM CICLO, REDESENHADO COM CABELO, BRAÇO COM PIPA, CAUDA DO PALETÓ E CHÃO EM PERSPECTIVA ADICIONADOS DEPOIS.

A PROPÓSITO, SOBRE CICLOS —

CICLOS LONGOS SÃO EXCELENTES. CICLOS CURTOS OBVIAMENTE SÃO PERCEBIDOS COMO CICLOS, MAS SE DERMOS VÁRIOS PASSOS COM VARIAÇÕES NOS EXTREMOS E NAS POSES DE PASSAGEM, ETC., E DEPOIS VOLTARMOS À POSE #1, ISSO VAI ENGANAR OS OLHOS, QUE VÃO DEMORAR PARA LER O MOVIMENTO COMO CÍCLICO.

A CORRIDA DE 3 DESENHOS

= 8 PASSOS POR SEGUNDO! NÃO DÁ PARA FICAR MUITO MAIS RÁPIDO QUE ISSO, PORQUE

PARA FAZER COM QUE UMA RODA OU UM PONTEIRO PAREÇAM GIRAR, PRECISAMOS DE, NO MÍNIMO, 3 DESENHOS/POSES.

2 DESENHOS SIMPLESMENTE NÃO BASTAM. VÃO SÓ FICAR TREMULANDO — ASSIM:

POR ISSO, PRECISAMOS ENCONTRAR 3 POSIÇÕES VIÁVEIS PARA QUE AS PERNAS PAREÇAM COMPLETAR UM CICLO.

NA PRÁTICA, FUNCIONA ASSIM:

192

EXISTEM INÚMERAS VARIAÇÕES PARA ISSO – BASICAMENTE, É SÓ FAZER OS 3 DESENHOS COMPLETAREM UM CICLO.

É CLARO QUE FUNCIONA MELHOR COM PERSONAGENS BAIXOS E CARTUNESCOS –

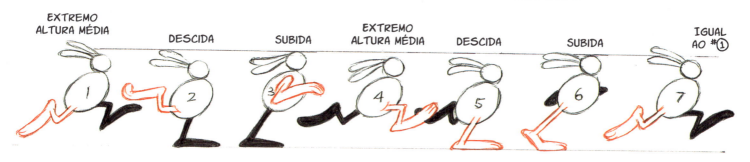

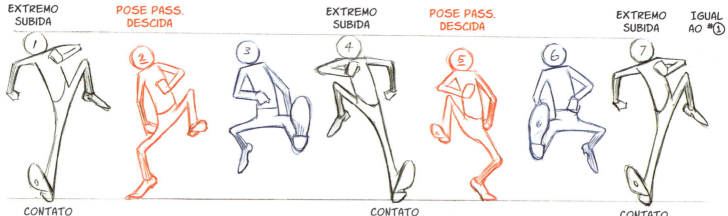

MAS AINDA VAI FUNCIONAR COM UM PERSONAGEM MAIS ALTO –

E PODEMOS IR AINDA MAIS RÁPIDO –

PODEMOS USAR 3 POSES PARA A PRIMEIRA PASSADA E SÓ 2 PARA A SEGUINTE. AQUI ESTÃO AS 3 PRIMEIRAS POSES – OS EXTREMOS COM CONTATOS E 2 POSES DE INTERVALO – #2 E #3.

DEPOIS PEGAMOS O EXTREMO #4 E FAZEMOS SÓ UM INTERVALO ENTRE ELE E O EXTREMO #1 (E O DEIXAMOS MAIS ALTO QUE TODOS)

ISSO NOS DARÁ PRATICAMENTE 10 PASSOS POR SEGUNDO (9½ NA VERDADE) – INCRIVELMENTE RÁPIDO

ASSIM, TEMOS:

E AINDA PODEMOS ALTERNAR AS PERNAS QUE VÃO DAR O PASSO MAIS CURTO E O MAIS LONGO.

(A CORRIDA DE 2 DESENHOS)

A CORRIDA MAIS RÁPIDA POSSÍVEL (PELO MENOS COM O FILME RODANDO A 24 FRAMES POR SEGUNDO) = 12 PASSOS POR SEGUNDO.
NOS ANOS 1940, O DIRETOR TEX AVERY TESTAVA OS LIMITES DESAFIANDO A GRAVIDADE DE FORMA CRIATIVA, INDO MAIS E MAIS RÁPIDO RUMO A GAGS QUE DURAVAM FRAÇÕES DE SEGUNDO – E OS ANIMADORES QUERIAM CHEGAR A CORRIDAS DE 2 DESENHOS QUE FUNCIONASSEM.

GROSSO MODO, É ASSIM:

195

EM UMA CORRIDA DE 2 DESENHOS,

O PROBLEMA COM A AÇÃO DAS PERNAS É QUE ELAS VÃO PARECER EXATAMENTE O QUE SÃO – SÓ 2 DESENHOS SENDO EXIBIDOS MAIS OU MENOS AO MESMO TEMPO (IMAGEM PISCANTE).

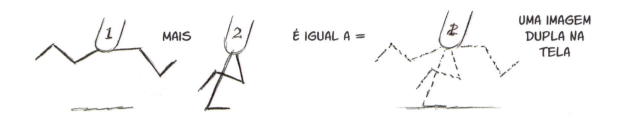

PORÉM, ELES AINDA QUERIAM ATINGIR A VELOCIDADE HUMANAMENTE IMPOSSÍVEL.
UMA SOLUÇÃO É NÃO COLOCAR A POSE DE PASSAGEM DAS PERNAS NO MEIO, MAS DEIXAR A CADA DUAS POSES AS PERNAS MAIS PRÓXIMAS DE ONDE ESTAVAM... ASSIM, O OLHO LÊ OS 2 DESENHOS, E ENTÃO ELE PULA A GRANDE LACUNA.

OU SEJA...

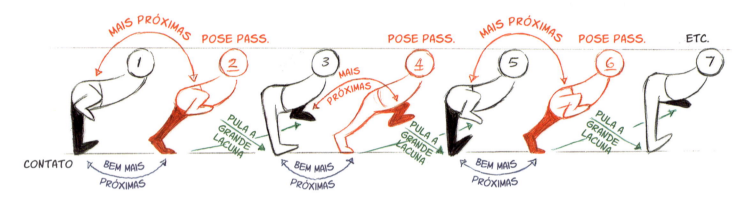

E OS PÉS QUE SUPORTAM O PESO TAMBÉM ESTÃO BEM PRÓXIMOS.
SOLUÇÃO GENIAL!
E É A MESMA COISA VISTA DE FRENTE OU DE COSTAS –

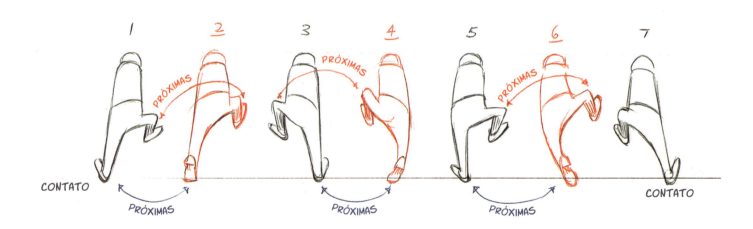

A MESMA IDEIA FUNCIONA BEM VISTA EM ¾ –

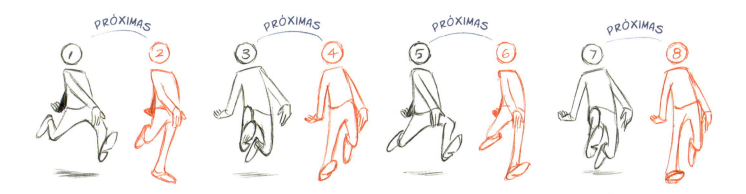

PARA UMA VISÃO LATERAL, COM UM PERSONAGEM DE PERNAS MAIS LONGAS, É MELHOR FAZER UMA CORRIDA DE 3 DESENHOS.

MAS VISTO DE FRENTE OU DE COSTAS, O RECURSO DE 2 DESENHOS FUNCIONA SURPREENDENTEMENTE BEM. IMPOSSÍVEL, MAS CONVINCENTE... 12 PASSOS POR SEGUNDO!

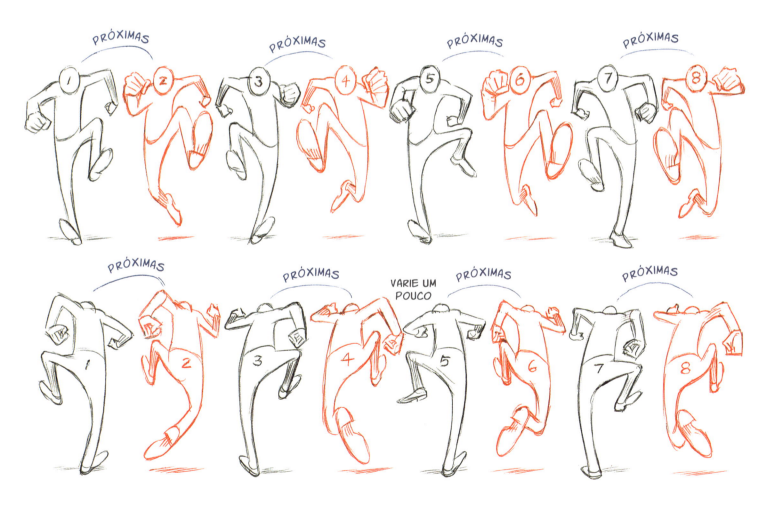

PORTANTO, A POSE DE PASSAGEM É OMITIDA – FICA IMPLÍCITA – PELOS 2 DESENHOS MAIS PRÓXIMOS DE CADA EXTREMO, E O OLHO PULA A LACUNA ONDE A POSE DE PASSAGEM NORMALMENTE ESTARIA.

O MESMO EFEITO PODE SER OBTIDO AO SOBREPOR FORMAS OPOSTAS –

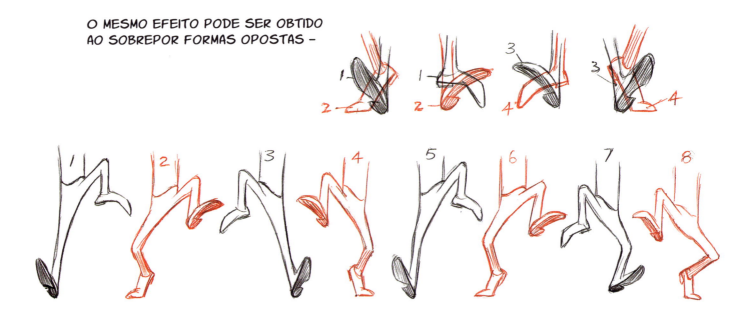

OUTRA MANEIRA DE FAZER A CORRIDA DE 2 DESENHOS É VARIAR AS SILHUETAS AO LONGO DA AÇÃO – E ENTÃO O OLHO VAI LER O MOVIMENTO COMO UMA ESPÉCIE DE MISTURA CONVINCENTE.

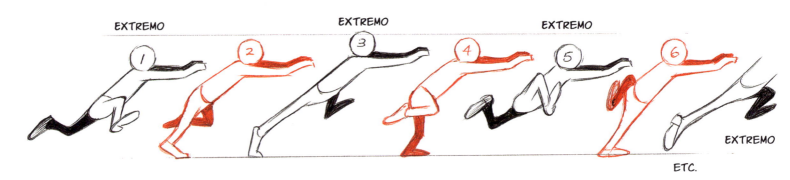

OUTRA TÁTICA É FAZER OS BRAÇOS SE AGITAREM FRENETICAMENTE, INCLINANDO PROGRESSIVAMENTE O CORPO E A CABEÇA PARA A FRENTE – OU PARA TRÁS – DURANTE A CORRIDA, PARA DESVIAR O OLHAR PARA LONGE DA MALDIÇÃO DOS 2 DESENHOS DE PERNAS "PISCANTES".

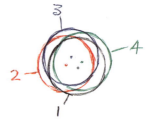

A CABEÇA PODE SE MOVER EM UM CÍRCULO PEQUENO, USANDO PARA ISSO UM MÍNIMO DE 4 DESENHOS. E A AÇÃO DESSE CÍRCULO PODE PROGREDIR PARA A FRENTE OU PARA TRÁS.

A PROPÓSITO, EIS UMA SUGESTÃO DE PADRÃO DE 4 DESENHOS PARA OS BRAÇOS QUE SE AGITAM DURANTE UMA CORRIDA (SE FOR UMA CORRIDA DE 2 DESENHOS, OS BRAÇOS VÃO SACUDIR NA METADE DA VELOCIDADE DA CORRIDA):

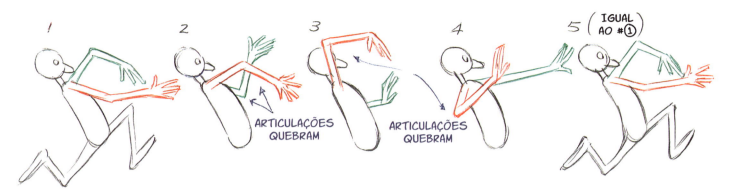

PARA UMA VARIAÇÃO FINAL DA CORRIDA DE 2 DESENHOS — A MAIS RÁPIDA POSSÍVEL —, PODEMOS USAR BORRÕES:

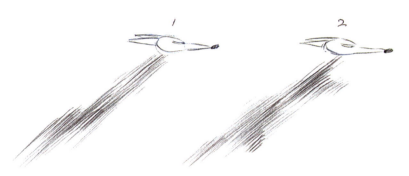

PODEMOS TER SOMENTE 2 DESENHOS (EM UNS),
MAS É BASTANTE EFICAZ FILMÁ-LOS EM TRANSPARÊNCIAS DE 2 FRAMES,
PARA QUE OS DESENHOS FIQUEM EM DOIS — POR 2 FRAMES CADA,
MAS SUAVIZADOS PELAS TRANSPARÊNCIAS.

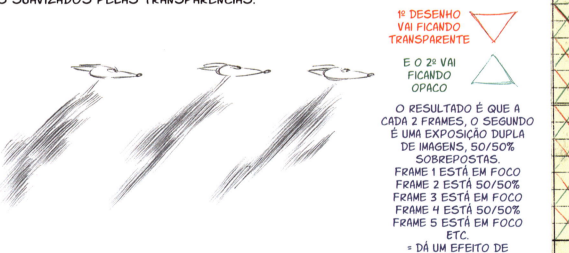

PODEMOS, É CLARO, ADICIONAR MAIS POSES BORRADAS.
DESCOBRI QUE A TRANSPARÊNCIA ENTRE 2 FRAMES PODE
SER USADA EM TODO TIPO DE AÇÃO PARA SUAVIZAR OS MOVIMENTOS, ESPECIALMENTE QUANDO A AÇÃO OCORRE EM UM ESPAÇO PEQUENO. FUNCIONA COMO UMA ESPÉCIE DE VERNIZ.

RESUMINDO AS CORRIDAS:

A RECEITA

1. CORRIDAS SÃO FEITAS SEMPRE EM UNS (EXCETO PELO RECURSO DE TRANSPARÊNCIA DE 2 QUADROS, QUE NA VERDADE É SÓ UM TRUQUE)

2. PODEMOS FAZER TUDO O QUE FAZEMOS NAS CAMINHADAS, SÓ QUE DE FORMA REDUZIDA – APROXIMADAMENTE PELA METADE

3. A CABEÇA ESTÁ SUBINDO E DESCENDO?
   OU BALANÇANDO DE UM LADO PARA O OUTRO?
   OU SE MOVENDO EM PEQUENOS CÍRCULOS?

4. AS PERNAS ESTÃO SE MOVENDO PARA CIMA E PARA BAIXO?
   OU DANDO PASSADAS LARGAS?

5. OS BRAÇOS DEVEM TER SEU BALANÇO LIMITADO?
   ESTÃO JUNTINHOS AO CORPO?
   OU ESTÃO SACUDINDO LOUCAMENTE EM UMA AÇÃO BEM AMPLA?

6. O QUE A LINHA DA CINTURA ESTÁ FAZENDO?

7. DEVEMOS DEIXAR O PERSONAGEM MAIS TEMPO NO AR?
   OU MAIS TEMPO NO CHÃO?

8. TEMOS DE USAR CRIATIVIDADE E OUSADIA, E ARRISCAR BASTANTE!

9. E É CLARO – QUEM É QUE ESTÁ CORRENDO? O PERSONAGEM É:

GORDO?	GÂNGSTER?
VELHO?	ALEIJADO?
MAGRO?	BISPO?
JOVEM?	FINANCISTA?
ATLETA?	ASSALTANTE?
DESCOORDENADO?	CRIANÇA?
SOLTEIRÃO(ONA)?	BÊBADO?
GLAMOUROSO(A)?	HIPPIE?
POLICIAL?	A RAINHA DA INGLATERRA?

10. E, POR FIM, O PERSONAGEM ESTÁ CORRENDO DE OU PARA?
    COM QUE PROPÓSITO? ISSO DARÁ O EFEITO DRAMÁTICO DA CORRIDA

NAS PRÓXIMAS SEIS PÁGINAS VEREMOS UM EXEMPLO COMPLETO DE UMA PERSONAGEM CORRENDO, PULANDO COM UMA PERNA, (SALTITANDO E SALTANDO COM AS DUAS) (TUDO EM UNS).
ESTA VELHA SENHORA PARECE MOSTRAR UM ROTEIRO COMPLETO DE ANIMAÇÃO, E SUAS AÇÕES ESTÃO EMBASADAS DIRETAMENTE NOS FUNDAMENTOS SOBRE OS QUAIS VIEMOS FALANDO ATÉ AQUI.

PRIMEIRO, VAMOS CONSTRUIR AS POSES INICIAIS DA CORRIDA – EM PASSOS DE 4 FRAMES –, COMEÇANDO A PARTIR DOS CONTATOS NAS POSES 1, 5 E 9:

A SEGUIR, VAMOS EXAMINAR AS POSES:

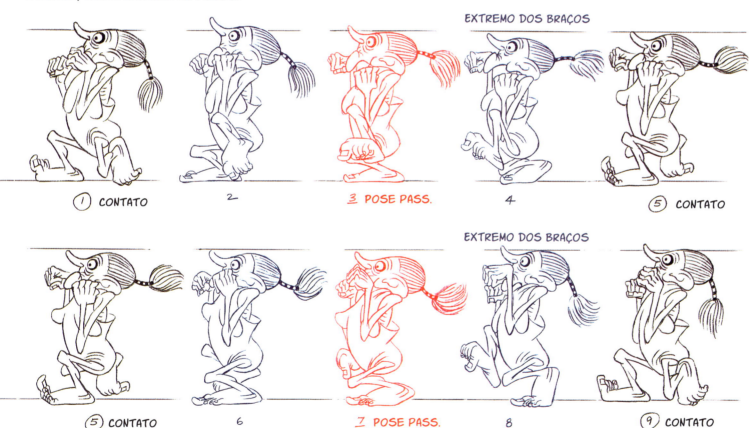

ELA COMEÇA COM UM JEITO BEM CONTIDO DE CORRER, COMO UMA EX-ATLETA.

A CABEÇA VAI PARA CIMA E PARA BAIXO, BALANÇANDO EM UM CÍRCULO BEM PEQUENO (PONTA DO NARIZ), E A AÇÃO DE SUAS MÃOS – EXTREMOS #4 E #8 – SÃO PEQUENOS SOQUINHOS, COMO OS DE UM BOXEADOR.

DEPOIS DE TRABALHAR NA AÇÃO DO CORPO, DA CABEÇA, DAS PERNAS E DOS BRAÇOS, ACRESCENTAMOS O RABO DE CAVALO QUE BALANÇA, A AÇÃO DO QUEIXO E, POR FIM, OS SEIOS FLÁCIDOS – COMO DE COSTUME, FAZENDO UMA COISA DE CADA VEZ.

A VELHINHA SOBE E DESCE MAIS À MEDIDA QUE DÁ PASSADAS MAIORES —

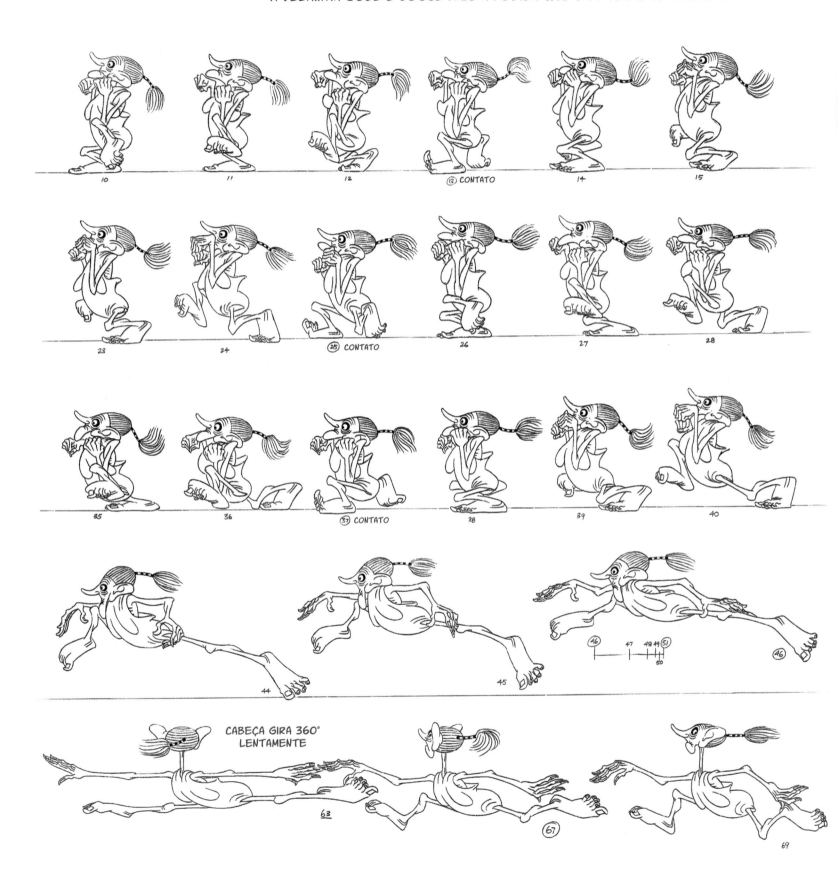

E VAI AINDA MAIS BAIXO QUANDO SE PREPARA PARA PULAR...

ELA DESLIZA NO AR – UM MOVIMENTO CLÁSSICO DOS ANOS 1930

203

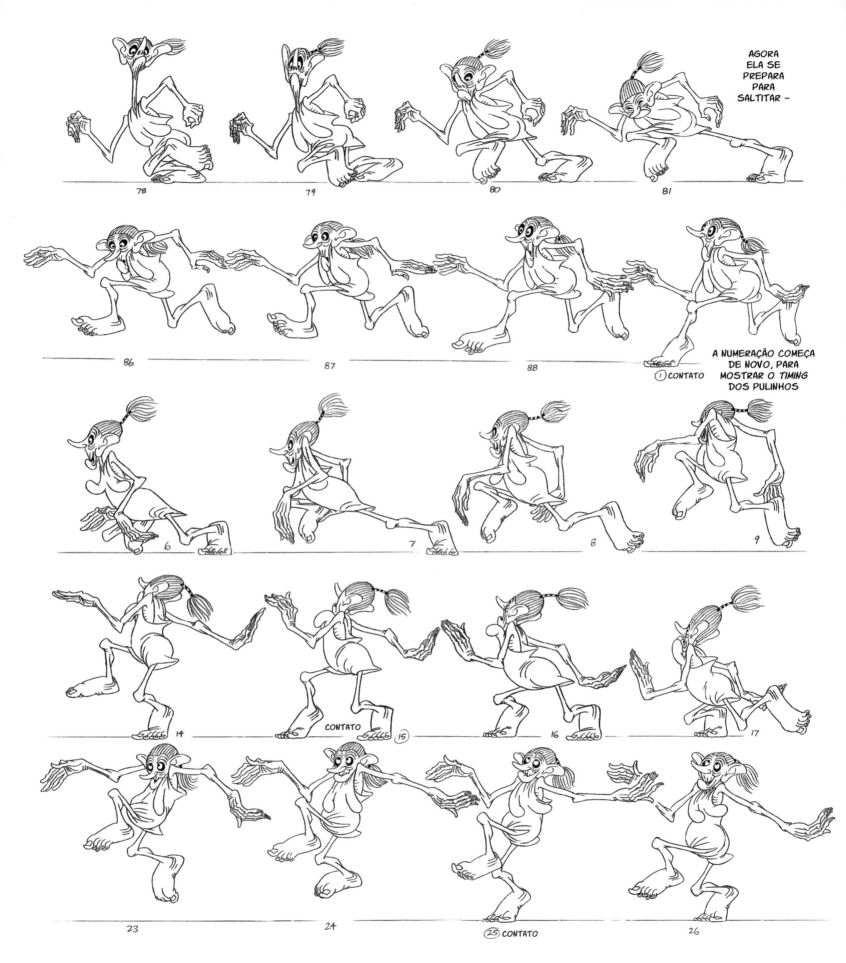

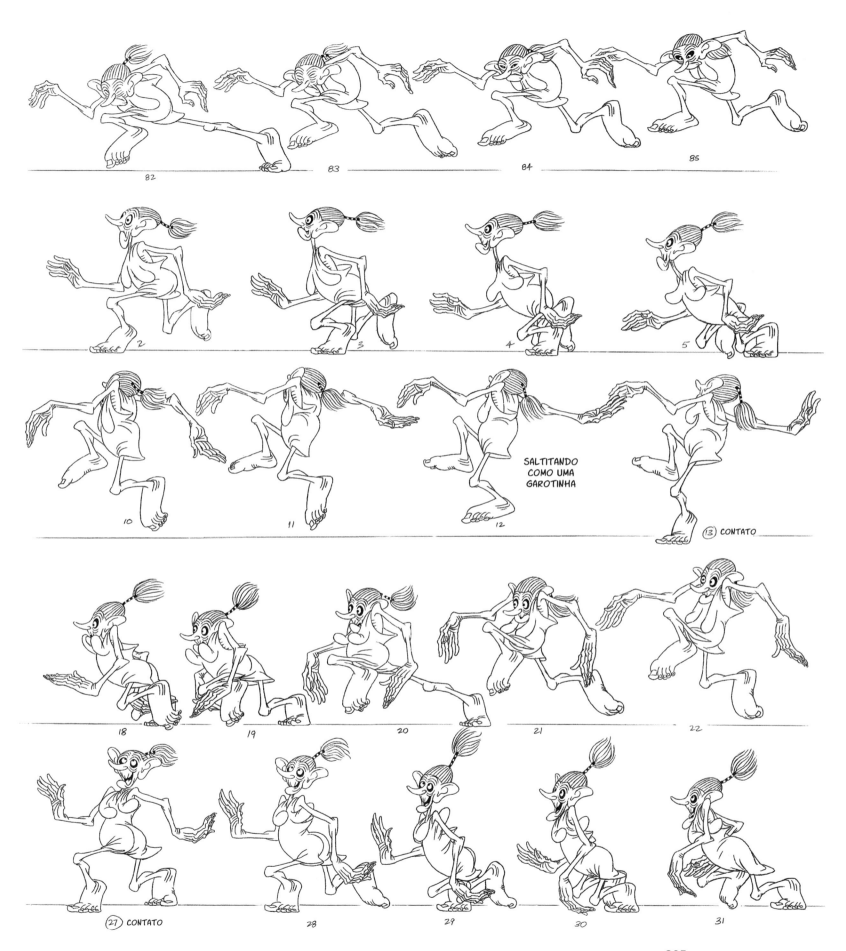

205

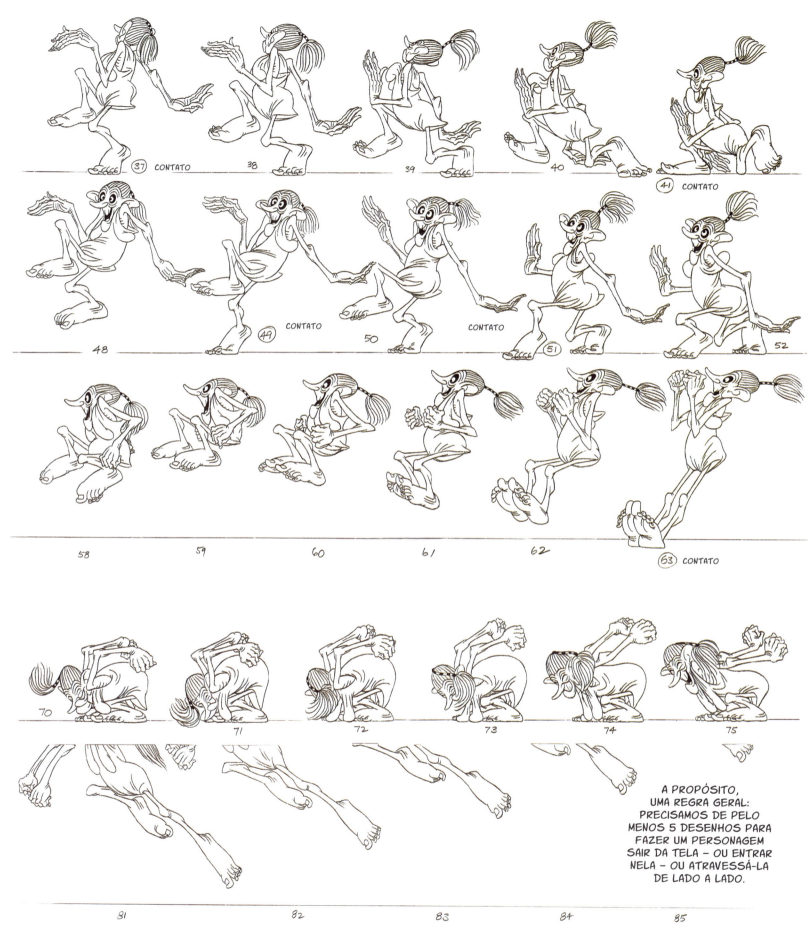

ESTA VELHINHA PARECE UMA AULA VIVA DE ANATOMIA, MAS NA REALIDADE É SÓ UMA FÓRMULA DE DESENHO DE PATO/RATO/COELHO/GATO.
ELA TEM O FORMATO DE PERA TÍPICO DA HOLLYWOOD DOS ANOS 1940, MAS COM JOELHOS, COTOVELOS, CABELO QUE BALANÇA, ETC., E APRESENTA CONTRASTE ENTRE PARTES MOLES E PARTES RÍGIDAS.

EIS AQUI O PADRÃO DE SEU SALTITAR DE MENININHA:

ELA ENTRA EM CENA E PULA, DANDO IMPULSO COM SEU PÉ ESQUERDO, DEPOIS POUSA SOBRE O MESMO PÉ. DOIS QUADROS DEPOIS, SEU PÉ DIREITO TOCA O CHÃO E ELA DÁ IMPULSO COM ELE PARA PULAR, E POUSA SOBRE O MESMO PÉ. ENTÃO IMEDIATAMENTE TOCA O CHÃO COM O PÉ ESQUERDO, DÁ IMPULSO COM ELE, PULA E CAI SOBRE O MESMO PÉ, POR FIM FAZ O MESMO COM O DIREITO, ETC.
(SEU CORPO FICA VIRANDO PARA OS LADOS, SEMPRE PARA A PERNA MAIS À FRENTE.)

O SALTITAR CONSISTE EM DOIS CONTATOS EM CADA PÉ.
EXISTEM VÁRIOS JEITOS DE SALTITAR, MAS O BÁSICO É: PASSO – PULO, PASSO – PULO, PASSO – PULO, PASSO – PULO, ETC.

QUANDO VAMOS PARA A FRENTE, O PÉ DESLIZA UM POUQUINHO.

DAMOS UM PASSO E UM PULO COM UM PÉ –
DEPOIS MUDAMOS OS PÉS E PULAMOS COM O OUTRO.
GERALMENTE, O PASSO LEVA O DOBRO DO TEMPO DO PULO.

OU SALTITAMOS COM GESTOS AMPLOS, COMO A VELHA SENHORA (EM PULOS DE 16 FRAMES – EM UNS).

MUITAS COISAS PODEM ACONTECER NESSA AÇÃO PARA TORNÁ-LA MAIS INTERESSANTE –
MOVIMENTO DOS BRAÇOS, CABEÇA, ETC.
EXISTEM TANTAS VARIAÇÕES, TANTOS TIPOS, TANTAS POSSIBILIDADES!
UMA MENININHA PULANDO CORDA PODE DAR PEQUENOS PULINHOS DUPLOS, COM ÊNFASE A CADA DOIS DELES.
UM LUTADOR TREINANDO COM A MESMA CORDA MAL SAI DO CHÃO – QUASE NÃO HÁ MOVIMENTOS.
HÁ UM PULO DUPLO PARA CADA PÉ – BEM DE LEVE, QUASE SEM ESFORÇO.

209

VAMOS FAZER UMA CAMINHADA COM PULINHOS SUTIS

QUEREMOS QUE O PERSONAGEM DÊ UM PASSO, UM PULINHO, MUDE O PÉ, UM PASSO, UM PULINHO, MUDE O PÉ, UM PASSO, UM PULINHO, ETC.
DEPOIS DE ATUAR A CENA (EU FIZ ISSO – PASSEEI PELA SALA PARA FAZER ESTA ANIMAÇÃO), O QUE TEMOS DE FAZER PRIMEIRO?
RESPOSTA: OS **CONTATOS**.
QUAIS? SERÃO VÁRIOS...
RESPOSTA: OS MAIS **IMPORTANTES** – COMO EM UMA CAMINHADA NORMAL, FAÇA AS DUAS POSES PRINCIPAIS DE CONTATO.
OK, MAS QUAL É O **RITMO**?
RESPOSTA: BEM, PARA ACOMODAR OS PULINHOS, VAMOS FAZER EM PASSADAS DE **24 FRAMES** (1 SEGUNDO PARA CADA PASSADA COMPLETA).

OK, E AGORA?
RESPOSTA: BEM, TEMOS 24 FRAMES. VAMOS ACRESCENTAR OS **2 PASSOS DE CONTATO** SEGUINTES. VAMOS COLOCAR UM A CADA 8 FRAMES – ISSO NOS DARÁ 3 CONTATOS POR SEGUNDO (QUE FOI APROXIMADAMENTE O QUE DEU QUANDO ANDEI PELA SALA).

POR ORA, VAMOS DEIXAR DE LADO A AÇÃO DOS BRAÇOS.

ÓTIMO, AGORA TUDO O QUE TEMOS DE FAZER É ADICIONAR **AS POSES DE PASSAGEM** ENTRE CADA CONTATO...
MAS ESPERE UM POUCO, VAMOS SER MAIS ESPERTOS. VAMOS APROVEITAR MAIS A AÇÃO E PÔR O PONTO MAIS AMPLO DO BALANÇO DOS BRAÇOS NAS POSES DE CONTATO, #9 E #33; ISSO VAI FAZER DOS CONTATOS #17 E #41 AS POSES DE PASSAGEM DOS BRAÇOS.

OK, AGORA VAMOS INSERIR AS **POSES DE PASSAGEM**. ELAS NATURALMENTE **DESCEM** UM POUCO ENTRE CADA CONTATO.
O QUE NOS DÁ **3 POSES** BAIXAS POR SEGUNDO, RESULTANDO EM UM BALANÇO TRIPLO A CADA PASSADA COMPLETA – MUITO BOM.

AGORA TUDO O QUE TEMOS DE FAZER É DESENHAR INTERVALOS SIGNIFICATIVOS, AMORTECENDO O BALANÇO DOS BRAÇOS EM CADA EXTREMIDADE. FUNCIONA BEM EM DOIS (MAS PODEMOS REFINAR MAIS UM POUCO FAZENDO EM UNS).

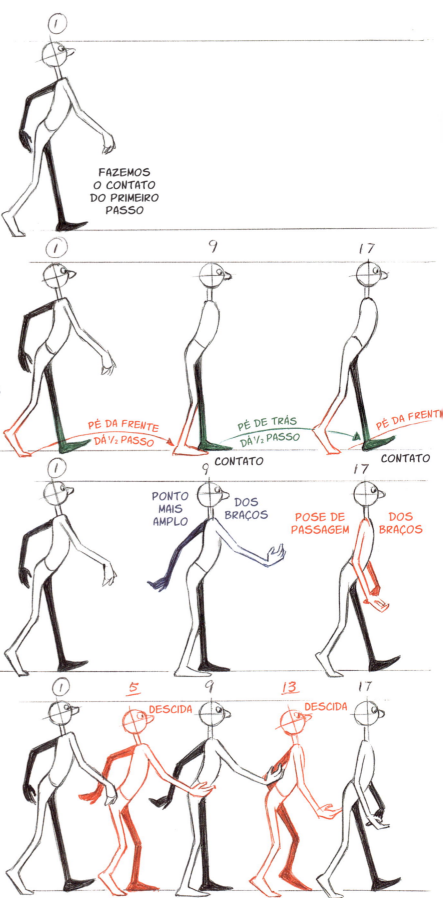

210

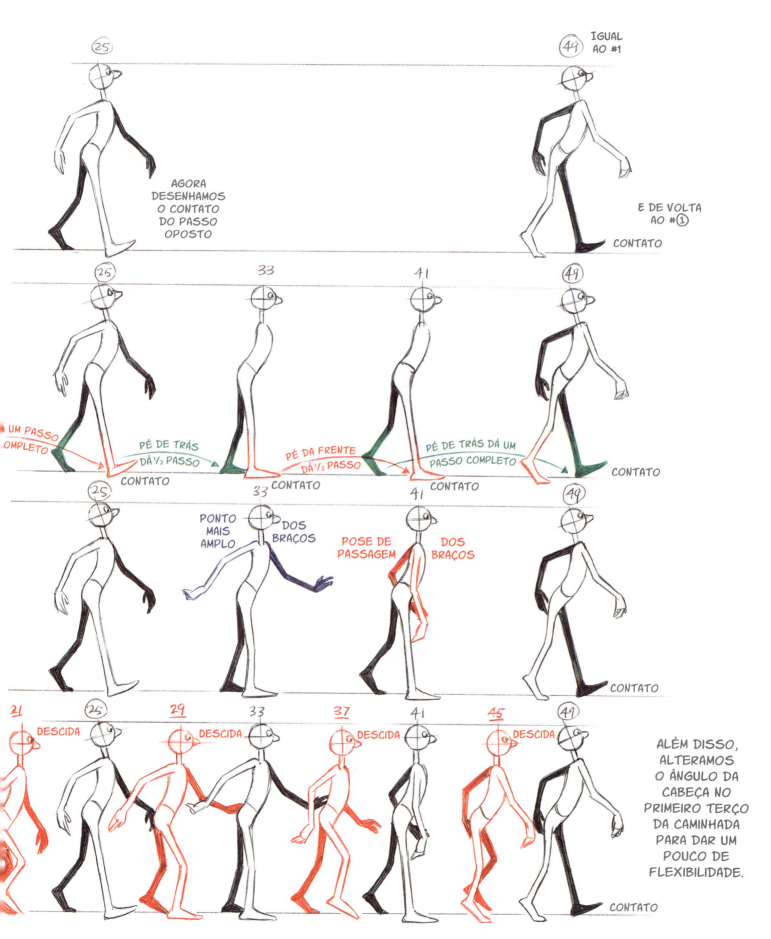

PODERÍAMOS MUDAR O TEMPO DOS PULINHOS SE TIVÉSSEMOS ISTO –

O SALTITAR É UMA ESPÉCIE DE DANÇA RÍTMICA – UMA DANÇA AO CAMINHAR.

MAS PARA MUDAR DE LEVE O RITMO, PODERÍAMOS FAZER –

PULANDO — PARA PULAR UMA EXTENSÃO MAIOR, A PESSOA COMEÇA COM UMA CORRIDA E, ENQUANTO CORRE, SE PREPARA PARA O PULO (É UMA BOA FICAR INVERTENDO A LINHA DA COLUNA).

ENTRA CORRENDO — SOBE PARA DESCER — DESCE PARA SUBIR — COMPRIME O CORPO AO POUSAR — LEVANTA-SE

O MESMO ACONTECE AO SALTAR UM OBSTÁCULO. O CORREDOR AVANÇA RAPIDAMENTE, MAS FAZ UMA PAUSA POR TEMPO SUFICIENTE APENAS PARA PODER SALTAR O OBSTÁCULO – BEM SIMILAR A UM CAVALO EM UMA EXIBIÇÃO DE EQUITAÇÃO:

SEPARADOS PARA MAIOR CLAREZA

DESCE PARA SE PREPARAR — INCLINAR A CABEÇA PARA A FRENTE AJUDA-O A GANHAR ALTURA

ELE VAI SE ESTENDER, ESTICAR, POUSAR E VOLTAR A CORRER. EXISTE ANTECIPAÇÃO, MAS ELA NÃO DURA MUITO.

VOCÊ PODE USAR BASTANTE INCLINAÇÃO NOS CORPOS.

EXISTE UMA VELHA MÁXIMA DA "ERA DE OURO" DA ANIMAÇÃO QUE DIZ:
"QUANDO VOCÊ PENSA QUE FOI LONGE O BASTANTE – VÁ DUAS VEZES MAIS LONGE!".
DEPOIS, DIZEM: "SE VOCÊ FOI LONGE DEMAIS, PODE SEMPRE VOLTAR ATRÁS MAIS TARDE".
BEM, EU NUNCA VI NINGUÉM VOLTAR ATRÁS.
SENDO BEM BELIGERANTE, EU DIRIA: "VOCÊ PODE SEMPRE INCREMENTAR MAIS AINDA DEPOIS".
(E EU TAMBÉM NUNCA VI NINGUÉM INCREMENTAR MAIS AINDA DEPOIS.)
ENFIM, É UMA BOA USAR BASTANTE INCLINAÇÃO NOS CORPOS.

UM PULO CARTUNESCO COMO ESTE FUNCIONA BEM; A AÇÃO DOS BRAÇOS ESTÁ BOA, AS PERNAS ESTÃO OK.

MAS VAMOS ATRASAR UMA DAS PERNAS –

AJUDA A DETALHAR A ANIMAÇÃO, COM MAIS AÇÃO DENTRO DO PULO.

(PESO) EM UM PULO

PARA DAR PESO E EVITAR A SENSAÇÃO DE FLUTUAÇÃO:
QUANDO UMA PESSOA PULA NO AR,
PRECISAMOS INSERIR AÇÃO DENTRO DA AÇÃO GERAL.
MOVA MAIS OS BRAÇOS,
OU MOVA MAIS AS PERNAS,
AINDA DENTRO DO PULO.
ISSO VAI AJUDAR A DAR PESO E EVITAR A FLUTUAÇÃO.

VAMOS VER DOIS PULOS COMEÇANDO A PARTIR DE UMA POSIÇÃO EM PÉ:
AMBOS LEVAM QUASE O MESMO TEMPO = POR VOLTA DE 1 ½ SEGUNDO PARA DAR O PULO.

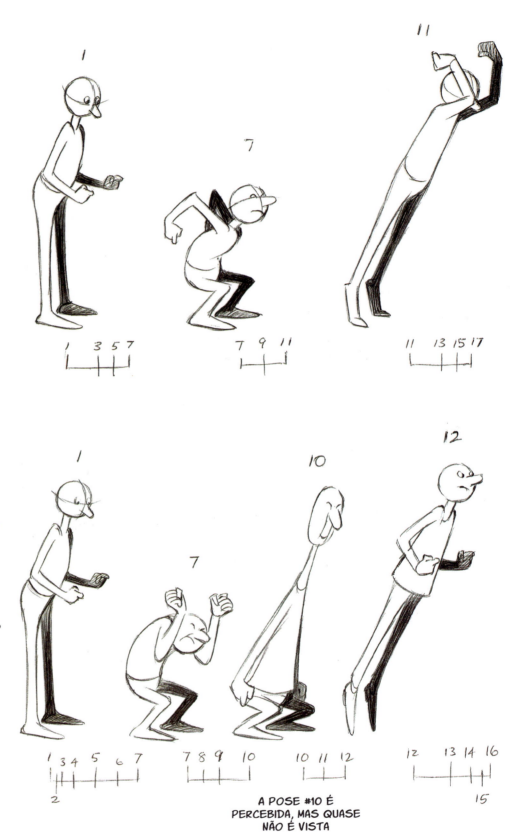

VAI SER MAIS FÁCIL MOSTRAR O MOVIMENTO COM ESTE PERSONAGEM DE PROPORÇÕES CARTUNESCAS.

O PRIMEIRO PULO VAI SER EM DOIS. (MAS É CLARO, INTERVALOS EM UNS PODEM SER ADICIONADOS PARA "DAR POLIMENTO".)

O MOVIMENTO FUNCIONA MUITO BEM, NÃO HÁ NADA ERRADO COM ELE. GOSTO ASSIM PORQUE NÃO HÁ EXCESSO DE ANIMAÇÃO — ESTÁ SIMPLES, NÍTIDO E SÓLIDO.

MAS AGORA VAMOS DEIXAR A COISA TODA MAIS SOLTINHA.

PODEMOS IR BEM LONGE AO PLANEJAR A AÇÃO EM UNS E ADICIONAR:

MAIS ALONGAMENTO;
MAIS ACHATAMENTO;
PARTES QUE SE ATRASAM;
MAIS INVERSÕES NOS BRAÇOS;
AÇÕES SECUNDÁRIAS DE CAMISAS, PARTE SOLTAS, ETC.

O RESULTADO É MUITO MAIS FLUIDO E LIVRE (E CARTUNESCO).

TUDO É UMA QUESTÃO DE GOSTO; DO QUE VOCÊ GOSTA DE FAZER, E DE QUANTO (OU QUÃO POUCO) PRETENDE USAR ESSES RECURSOS PARA CHEGAR AO RESULTADO DESEJADO.

A POSE #10 É PERCEBIDA, MAS QUASE NÃO É VISTA

214

1887, EADWEARD MUYBRIDGE, "LOCOMOÇÃO HUMANA E ANIMAL".

OS LIVROS DE MUYBRIDGE SÃO UM TESOURO RIQUÍSSIMO EM INFORMAÇÕES SOBRE MOVIMENTOS. NUNCA HOUVE NADA COMO ELES ANTES, E ATÉ HOJE NÃO HÁ. FOTOGRAFAR O MOVIMENTO COM UM FUNDO EM GRADE MOSTRA EXATAMENTE ONDE ESTÃO OS ALTOS E BAIXOS EM DIFERENTES PARTES DO CORPO.

FLEXIBILIDADE

DA FORMA COMO EU VEJO, EXISTEM DUAS GRANDE FALHAS EM UMA ANIMAÇÃO:

OU CAÍMOS NO EFEITO "KING KONG",
EM QUE TODAS AS PARTES SE MOVEM
COM A MESMA INTENSIDADE

TUDO ESTÁ EM MOVIMENTO EM TODOS OS LUGARES.

QUEREMOS UMA IMAGEM ESTÁVEL E AINDA
ASSIM MANTER A FLEXIBILIDADE,

EIS COMO CONSEGUIMOS ISSO:

OS RECURSOS A SEGUIR VÃO GARANTIR QUE A NOSSA ATUAÇÃO GANHE VIGOR,
FLEXIBILIDADE, DESENVOLTURA E VITALIDADE, ENQUANTO AINDA MANTEMOS
A FIGURA ESTÁVEL E SÓLIDA.

JÁ INTRODUZIMOS ALGUNS DESSES RECURSOS COM AS CAMINHADAS E AS CORRIDAS, MAS AGORA QUERO ABORDAR CADA UM DELES SEPARADA E PROFUNDAMENTE.

PRIMEIRO, A POSE DE PASSAGEM

UMA EXCELENTE MANEIRA DE CONSEGUIR FLEXIBILIDADE ESTÁ EM ONDE POSICIONAR

    A POSE DE PASSAGEM
    OU BREAKDOWN
    OU POSE MÉDIA
    OU POSE INTERMEDIÁRIA
    (OU COMO PREFERIR CHAMAR)

– ENTRE 2 EXTREMOS.

PARA ONDE VAMOS COM AS POSES DO MEIO? É CRUCIAL! COMO JÁ VIMOS NAS CAMINHADAS, ISSO VAI DAR PERSONALIDADE AO MOVIMENTO. SÃO POSIÇÕES DE TRANSIÇÃO, E ONDE AS COLOCAMOS É MUITO IMPORTANTE. DIGO MAIS, É O SEGREDO DA ANIMAÇÃO!

ELAS IMPEDEM QUE O MOVIMENTO DE A PARA B SEJA TEDIOSO.
EXPERIMENTE IR DE A PARA B PASSANDO POR ALGUM OUTRO LUGAR QUE SEJA INTERESSANTE.

EMERY HAWKINS, UM ANIMADOR MESTRE EM OBTER "MUDANÇAS", ME DISSE UMA VEZ:

    "DICK, NÃO VÁ DE A ATÉ B.
    VÁ DE A ATÉ X ATÉ B,
    OU DE A ATÉ G ATÉ B.
    VÁ PARA ALGUM OUTRO LUGAR NO MEIO!"

FERRAMENTA SIMPLES E PODEROSA:

TOPEI COM ELE PELA PRIMEIRA VEZ QUANDO TRABALHEI COM KEN HARRIS. ELE RECORTAVA MEUS DESENHOS, OU PARTES DELES, E OS POSICIONAVA EM LUGARES DIFERENTES.

ACABEI TÃO CONVENCIDO DA IMPORTÂNCIA DO BREAKDOWN QUE PASSEI ANOS CANTANDO AOS VENTOS QUE PODERIA ESCREVER UM LIVRO INTEIRO SOBRE O ASSUNTO. (ACABA DE ME OCORRER QUE É ESTE LIVRO AQUI.)

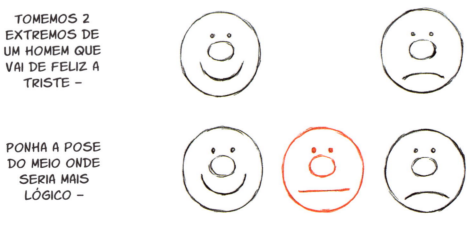

OK, MAS SEM GRAÇA

218

	EXTREMO	BREAKDOWN	EXTREMO		

CERTO, VAMOS AGORA ADICIONAR ALGUM OUTRO LUGAR NO MEIO — = MAIS INTERESSE, MAIS "MUDANÇA"

PODEMOS SIMPLESMENTE USAR A MESMA BOCA E ATRASAR A MUDANÇA — = UMA MUDANÇA MAIS RÁPIDA – MAIS VITALIDADE

OU O INVERSO – ACELERAR A MUDANÇA — = UMA INFELICIDADE MAIS SÚBITA

VAMOS MANTER A MESMA BOCA, MAS PUXÁ-LA BEM PARA CIMA — = ISSO AFETARIA AS BOCHECHAS E TALVEZ OS OLHOS, E DARIA MAIS MUDANÇA À TRISTEZA

MANTER A MESMA BOCA, MAS PUXÁ-LA PARA BAIXO — = ISSO DISTENDERIA O ROSTO, ALONGANDO AS BOCHECHAS, O NARIZ E OS OLHOS

OU PEGAR A BOCA TRISTE E JOGÁ-LA PARA CIMA — = UMA MUDANÇA TOTALMENTE DIFERENTE

DEIXÁ-LA RETA E PARA CIMA — = GLUP...

QUE TAL RETA E MAIS BAIXA? — = OH, OH...

	EXTREMO	BREAKDOWN	EXTREMO		

VAMOS SUSPENDÊ-LA SÓ DE UM LADO? = PENSANDO NO ASSUNTO

AUMENTAR O SORRISO? = FALSA CONFIANÇA

REDUZI-LO? = HMMM...

VAMOS REDUZIR A BOCA TRISTE = EU SABIA...

OU MESMO DAR UMA SIMPLES PISCADA = DÁ ALGUMA MOBILIDADE

PODEMOS COMEÇAR A ALONGAR ALGUMAS PARTES = OOPS

VAMOS USAR A CRIATIVIDADE... = FOI ALGUMA COISA QUE EU COMI? OU BEBI DEMAIS?

= SEU SEGREDO ESTÁ A SALVO COMIGO

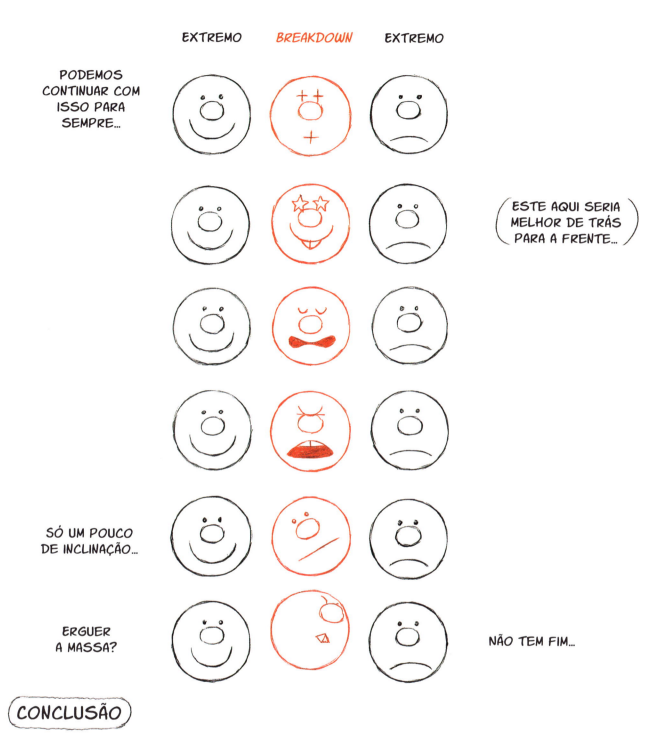

CONCLUSÃO

ESCOLHER PARA ONDE VAMOS COM O "PASSEIO" DA POSE MÉDIA TERÁ UM IMPACTO PROFUNDO NA AÇÃO E NO PERSONAGEM. ACREDITO FIRMEMENTE NISSO!

FAÇA OS EXTREMOS (OU CONTATOS), DEPOIS AS POSES DE PASSAGEM (OU *BREAKDOWNS*). DEPOIS DESENHE O PRÓXIMO *BREAKDOWN*, QUE FICA ENTRE O EXTREMO E O *BREAKDOWN* PRINCIPAL, E CONTINUE DISSECANDO A AÇÃO EM PARTES MENORES E MENORES. (E, POR FIM, FAÇA PASSADAS DISTINTAS DE ANIMAÇÃO DIRETA EM CADA UMA DAS PARTES.)

30 ANOS ATRÁS, QUANDO AINDA ESTAVA APRENDENDO COMO FAZER TUDO ISSO, EU TRABALHEI BREVEMENTE COM ABE LEVITOW, PUPILO DE KEN HARRIS. ABE DESENHAVA MARAVILHOSAMENTE BEM, E EU ME IMPRESSIONEI COM A QUANTIDADE E A QUALIDADE DE SEU TRABALHO. "RÁPIDO E BOM", DESENHANDO COISAS BEM DIFÍCEIS, ABE PRODUZIA DE 20 A 25 SEGUNDOS POR SEMANA, ENQUANTO OS OUTROS LUTAVAM PARA FAZER 5 SEGUNDOS. E OS DE ABE AINDA FICAVAM MELHORES.

SEMPRE ME LEMBRO DE ALGO QUE ABE DISSE EM UMA TERÇA-FEIRA:
"DICK, EU FIZ TODOS OS EXTREMOS. AMANHÃ VOU FAZER TODAS AS POSES DE PASSAGEM.
E AÍ NO RESTO DA SEMANA ACRESCENTO AS PARTES QUE FALTAM".

MAIS UMA VEZ, DIGAMOS QUE UMA CABEÇA SE MOVA UM POUCO PARA A FRENTE –

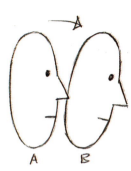

COLOCAR APENAS O BREAKDOWN NO MEIO FICA SEM GRAÇA

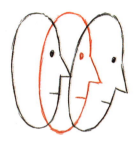

ENTÃO PODEMOS FAZER ASSIM:

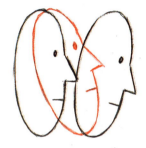

OU ASSIM:

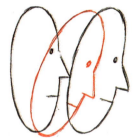

ESSA "SIMPLES SOBREPOSIÇÃO" VAI NOS DAR AÇÃO DENTRO DA AÇÃO – MAIS "MUDANÇA" – MAIS VIDA.

ESSA É A IDEIA BÁSICA. PODEMOS FAZER UMA SOBREPOSIÇÃO BEM SUTIL, OU MAIS MARCANTE

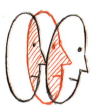 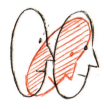

MELHOR "CUSTO/ BENEFÍCIO"

DÁ MAIS MOVIMENTO DENTRO DO MOVIMENTO.

SEPARADOS PARA MAIOR CLAREZA –

DE NOVO, INDO DE UM PONTO A OUTRO –

  OU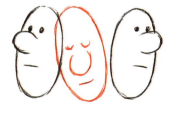

KEN HARRIS COSTUMAVA FAZER ALGO MUITO INTERESSANTE:

APESAR DE CONFIAR MUITO NAS SUAS HABILIDADES DE ANIMAÇÃO, ELE TINHA MENOS CONFIANÇA EM SEU DESENHO.

ELE GOSTAVA DE UTILIZAR AO MÁXIMO OS RASCUNHOS DE CHUCK JONES, SEU DIRETOR NA WARNER – E, MAIS TARDE, MEUS DESENHOS DE DIREÇÃO.

MUITAS VEZES EU VIA KEN FAZER UMA CÓPIA EXATA DO MEU DESENHO "A" OU "B" E USÁ-LO COMO POSE DE PASSAGEM (OU *BREAKDOWN*),

MAS ELE O POSICIONAVA MAIS PERTO DO DESENHO "A"   ASSIM →

OU MAIS PERTO DO DESENHO "B"   ASSIM →

LONGE DE SER UMA LIMITAÇÃO, ISSO NA VERDADE ERA UM RECURSO ÚTIL PARA KEN. DAVA ESTABILIDADE A SEU TRABALHO – EM VEZ DE TER DESENHOS SIMPLISTAS SE MOVENDO POR TODA PARTE – UM "EXCESSO DE ANIMAÇÃO".

AO VÊ-LO FAZENDO ISSO, E AO VER OS RESULTADOS QUE SURGIAM, POUCO A POUCO FUI APRENDENDO A SER MAIS MINIMALISTA E A OBTER MOVIMENTOS MAIS SUTIS, SEM PERDER A FLEXIBILIDADE.

(SOBREPOSIÇÃO SIMPLES)

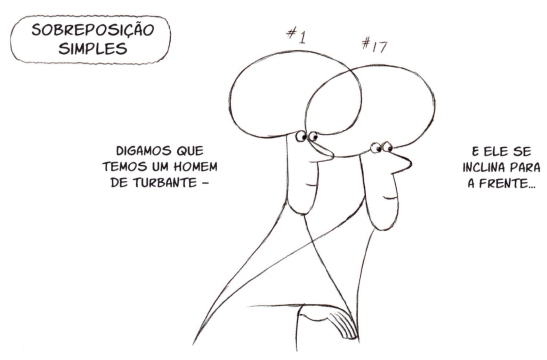

DIGAMOS QUE TEMOS UM HOMEM DE TURBANTE –

E ELE SE INCLINA PARA A FRENTE...

223

SE INCLINARMOS A CABEÇA NA POSE DE PASSAGEM #9, MANTENDO-A MAIS PERTO DO #1, CHEGAMOS A ISTO – MAS VEJA O QUE ACONTECE COM A MASSA DO TURBANTE, ELA ESTÁ EXATAMENTE NO MEIO:

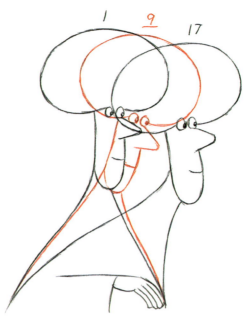

ISSO CRIA UMA SOBREPOSIÇÃO MUITO AGRADÁVEL DAS MASSAS EM UM MOVIMENTO BEM SIMPLES –

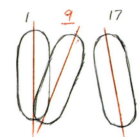

E NÓS USAMOS SOMENTE 3 POSIÇÕES. O RESTO PODERIA SER FEITO COM INTERVALOS DIRETOS.

FIZEMOS ESSE EXPERIMENTO COM UM PERSONAGEM DE DESIGN BEM SIMPLES – SEM MUDANÇAS DE EXPRESSÕES, NEM MESMO UMA PISCADA – O QUE NOS DEIXA COM UM MOVIMENTO BEM TRIVIAL. E AINDA SE APRESENTOU BASTANTE VIVAZ, APENAS POR CAUSA DO ESPAÇAMENTO.

 PROCURAMOS MEIOS DE POSICIONAR A POSE (OU POSES) DE PASSAGEM ONDE POSSAMOS OBTER SOBREPOSIÇÃO DAS MASSAS = MOVIMENTO DENTRO DO MOVIMENTO.

SOBREPOSIÇÃO DE 4 DESENHOS DE UM RATINHO:

A

B — MESMA CABEÇA, E CORPO VAI UM POUCO À FRENTE

C — CONTINUA INDO PARA A FRENTE, E CABEÇA SE INCLINA PARA BAIXO

D — CORPO VOLTA PARA TRÁS E CABEÇA SE INCLINA UM POUCO MAIS PARA BAIXO.

OBVIAMENTE, ESSE NEGÓCIO DE POSICIONAMENTO DO BREAKDOWN PODE FUGIR AO CONTROLE. ASSIM COMO TUDO MAIS, É UMA QUESTÃO DE COMO, QUANDO E ONDE VOCÊ FAZ USO DO RECURSO.

QUANDO EU ESTAVA DANDO ASSISTÊNCIA A KEN HARRIS E TÍNHAMOS UMA MÃO DESACELERANDO ASSIM –

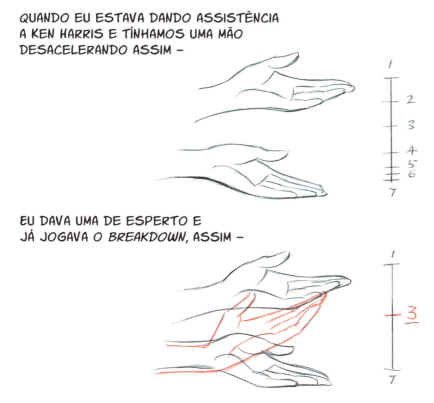

EU DAVA UMA DE ESPERTO E JÁ JOGAVA O BREAKDOWN, ASSIM –

KEN SURTAVA. "MALDIÇÃO, DICK, EU SÓ QUERO UM INTERVALO DIRETO AQUI! ME DÊ SÓ UM INTERVALO DIRETO! O SUJEITO SÓ RELAXA A MÃO DELE! EU NÃO QUERO ESSA OSTENTAÇÃO DE MOVIMENTO EM TODOS OS LUGARES!"

(KEN TINHA MUITO BOM GOSTO.)

MAS QUANDO EU REALMENTE APRENDI COMO, QUANDO E ONDE USAR BREAKDOWNS, POSSO PRATICAMENTE DIZER QUE GANHEI A VIDA DESENHANDO POSES DE PASSAGEM.

FREQUENTEMENTE EU TINHA DE PRODUZIR ENORMES QUANTIDADES DE FILME NA ÚLTIMA HORA. TORNEI-ME "O ANIMADOR DO TELEFONE", ANIMANDO AO MESMO TEMPO QUE FAZIA NEGÓCIOS AO TELEFONE. OS CLIENTES ESBRAVEJAVAM: "VIEMOS A VOCÊ POR CAUSA DE SEU ALTO PADRÃO DE QUALIDADE. NÃO ME INTERESSA SE SEUS ANIMADORES ESTÃO NO HOSPITAL OU EM TOMBUCTU – É O SEU NOME QUE ESTÁ NA PORTA DA FRENTE, CAMARADA; DÊ SEU JEITO!".

GERALMENTE TÍNHAMOS BONS EXTREMOS E POSES-CHAVE PARA CONTAR A HISTÓRIA, ENTÃO TUDO O QUE EU PRECISAVA FAZER ERA JUNTAR UM MONTE DE COISAS DE UMA FORMA QUE FOSSE INTERESSANTE. DESCOBRI QUE QUASE TUDO DAVA CERTO; ERA SÓ PÔR OS INTERVALOS EM ALGUM OUTRO LUGAR DO MEIO, DE MANEIRA MINIMAMENTE INTELIGENTE. EU NUNCA ME DECEPCIONAVA.

CLARO, O TRABALHO NÃO SAÍA TÃO BOM QUANTO SE EU TIVESSE TEMPO PARA ANALISAR E PENSAR NO QUE DIABOS EU ESTAVA FAZENDO; MAS ÀS 5 DA MANHÃ, SOFRENDO COM JET LAG, PENDURADO NO LABORATÓRIO DE REVELAÇÃO E COM UM CLIENTE RANZINZA QUE LIGARIA DENTRO DE 4 HORAS, JÁ DAVA PARA O GASTO.

AGORA CHEGAMOS A ALGO DIFERENTE COM UM NOME PARECIDO.

SOBREPOSIÇÃO DE AÇÕES

É AQUI QUE VEMOS AS COISAS SE MOVEREM EM PARTES.
AQUI VAMOS VER QUE TUDO NÃO ACONTECE AO MESMO TEMPO.

VEJAMOS UM TÍPICO BULDOGUE HOLLYWOODIANO VIRANDO RAPIDAMENTE A CABEÇA PARA VER ALGO –

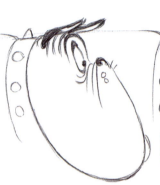

SUAS BOCHECHAS VÃO ARRASTAR ENQUANTO ELE SE VIRA

SUA CABEÇA CHEGA NA POSIÇÃO

MAS SUAS BOCHECHAS E ORELHAS CHEGAM MAIS TARDE E CONTINUAM A SE MOVER

DEPOIS VOLTAM PARA A POSIÇÃO NORMAL

(A BOCA PODE CONTINUAR MAIS UM POUCO – AS ORELHAS PODEM BALANÇAR)

O JARGÃO QUE USAMOS É: "BOCHECHAS E ORELHAS 'ARRASTAM', MAS DEPOIS 'ULTRAPASSAM'".[4]

ELAS SÃO O RESULTADO DA AÇÃO PRINCIPAL – SÃO GERADAS PELA AÇÃO PRINCIPAL.

"SOBREPOSIÇÃO DE AÇÕES" SIGNIFICA QUE UMA PARTE COMEÇA ANTES E AS OUTRAS PARTES ACOMPANHAM.

VEJAMOS UM PERSONAGEM COM DESIGN BEM SIMPLES E BOBINHO, DAQUELES QUE VÍAMOS NOS COMERCIAIS DE TV DOS ANOS 1950 –

ESTA CRIATURA SEM GRAÇA VAI SE VIRAR EM NOSSA DIREÇÃO.

NÃO HÁ MUITO COM O QUE TRABALHAR, CERTO?

---

4 Este é um dos princípios fundamentais da animação, que trata da inércia. Refere-se à continuidade de uma ação depois que a ação principal que a gerou já chegou ao fim. (N. do T.)

PODERÍAMOS CONTRIBUIR COM O TÉDIO, INSERINDO UM *BREAKDOWN* IGUALMENTE SEM GRAÇA BEM NO MEIO, E DEPOIS IR PARA CASA.
COMO DIZIA MILT KAHL: "A COISA MAIS DIFÍCIL DE SE FAZER EM ANIMAÇÃO É NADA.
E SABE, ESSA AFIRMAÇÃO É BEM VERDADEIRA".
ESTÁ CERTO, MAS EIS AQUI COMO PODEMOS FAZER ESSE "NADA" FICAR PELO MENOS INTERESSANTE...
PODEMOS ACABAR COM A MALDIÇÃO DESSA AÇÃO TREMENDAMENTE COMUM, SE SIMPLESMENTE A QUEBRARMOS EM PARTES.

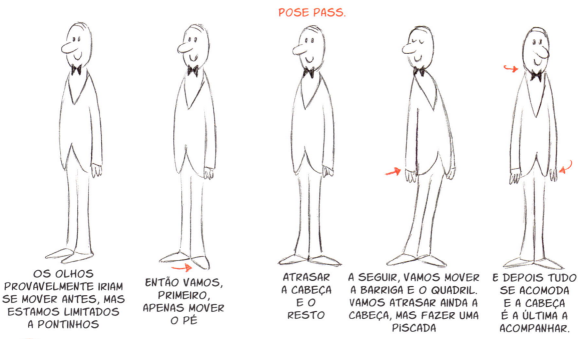

POSE PASS.

OS OLHOS PROVAVELMENTE IRIAM SE MOVER ANTES, MAS ESTAMOS LIMITADOS A PONTINHOS

ENTÃO VAMOS, PRIMEIRO, APENAS MOVER O PÉ

ATRASAR A CABEÇA E O RESTO

A SEGUIR, VAMOS MOVER A BARRIGA E O QUADRIL. VAMOS ATRASAR AINDA A CABEÇA, MAS FAZER UMA PISCADA

E DEPOIS TUDO SE ACOMODA E A CABEÇA É A ÚLTIMA A ACOMPANHAR.

(OU) JÁ QUE A MAIORIA DAS AÇÕES DO NOSSO CORPO COMEÇA PELO QUADRIL...

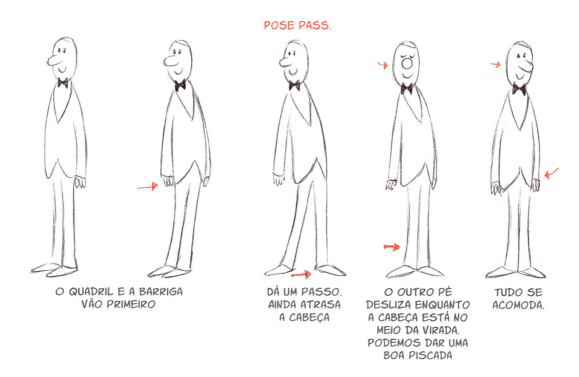

POSE PASS.

O QUADRIL E A BARRIGA VÃO PRIMEIRO

DÁ UM PASSO. AINDA ATRASA A CABEÇA

O OUTRO PÉ DESLIZA ENQUANTO A CABEÇA ESTÁ NO MEIO DA VIRADA. PODEMOS DAR UMA BOA PISCADA

TUDO SE ACOMODA.

NÓS NEM CHEGAMOS A INCLINAR SUA CABEÇA OU MUDAR SUA EXPRESSÃO, MAS, AO SIMPLESMENTE SOBREPOR AS PARTES, JÁ INJETAMOS VIDA A UMA SITUAÇÃO BEM POUCO EMPOLGANTE.

PODEMOS CONTINUAR ASSIM PARA SEMPRE...

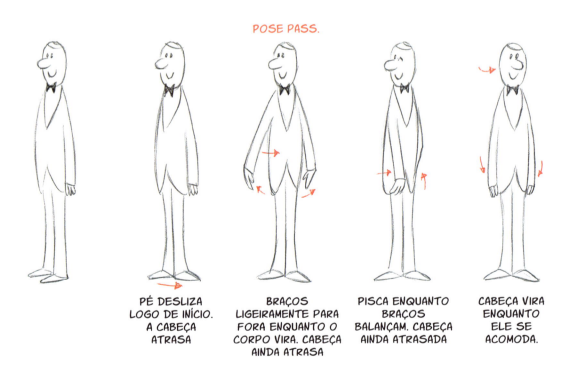

NÃO IMPORTA QUÃO INCRIVELMENTE TEDIOSA SEJA A AÇÃO NECESSÁRIA, PODEMOS TORNÁ-LA MAIS INTERESSANTE COM SOBREPOSIÇÕES.

UM SÓ DETALHE QUE SEJA DIFERENTE JÁ VAI MUDAR TUDO.

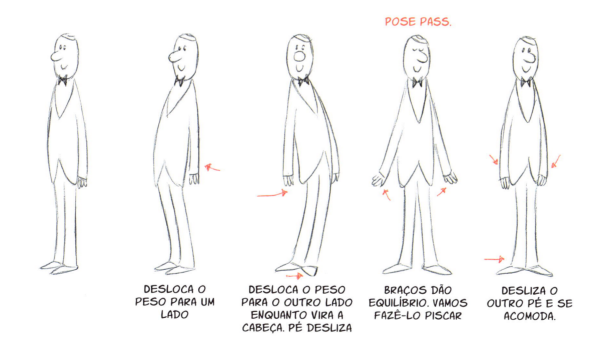

229

(LOGO,) PARA TORNAR INTERESSANTE UMA AÇÃO TEDIOSA OU O MAIS CHOCHO DOS PERSONAGENS, DIVIDIMOS SEU CORPO EM SEÇÕES – EM DIFERENTES OBJETOS – E AS MOVEMOS, UMA DE CADA VEZ, FAZENDO SOBREPOSIÇÕES CONSTANTES.

A CABEÇA
OS OMBROS
O PEITO
OS BRAÇOS
A PÉLVIS
AS ROUPAS
AS PERNAS
OS PÉS

PODEMOS DIVIDI-LAS EM SEÇÕES AINDA MENORES, SE QUISERMOS.

CONCLUSÃO:

AS PESSOAS VÃO SE "DESDOBRANDO"; UMA PARTE VAI NA FRENTE, GERANDO ENERGIA PARA AS OUTRAS PARTES ACOMPANHAREM E, EM SEGUIDA, "ULTRAPASSAREM" A PRINCIPAL. QUANDO UM PERSONAGEM VAI DE UM LUGAR A OUTRO, UM NÚMERO DE COISAS OCORRE EM ORDEM, E NEM TUDO ESTÁ ACONTECENDO AO MESMO TEMPO. PODEMOS CONTER UMA AÇÃO. AS COISAS NÃO PRECISAM COMEÇAR OU TERMINAR AO MESMO TEMPO. VÁRIAS PARTES DO CORPO SE SOBREPÕEM UMAS ÀS OUTRAS, E POR ISSO CHAMAMOS ESSAS AÇÕES EM NOSSO MEIO DE "AÇÕES SOBREPOSTAS".

AÇÃO CONTRÁRIA SIMPLES

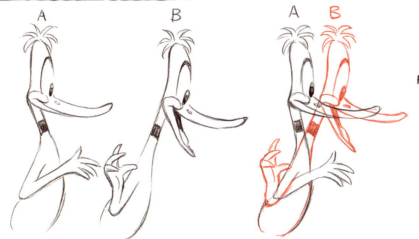

NÃO HÁ MUITO A DIZER SOBRE AÇÕES CONTRÁRIAS. NÓS AS FAZEMOS NATURALMENTE, PARA MANTER NOSSO EQUILÍBRIO.
UMA PARTE VAI PARA A FRENTE ENQUANTO A OUTRA CONTRABALANÇA INDO PARA TRÁS.
OU UMA PARTE VAI PARA CIMA, ENQUANTO A OUTRA CONTRABALANÇA INDO PARA BAIXO.

AGORA CHEGAMOS A UM DOS MECANISMOS MAIS FASCINANTES DA ANIMAÇÃO:

> QUEBRA DE ARTICULAÇÕES PARA DAR FLEXIBILIDADE

OU AINDA MAIS INTERESSANTE:

> QUEBRA SUCESSIVA DE ARTICULAÇÕES PARA DAR FLEXIBILIDADE

OU SEJA, FAZEMOS QUEBRAS CONTINUAMENTE PARA DEIXAR TUDO MAIS SOLTO.

É UM NOME BEM GRANDE. OS ANIMADORES PIONEIROS DA DISNEY DESCOBRIRAM ESSE MECANISMO E TODOS OS GRANDES ANIMADORES O USAVAM, MAS FOI ART BABBITT QUEM LHE DEU ESSE NOME.
QUANDO PERCEBI MILT KAHL USANDO A TÉCNICA, FIZ UM COMENTÁRIO SOBRE ELA, E MILT DISSE: "AH, SIM, VOCÊ TEM DE FAZER ISSO". ACHO QUE SE EU DISSESSE: "AH, NOTEI QUE VOCÊ ESTÁ FAZENDO SUCESSIVAS QUEBRAS NAS ARTICULAÇÕES PARA DAR FLEXIBILIDADE", ELE ME BOTARIA PARA FORA DA SALA.
NÃO É O NOME OFICIAL DA TÉCNICA – DE TODO JEITO, O QUE ELA É?
DE FORMA SIMPLES, É ISTO:

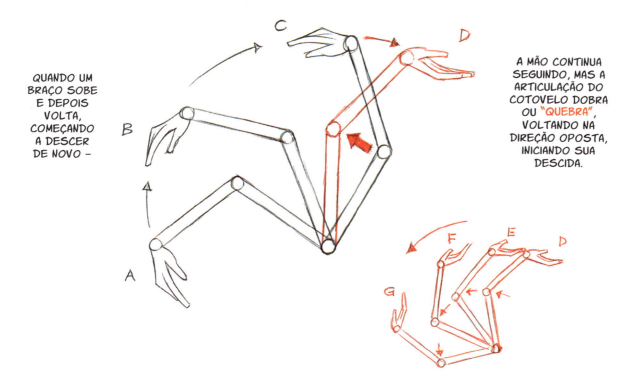

QUANDO UM BRAÇO SOBE E DEPOIS VOLTA, COMEÇANDO A DESCER DE NOVO –

A MÃO CONTINUA SEGUINDO, MAS A ARTICULAÇÃO DO COTOVELO DOBRA OU "QUEBRA", VOLTANDO NA DIREÇÃO OPOSTA, INICIANDO SUA DESCIDA.

"QUEBRAR" SIGNIFICA DOBRAR A ARTICULAÇÃO DE UM JEITO QUE ELA PODE, OU NÃO, DOBRAR NA REALIDADE.
E DEPOIS NÓS CONTINUAMOS A FAZER QUEBRAS CONTÍNUAS – "SUCESSIVAS" –
A FIM DE OBTER MAIS FLEXIBILIDADE.

231

GRIM NATWICK, O PRIMEIRO ANIMADOR A REALMENTE DESENHAR MULHERES, SEMPRE DIZIA:

"CURVAS SÃO LINDAS DE OLHAR".

NOS ANOS 1920, UM AMIGO DE GRIM, O ANIMADOR BILL NOLAN, DESENVOLVEU A ANIMAÇÃO TIPO "MANGUEIRA DE BORRACHA". ERA UMA IDEIA INOVADORA E ENGRAÇADA, JÁ QUE NINGUÉM TINHA OSSOS E TUDO FLUÍA EM INTERMINÁVEIS AÇÕES CURVILÍNEAS – DIVERSAS VARIAÇÕES EM FORMA DE 8, E PERSONAGENS ARREDONDADOS EXECUTANDO AÇÕES ARREDONDADAS.

MAS AGORA PODEMOS CONSEGUIR CURVAS COM LINHAS RETAS!
A QUEBRA SUCESSIVA DE ARTICULAÇÕES NOS PERMITE OBTER O EFEITO DE UMA AÇÃO CURVILÍNEA USANDO LINHAS RETAS.
COM ISSO, ESTAMOS PARA SEMPRE LIVRES DA TIRANIA DE TER DE ANIMAR PERSONAGENS BORRACHUDOS. EU SEMPRE ACREDITEI QUE "DESENHOS QUE ANDAM E FALAM" DEVERIAM SER QUALQUER TIPO DE PERSONAGEM EM QUALQUER ESTILO, FEITO DE CARNE E OSSO. ISSO ABRE UMA CAIXA DE PANDORA DE POSSIBILIDADES. QUE FERRAMENTA INCRÍVEL!
PODEMOS TER OSSOS E LINHAS RETAS EM NOSSOS PERSONAGENS E AINDA ASSIM OBTER MOVIMENTOS FLUIDOS E FLEXÍVEIS.

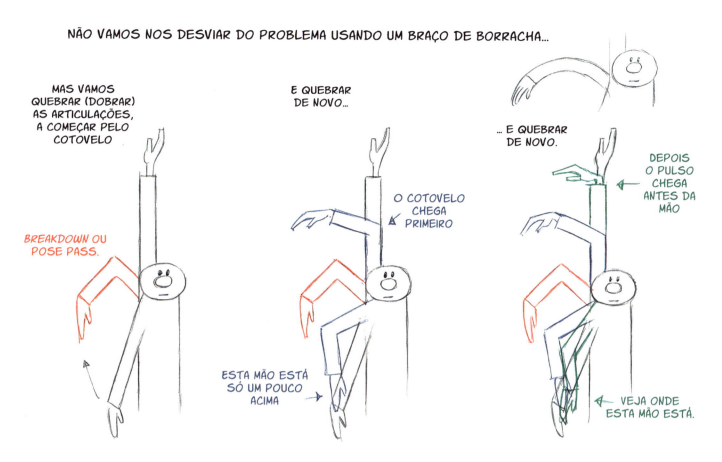
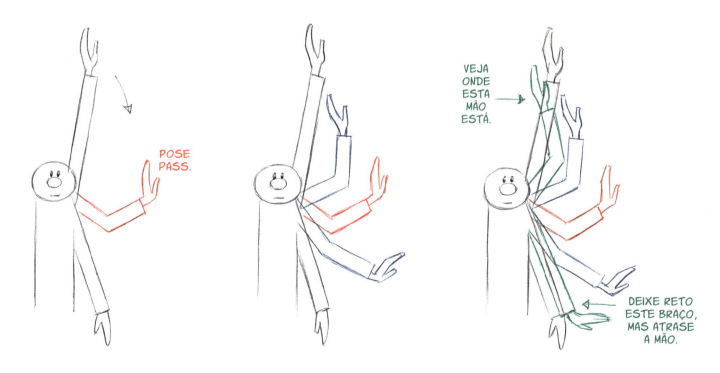

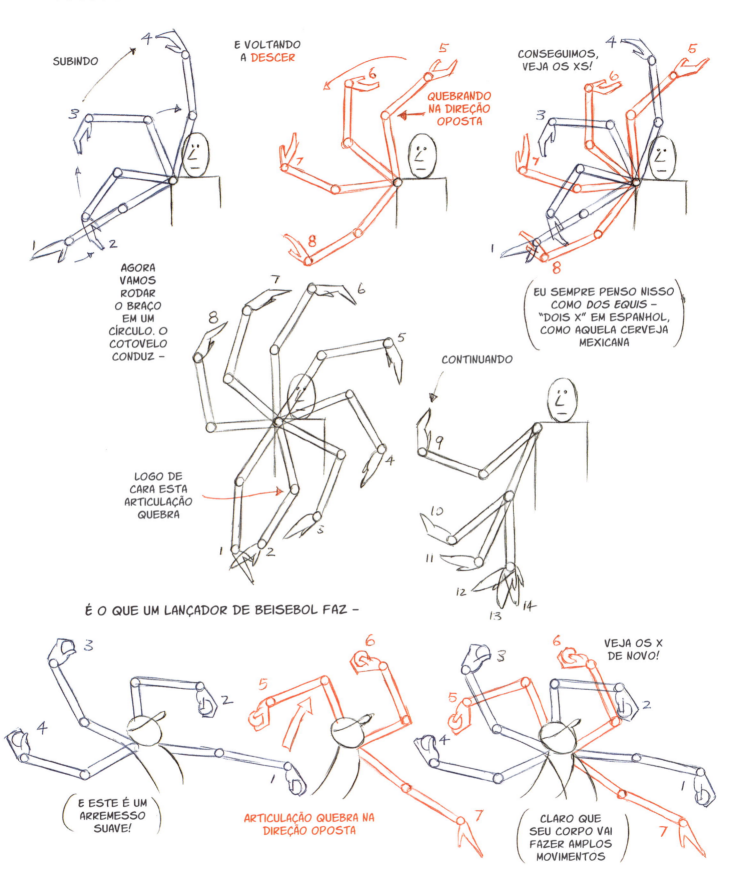

UM PONTO A LEMBRAR AO QUEBRAR ARTICULAÇÕES SUCESSIVAMENTE É:

ONDE A AÇÃO **COMEÇA**?
O QUE **COMEÇA A SE MOVER PRIMEIRO**?
É O COTOVELO? O QUADRIL? O OMBRO? A CABEÇA?

NA MAIORIA DOS **GRANDES** MOVIMENTOS DO CORPO, A **FONTE**, O **COMEÇO** DAS AÇÕES ESTÁ NO **QUADRIL**.

DANÇARINOS DIZEM:
"COMECE DOS QUADRIS, AMOR. DOS QUADRIS, MEU BEM".

VEJAMOS UM HOMEM QUE VAI BATER EM UMA MESA: A AÇÃO COMEÇA NO QUADRIL –

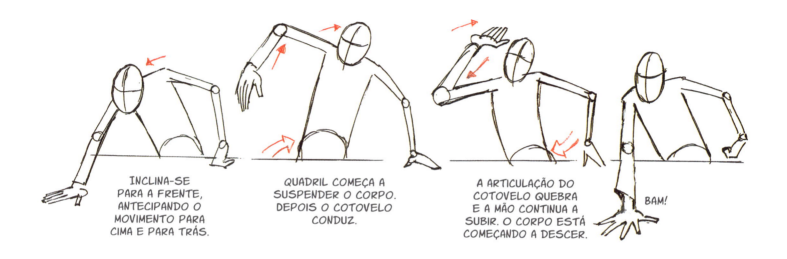

INCLINA-SE PARA A FRENTE, ANTECIPANDO O MOVIMENTO PARA CIMA E PARA TRÁS.

QUADRIL COMEÇA A SUSPENDER O CORPO. DEPOIS O COTOVELO CONDUZ.

A ARTICULAÇÃO DO COTOVELO QUEBRA E A MÃO CONTINUA A SUBIR. O CORPO ESTÁ COMEÇANDO A DESCER.

BAM!

TEMOS BASTANTE MARGEM PARA ENFATIZAR E EXAGERAR A QUEBRA DAS ARTICULAÇÕES, PORQUE ISSO ACONTECE O TEMPO TODO NA REALIDADE.

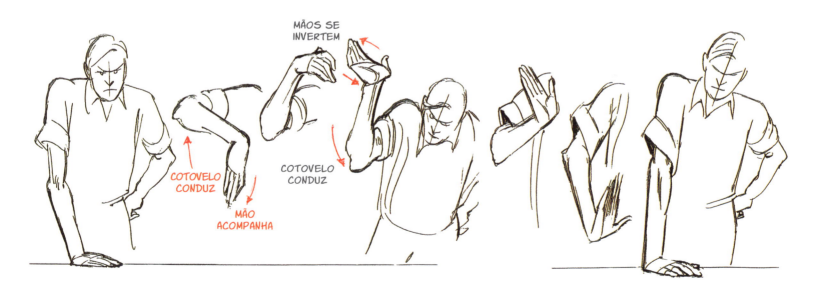

MÃOS SE INVERTEM

COTOVELO CONDUZ

COTOVELO CONDUZ

MÃO ACOMPANHA

VAMOS CONTINUAR A BATER NA MESA –
É UM EXCELENTE EXEMPLO DE COMO PODEMOS ALCANÇAR A MESMA FLEXIBILIDADE
DE UMA ANIMAÇÃO DE "MANGUEIRA" AO QUEBRAR ARTICULAÇÕES ONDE QUISERMOS.

SUBINDO – O COTOVELO CONDUZ E A MÃO ACOMPANHA.

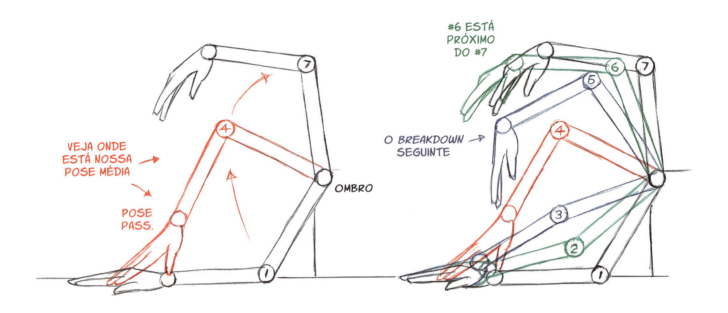

DESCENDO – O COTOVELO AINDA GUIA A MÃO.

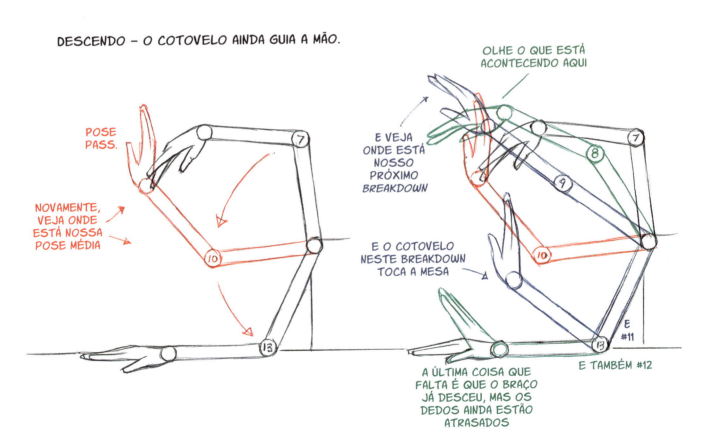

236

MAIS UMA VEZ – MOSTRANDO A IDEIA COM BASTANTE SIMPLICIDADE.
AGORA ELE VAI **BATER O PUNHO** NA MESA:

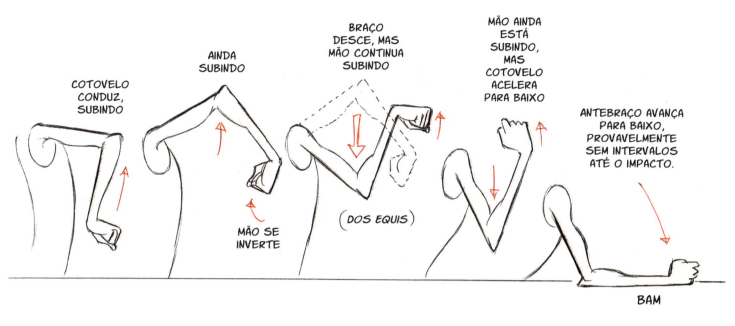

 COMO NA PÁGINA ANTERIOR, O COTOVELO ACERTA A MESA ANTES, SEGUIDO PELO ANTEBRAÇO E PELO PULSO = MAIS DESDOBRAMENTO.

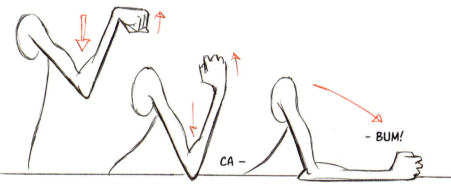

SE TODAS AS ARTICULAÇÕES NÃO QUEBRAREM AO MESMO TEMPO, TEREMOS TODA A FLEXIBILIDADE DE QUE PRECISAMOS.

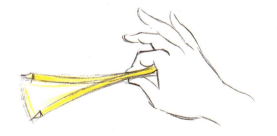

É COMO O QUE ACONTECE QUANDO FAZEMOS UM LÁPIS PARECER SER DE BORRACHA.
E É EXATAMENTE O QUE FAZ UMA BAILARINA BALINESA, HINDU OU DE ALGUM TEMPLO ORIENTAL, OU UMA DANÇARINA EXCÊNTRICA DE VAUDEVILLE – OU FRED ASTAIRE! ELES SÓ DISPÕEM DE OSSOS RETOS E ARTICULAÇÕES PARA DESEMPENHAR SEU TRABALHO E DAR A ILUSÃO DE MOVIMENTO CURVILÍNEO E FLEXÍVEL.

BATER EM UM BUMBO EXIGE UM MOVIMENTO BEM PARECIDO COM O DE BATER EM UMA MESA.

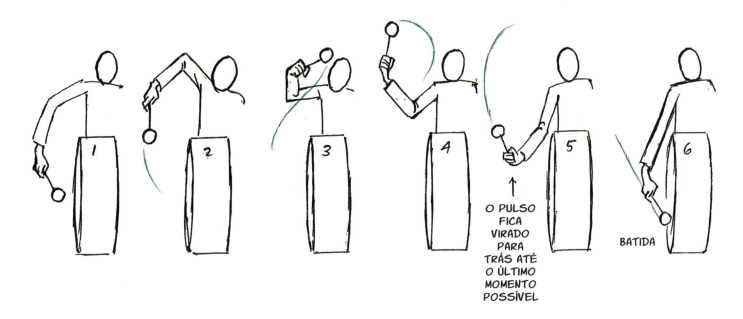

TODO ESSE ESQUEMA DE QUEBRAR ARTICULAÇÕES PODE PARECER TREMENDAMENTE COMPLICADO A PRINCÍPIO, MAS VOCÊ LOGO SE ACOSTUMA, E VAI ACABAR FAZENDO USO DISSO SEMPRE QUE TIVER UMA CHANCE. LOGO SE TORNARÁ UMA SEGUNDA NATUREZA E SERÁ MUITO FÁCIL.

"REALISTICAMENTE" –

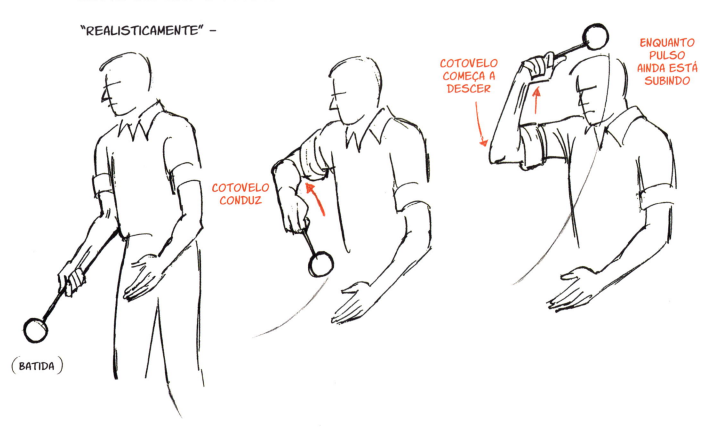

CLARO, PERCUSSIONISTAS FAZEM TODO TIPO DE GIROS E FLOREIOS, MAS ESTE É O PADRÃO BÁSICO –

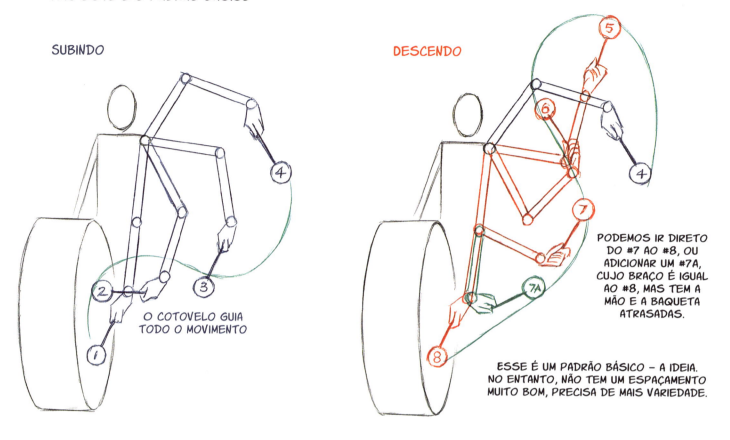

RESULTADO: MOVIMENTOS CURVILÍNEOS E SEM DOBRAS, FEITOS COM RÉGUA.

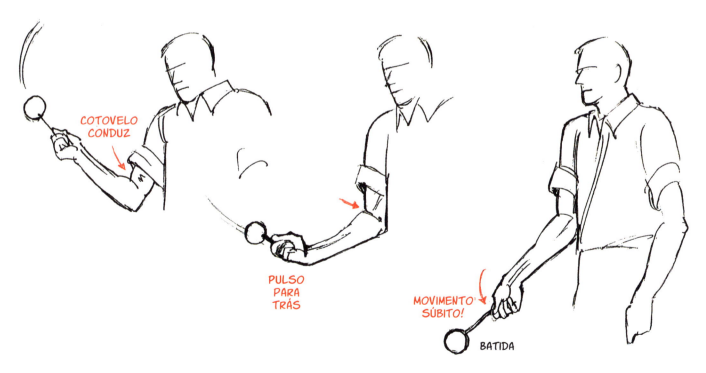

UM REGENTE DE ORQUESTRA FAZ SUCESSIVAS QUEBRAS DE ARTICULAÇÃO BEM MALUCAS.

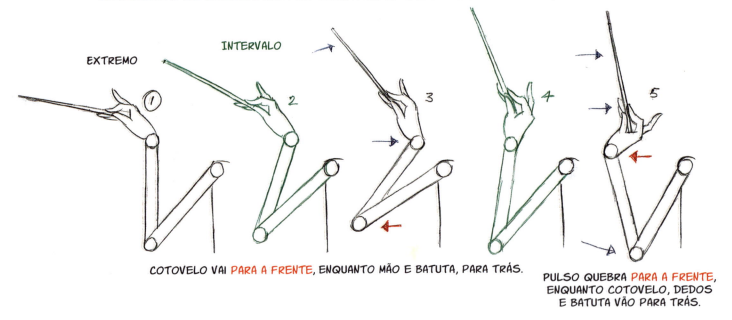

COTOVELO VAI PARA A FRENTE, ENQUANTO MÃO E BATUTA, PARA TRÁS.

PULSO QUEBRA PARA A FRENTE, ENQUANTO COTOVELO, DEDOS E BATUTA VÃO PARA TRÁS.

VAMOS OBSERVAR A AÇÃO BEM AMPLA DE UM HOMEM MARCANDO UM RITMO MUSICAL –

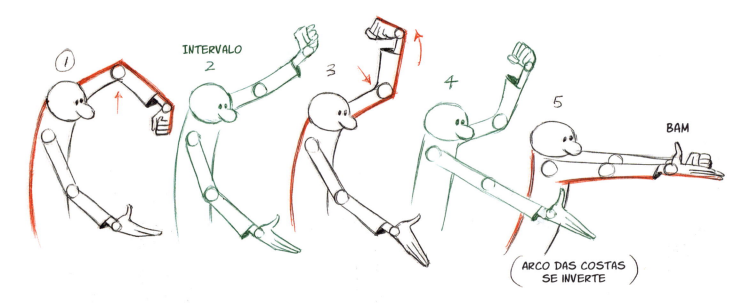

(ARCO DAS COSTAS SE INVERTE)

O MESMO ACONTECE COM A PATA DE UM CACHORRO –

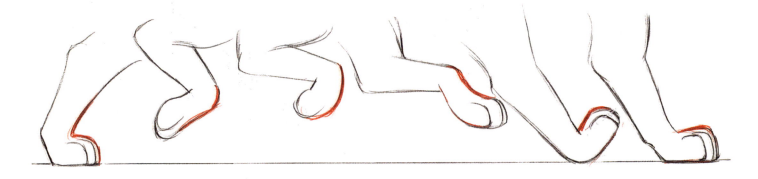

E ESTA É UMA AÇÃO REDUZIDA PARA UM REGENTE...

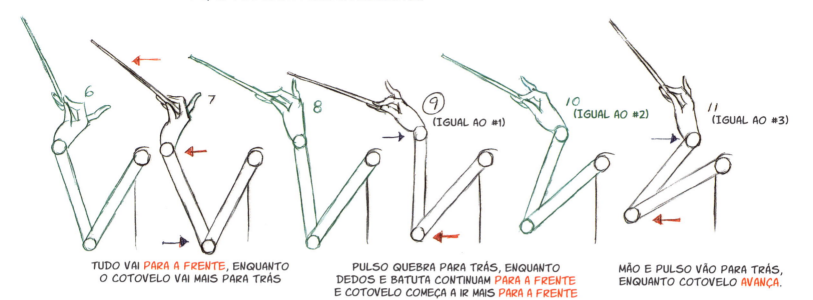

PARECE COMPLICADO, MAS QUANDO VOCÊ COMEÇA A PENSAR DESSE JEITO, NÃO É:

É BASICAMENTE A MESMA AÇÃO DE BATER EM UMA MESA OU EM UM BUMBO –

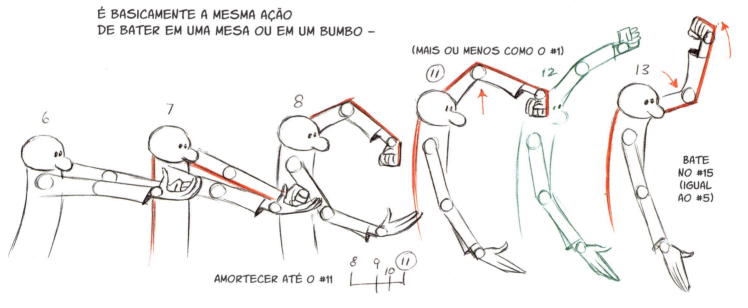

OU UM PUNHO BATENDO À PORTA –

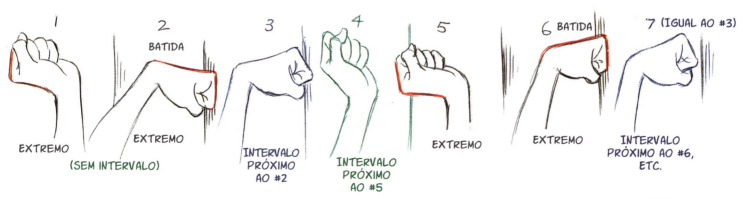

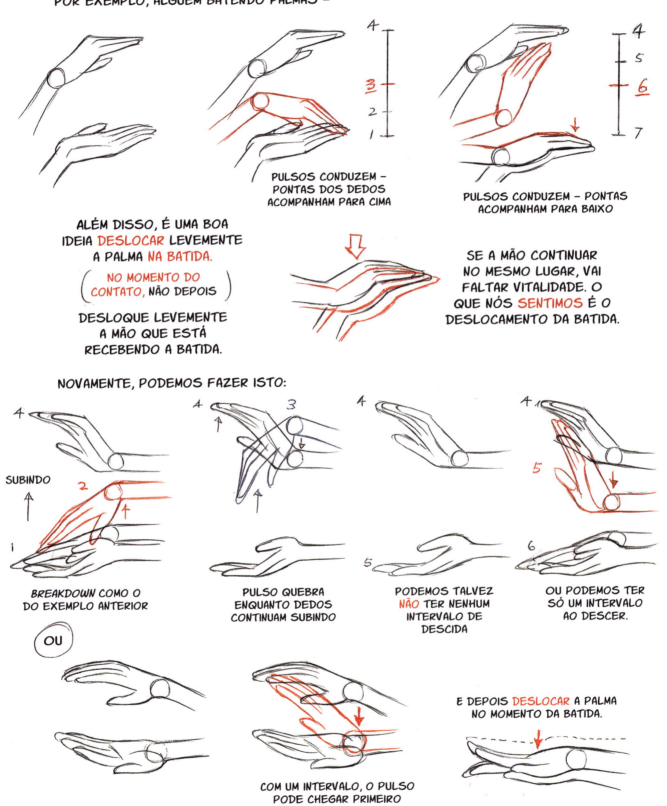

CLARO, APLAUSOS PODEM SER ASSIM – E, OBVIAMENTE, DESENHARÍAMOS DESTE JEITO:

UMA PESSOA QUE DANÇA FLAMENCO BATE PALMAS DE UM JEITO DIFERENTE – AS PONTAS DOS DEDOS BATEM NA PALMA DA MÃO...

E CERTAMENTE UM LUTADOR BATE PALMAS DIFERENTE DE UM BÊBADO, DA ESPOSA DE UM DIPLOMATA, OU DE UM BEBÊ. MAS O PRINCÍPIO AINDA É ESTE – UM CERTO NÚMERO DE ARTICULAÇÕES QUE SE "QUEBRAM", UMA APÓS A OUTRA.

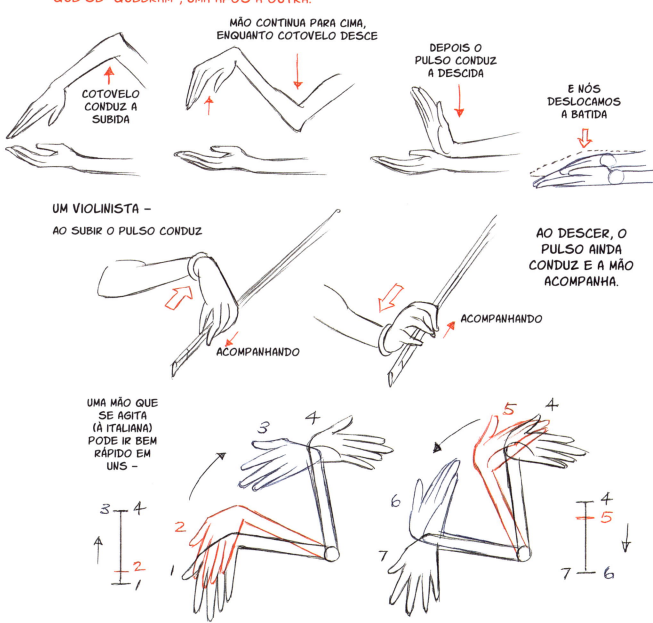

243

ATÉ NAS PEQUENAS COISAS COMO ESTA É POSSÍVEL OBTER FLEXIBILIDADE –

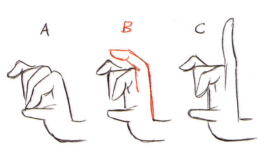

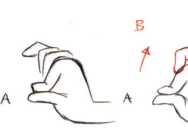

PARA ABRIR ESTES DEDOS, UM INTERVALO DIRETO, SUBINDO, SERIA OK

MAS NA DESCIDA, FAÇA O INTERVALO RESISTIR

SE NO INÍCIO TIVERMOS UMA MAIOR SENSAÇÃO DE CONTATO E PRESSÃO

= É MELHOR SUBIR QUANDO A PRESSÃO FOR ALIVIADA.

DIGAMOS QUE VAMOS MARTELAR UM PREGO –

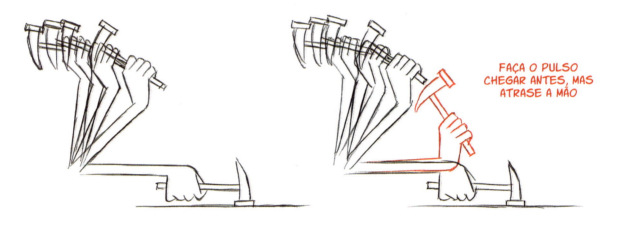

FAÇA O PULSO CHEGAR ANTES, MAS ATRASE A MÃO

MAIS UMA VEZ, PODEMOS LEVAR TUDO ISSO BEM LONGE. MAS O TRUQUE É CONHECER BEM O RECURSO PARA PODERMOS USÁ-LO QUANDO QUISERMOS.

(E VAMOS QUERER UM BOCADO.)

VEJAMOS AS MÃOS DE ALGUÉM BATENDO JUNTINHAS, EM UM GESTO DE "AI, QUE BOM, QUE BOM"

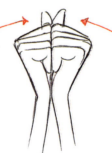

PODEMOS, TALVEZ, APENAS INTERVALAR, FAVORECENDO A ANTECIPAÇÃO –

E JÁ ESTARIA BOM.

244

TALVEZ NÃO SEJA NECESSÁRIO FAZER "EXCESSO DE ANIMAÇÃO", QUEBRANDO ARTICULAÇÕES, MAS TALVEZ FIQUE BOM. VAMOS EXPERIMENTAR.

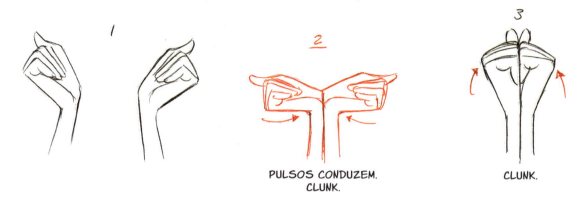

E QUE TAL O SEGUINTE PARA AFASTAR AS MÃOS?

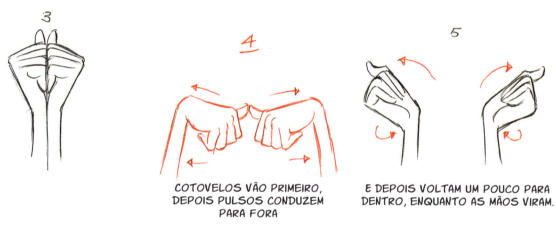

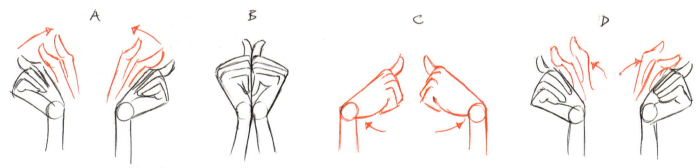

PORTANTO, É SÓ UMA QUESTÃO DE INTENSIDADE.

ESTAMOS MOSTRANDO ESSES RECURSOS E PRINCÍPIOS DE FORMA BEM RUDIMENTAR,
DO JEITO MAIS SIMPLES POSSÍVEL, PARA QUE TUDO FIQUE BEM CLARO —
PARA DAR FLEXIBILIDADE ÀS PARTES E PARA IMPEDIR QUE AS COISAS FIQUEM MUITO RÍGIDAS OU AFETADAS.

PODEMOS FAZER USO DELES DE MANEIRA INCRIVELMENTE **SUTIL**, OU ENTÃO EXCESSIVA, PARA QUE AS COISAS FIQUEM BEM MOLES E BORRACHENTAS.

É SURPREENDENTE QUÃO LONGE PODEMOS CHEGAR QUEBRANDO AS ARTICULAÇÕES, E AINDA ASSIM CONSEGUIR RESULTADOS BELÍSSIMOS.

245

FLEXIBILIDADE NO ROSTO

TENDEMOS A ESQUECER QUÃO MALEÁVEIS NOSSOS ROSTOS REALMENTE SÃO QUANDO NOS COMUNICAMOS. E QUANDO EXAMINAMOS DE PERTO CENAS DE ATORES REAIS, FRAME A FRAME, É SEMPRE UM CHOQUE VER QUANTA DISTORÇÃO PODE ACONTECER.

ISSO SEM MENCIONAR O QUE UM CONTORCIONISTA FACIAL É CAPAZ DE FAZER.

(APESAR DE MANDÍBULAS E DENTES NÃO SEREM DE BORRACHA)

O CRÂNIO OBVIAMENTE PERMANECE O MESMO, MAS HÁ UMA SÉRIE DE AÇÕES ACONTECENDO POR BAIXO DAS MAÇÃS DO ROSTO. OS DENTES SUPERIORES NÃO MUDAM DE POSIÇÃO, UMA VEZ QUE ESTÃO PRESOS AO CRÂNIO. JÁ A AÇÃO DA MANDÍBULA ARTICULADA ACONTECE PRINCIPALMENTE INDO PARA CIMA E PARA BAIXO, COM UM LEVE MOVIMENTO PARA OS LADOS.

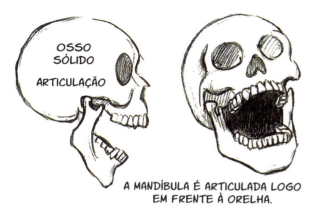

ART BABBITT COSTUMAVA NOS CONTAR SOBRE COMO, DEPOIS DE ANIMAR AS BELAS CENAS DO "ESPELHO MÁGICO" DA RAINHA EM *BRANCA DE NEVE E OS SETE ANÕES* (UM NÍVEL DE REALISMO QUE NINGUÉM HAVIA EXPERIMENTADO ANTES, MUITO MENOS ALCANÇADO COM SUCESSO), ELE SE SENTIU INIBIDO AO ANIMAR CENAS EM *CLOSE-UP* DOS SETE ANÕES. ART TEVE AJUDA DOS OUTROS COMPANHEIROS PARA OUSAR COMPRIMIR E DISTENDER OS ROSTOS. ELE SEMPRE DIZIA:

"TENHA CORAGEM. NÃO TENHA MEDO DE ALONGAR O ROSTO".

NOSSOS MÚSCULOS FACIAIS POSSUEM UMA TREMENDA ELASTICIDADE.

247

VEJAMOS A MASTIGAÇÃO, POR EXEMPLO:

PODEMOS IR DE QUALQUER UMA DESSAS POSIÇÕES PARA QUALQUER OUTRA EM QUALQUER SEQUÊNCIA, COM ALGUMAS VARIAÇÕES.

NOVAMENTE, AO ACHATAR E ALONGAR AS MASSAS, PROCURAMOS MANTER A MESMA QUANTIDADE DE CARNE. SE VOCÊ FOSSE PESÁ-LAS, IRIA OBTER SEMPRE O MESMO PESO.

UM SUJEITO SEM MUITO BOAS MANEIRAS –

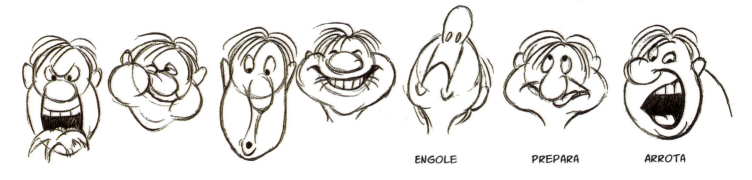

ASSIM, NOVAMENTE, QUEM ESTÁ MASTIGANDO? UMA PESSOA GORDA, MAGRA, VELHA, LOUCA, INIBIDA?

248

SOBREPOSIÇÃO DE AÇÕES NO ROSTO

EIS AQUI ALGO QUE VOCÊ GERALMENTE VÊ BONS ATORES FAZEREM: DIGAMOS QUE ALGUÉM SE ASSUSTA –

É MUITO TOSCO IR DIRETO

DE UM ESTADO A OUTRO.

A CENA PODE FLUIR EM SEÇÕES:

UMA COISA DE CADA VEZ –

A SOBREPOSIÇÃO DE AÇÕES OCORRE DE CIMA PARA BAIXO NO ROSTO (PODE SER BEM RÁPIDO)

PRIMEIRO O OLHO – DEPOIS O NARIZ – DEPOIS A BOCA – DEPOIS O CABELO

OU VICE-VERSA – PODE OCORRER NO ROSTO DE BAIXO PARA CIMA:

PRIMEIRO A BOCA – DEPOIS O NARIZ – DEPOIS O OLHO – DEPOIS O CABELO

A PARTIR DE OLHOS SEMICERRADOS:

OLHOS ABREM PRIMEIRO – NARIZ SE ENDIREITA – MANDÍBULA CAI – E ABRE

COMEÇANDO COM OS OLHOS – VÁ ABRINDO
OS OLHOS ENQUANTO A AÇÃO DA BOCA
SE SOBREPÕE E ELA SE ALONGA

FAÇA A MUDANÇA ATRAVESSAR
O ROSTO DE UM LADO A OUTRO.

DIGAMOS QUE ALGUÉM
SE DECEPCIONA –

COMEÇANDO
DE SUA
EXPRESSÃO
OPOSTA
(ISTO PODE
ACONTECER
MAIS DEVAGAR)

OLHOS VÃO PRIMEIRO   DEPOIS A BOCA   REBAIXA   A SOBRANCELHA SE INVERTE   A TESTA SE ENRUGA E O QUEIXO VAI PARA DENTRO.

TODOS NÓS
CONHECEMOS
UM "DUAS
CARAS" –
EM UMA CARA
DUPLA EXISTE
CONTRADIÇÃO:

 MAIS  É IGUAL A =

OBTEMOS
UMA CARA
DE BRAVO.

UM LADO DO ROSTO NOS DIZ UMA COISA E O OUTRO LADO NOS DIZ OUTRA –

SERIA INTERESSANTE ANIMAR UM LADO E DEPOIS O OUTRO, SEPARADAMENTE.

250

LEITURA INSTANTÂNEA: PERFIS PARA DAR LEGIBILIDADE

ESSE ASSUNTO PRECISAVA APARECER EM ALGUM PONTO DO LIVRO, ENTÃO ESTE PODE SER MUITO BEM O LUGAR...

SE QUISERMOS QUE NOSSO PÚBLICO LEIA RAPIDAMENTE UMA AÇÃO, VAMOS MOSTRÁ-LA DE PERFIL.

CERTAMENTE NÃO TEMOS NENHUMA DIFICULDADE EM VER O QUE ESTÁ ACONTECENDO AQUI –

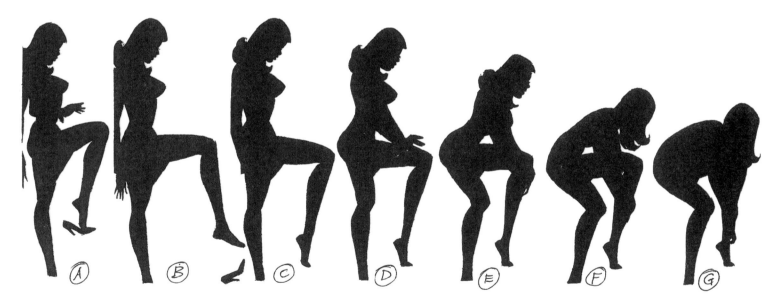

E, DO PONTO DE VISTA DA FLEXIBILIDADE, VEJA COMO UMA SIMPLES INVERSÃO NO ARCO DE SUAS COSTAS LHE DÁ UMA ENORME GRACIOSIDADE. O ARCO DAS COSTAS NO DESENHO Ⓓ É O MAIS CÔNCAVO POSSÍVEL; PERMANECE ASSIM EM Ⓔ E DEPOIS MUDA PARA CONVEXO EM Ⓕ E Ⓖ. O CABELO ESTÁ ATRASADO E SÓ CAI EM Ⓕ. MUITO BOM.
É SEMPRE UMA BOA IDEIA TENTAR OBTER UMA POSE OPOSTA BEM NÍTIDA A PARTIR DO PONTO AONDE QUEREMOS CHEGAR – SEJA UMA EXPRESSÃO FACIAL, SEJA UMA MUDANÇA DE FORMAS COMO ESSA.

PARA TERMINARMOS ESSA SEÇÃO, E COMO EXERCÍCIO DE REVISÃO,
SEGUE UM TESTE DE FLEXIBILIDADE –
UMA TAREFA QUE ART BABBITT NOS DEU PARA PRATICAR QUEBRAS SUCESSIVAS DE ARTICULAÇÕES:

① TOMEMOS UMA MULHER VISTA DE FRENTE, BALANÇANDO DE UM LADO PARA O OUTRO.
② FAÇA OS QUADRIS SE MOVEREM EM FORMA DE 8.
③ FAÇA A CABEÇA SER OPOSTA AO CORPO.
④ FAÇA AS MÃOS AGIREM DE MANEIRA INDEPENDENTE, E QUEBRE AS ARTICULAÇÕES.

AQUI ESTÁ UM RABISCO QUE EU FIZ QUANDO ART APRESENTOU O PROBLEMA:

QUADRIS SE MOVEM EM 8

UMA TAREFA MEIO ASSUSTADORA. COMO EU QUIS ANIMÁ-LA DE UM JEITO MAIS REALISTA,
FICOU MAIS ASSUSTADORA AINDA.
OK, O QUE FAZEMOS PRIMEIRO? (PENSANDO) HUMM... EI, CLARO, A (POSE-CHAVE) = O DESENHO #1,
O QUE CONTA A HISTÓRIA.

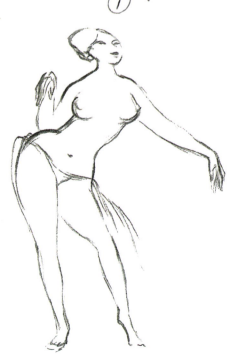

E DEPOIS? (PENSANDO)... OBVIAMENTE... O EXTREMO SEGUINTE, EM QUE ELA ESTÁ VIRADA PARA O OUTRO LADO

– VAMOS CHAMÁ-LO DE #13, PORQUE QUANDO FIZ A ATUAÇÃO DA CENA LEVEI MAIS OU MENOS ½ SEGUNDO PARA BALANÇAR PARA UM LADO E ½ SEGUNDO PARA BALANÇAR DE VOLTA = 1 SEGUNDO AO TODO.

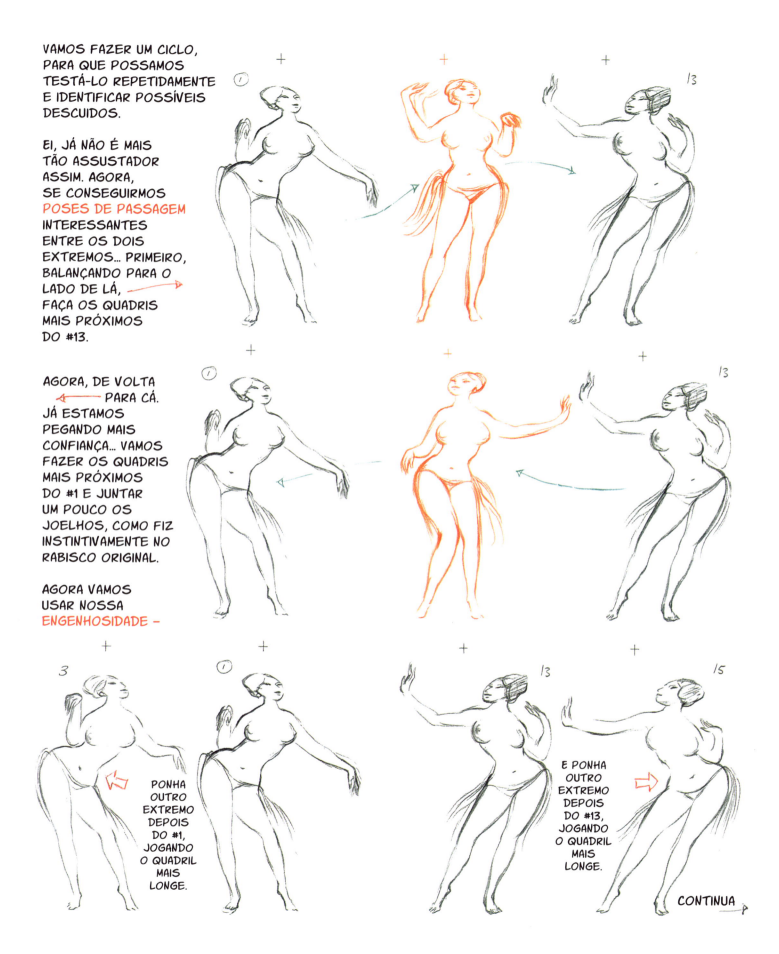

AGORA JÁ ESTÁ PARECENDO QUE TUDO VAI FUNCIONAR –

E PODEMOS RELAXAR UM POUCO, ANALISANDO MAIS DETALHADAMENTE AS POSES E DESFRUTANDO O PRAZER DE TRABALHAR PARTE POR PARTE, GIRANDO AS MÃOS EM CÍRCULOS E APLICANDO OUTRAS PARTES CURVAS.

OS GRÁFICOS SÃO SIMPLES:

INDO PARA LÁ →

E VOLTANDO PARA CÁ ←

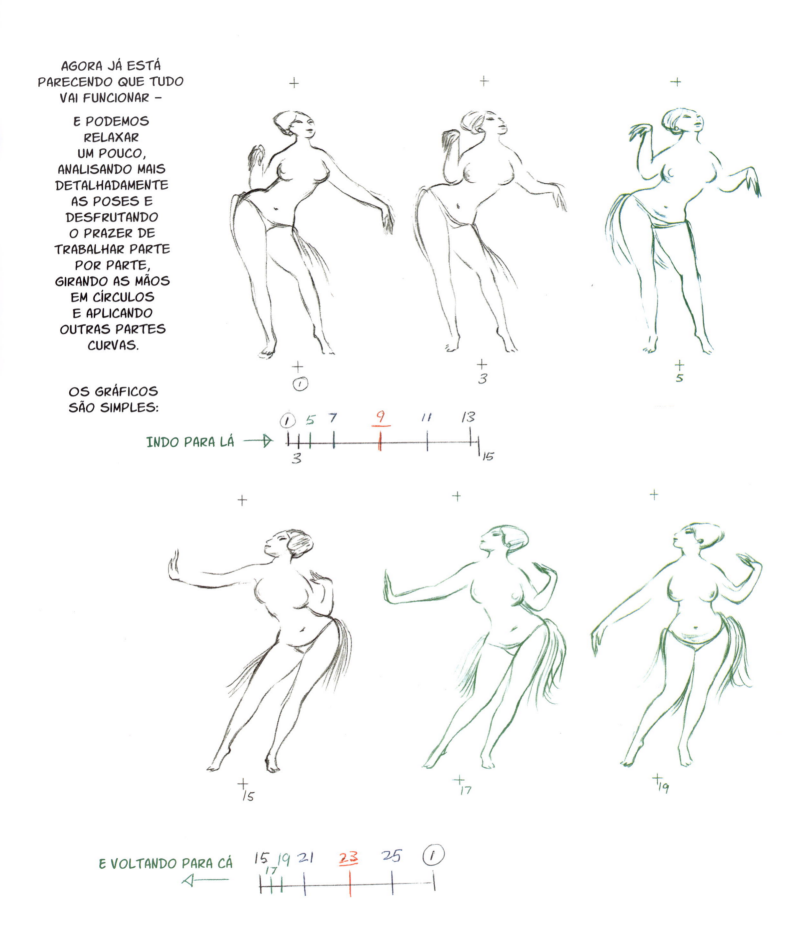

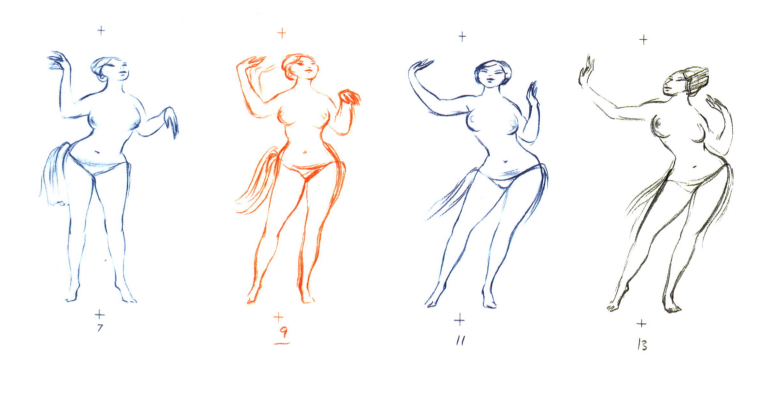

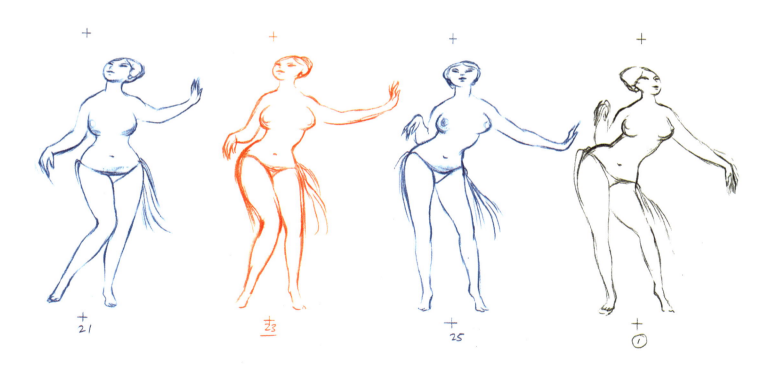

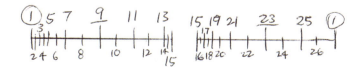

DEPOIS PREENCHA TUDO COM INTERVALOS EM UNS – MAS ESTES JÁ PODEM SER BEM MECÂNICOS, SÓ PARA SUAVIZAR O CONJUNTO.

(O RESULTADO FICOU BEM SATISFATÓRIO, NÃO PRECISOU DE NENHUMA CORREÇÃO.)

PESO

A PRIMEIRA PERGUNTA QUE FIZ A MILT KAHL FOI: "COMO VOCÊ CONSEGUIU FAZER O TIGRE DE MOGLI PESAR TANTO?".
ELE RESPONDEU: "BEM, EU SEI ONDE O PESO ESTÁ EM CADA DESENHO. SEI ONDE O PESO ESTÁ APLICADO A QUALQUER MOMENTO EM UM PERSONAGEM. SEI ONDE ESTÁ, DE ONDE ESTÁ VINDO, ONDE ELE ESTÁ APENAS DE PASSAGEM – E PARA ONDE ESTÁ SENDO TRANSFERIDO".
JÁ VIMOS ISSO EM UMA CAMINHADA. NÓS SENTIMOS O PESO NA DESCIDA, QUANDO A PERNA DOBRA E RECEBE O PESO, ABSORVENDO A FORÇA DO MOVIMENTO. MAS E QUANTO AOS OUTROS TIPOS DE PESO? OBJETOS LEVES? PESADOS? COMO MOSTRAR ISSO?
UM MEIO DE MOSTRAR QUÃO PESADO UM OBJETO É –
É POR MEIO DO MODO COMO NOS PREPARAMOS PARA ERGUÊ-LO.
PARA ERGUER UM PESO, TEMOS DE NOS PREPARAR PARA ISSO – TEMOS DE ANTECIPAR O PESO.
EVIDENTEMENTE, PEGAR UM PEDAÇO DE GIZ, UMA CANETA OU UMA PENA NÃO REQUER PREPARAÇÃO ALGUMA,
MAS UMA PEDRA PESADA...

PODEMOS SUGERIR PESO FAZENDO-O SIMPLESMENTE ANDAR AO REDOR DA PEDRA, ESTIMANDO SEU TAMANHO.

RUIM NÃO TEMOS SENSAÇÃO DE PESO. PARECE UMA PEDRA DE ISOPOR.

COMO ELE VAI FAZER ISSO? ELE ESTÁ CONSIDERANDO O QUE VAI ERGUER. ESTÁ ANTECIPANDO QUANTO ELA PESA...

TALVEZ NÃO TENHAMOS TEMPO DE CENA PARA FAZÊ-LO RODEAR A PEDRA, MAS DE UM JEITO OU DE OUTRO, ELE IRÁ ANTECIPAR O PESO.

ELE CERTAMENTE COMEÇARIA AFASTANDO AS PERNAS E DOBRANDO OS JOELHOS

VEJA O QUE A COLUNA ESTÁ FAZENDO...

E CHEGANDO O MAIS PRÓXIMO POSSÍVEL DO PESO.

ELE SE AJUSTA PARA NÃO CAUSAR NENHUM DANO A SI MESMO. NÃO ESTÁ A FIM DE TER UMA HÉRNIA

O CORPO VAI PARA TRÁS ENQUANTO ELE SE ERGUE

TENTA SE POSICIONAR EMBAIXO DO PESO, E PODE AJUSTAR OS PÉS COM PEQUENOS PASSOS IRREGULARES

ARCO SE INVERTE

CABEÇA SE ENDIREITA

O ARCO DAS COSTAS SE INVERTE, ENQUANTO ELE SE ESFORÇA PARA CONSEGUIR

ARCO SE COMPRIME

LEVANTA A PEDRA

COLUNA SE ENDIREITA

TENTA SE ENDIREITAR – OS JOELHOS TREMEM

CAI PARA TRÁS OU COISA DO TIPO.

UM HOMEM CARREGANDO UM SACO DE BATATAS SOBRE AS COSTAS SE CURVA PARA BAIXO PARA CONTRABALANÇAR O PESO. O PESO FORÇA SEU CORPO EM DIREÇÃO AO CHÃO, DOBRANDO SEUS JOELHOS E FAZENDO SEUS PÉS SE ARRASTAREM. AS PERNAS TAMBÉM SE AFASTAM BEM, PARA FORMAR UMA ESPÉCIE DE TRIPÉ, A FIM DE DISTRIBUIR O PESO EM UMA ÁREA MAIOR.

PÉS AFASTADOS – JOELHOS SEMPRE DOBRADOS

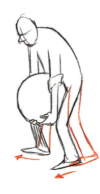

PÉS NÃO SE LEVANTAM MUITO DO CHÃO

GRANDE PARTE DA DIFERENÇA NAS CAMINHADAS OU CORRIDAS É DETERMINADA PELO PESO QUE A PESSOA ESTÁ CARREGANDO.
SE ELA CARREGA UMA PEDRA BEM PESADA,
O PESO PODE TRAZER OS OMBROS PARA BAIXO E ESTICAR SEUS BRAÇOS. A CABEÇA E O PESCOÇO VIRIAM MAIS PARA BAIXO.

(SEPARADOS PARA MAIOR CLAREZA)

ELE SE MOVERÁ MAIS DEVAGAR, E *O CORPO VAI LEVANTAR SÓ UM POUCO NA POSE DE PASSAGEM, MAS A ROCHA NÃO VAI SE MEXER NEM UM POUQUINHO.*

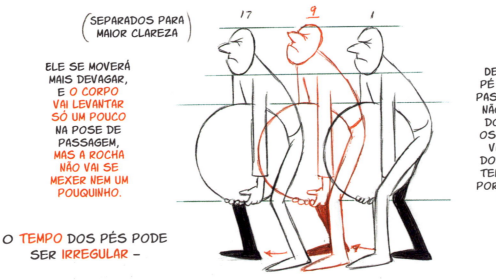

DE NOVO, O PÉ QUE DÁ O PASSO QUASE NÃO VAI SAIR DO CHÃO, E OS JOELHOS VÃO FICAR DOBRADOS O TEMPO TODO POR CAUSA DO PESO.

O *TEMPO* DOS PÉS PODE SER *IRREGULAR* –

ISTO É, **PASSO**, PAUSA, **PASSO**, **PASSO**, PAUSA, **PASSO**, PAUSA, **PASSO**, **PASSO**, **PASSO**, PAUSA, ETC.
(**OU**) ELE PODERIA SE ARRASTAR RAPIDAMENTE E LOGO DEPOIS SOLTAR A PEDRA.

UMA MÃO PEGANDO UM LENÇO DE SEDA DO CHÃO NÃO VAI ENCONTRAR RESISTÊNCIA ALGUMA –

JÁ UMA MÃO PEGANDO UM TIJOLO...
VAMOS CONSIDERAR O QUE ACONTECE COM TODO O CORPO:

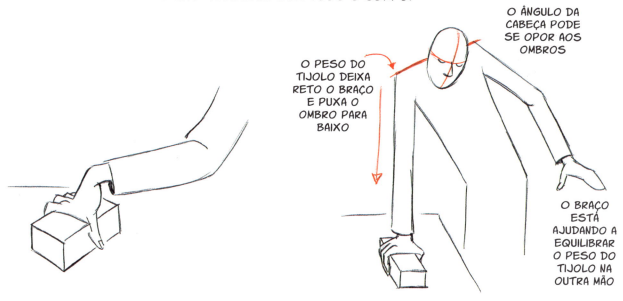

O ÂNGULO DA CABEÇA PODE SE OPOR AOS OMBROS

O PESO DO TIJOLO DEIXA RETO O BRAÇO E PUXA O OMBRO PARA BAIXO

O BRAÇO ESTÁ AJUDANDO A EQUILIBRAR O PESO DO TIJOLO NA OUTRA MÃO

PEGAR UMA PENA NÃO VAI TER NENHUM EFEITO NO CORPO.

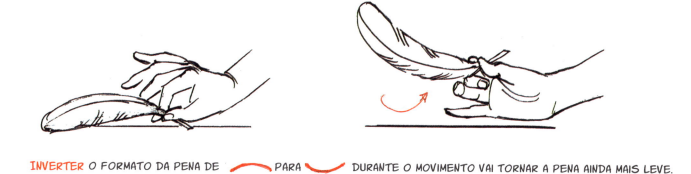

INVERTER O FORMATO DA PENA DE ⌒ PARA ⌣ DURANTE O MOVIMENTO VAI TORNAR A PENA AINDA MAIS LEVE.

CLARO, UM JEITO DE SE OBTER PESO É ESTAR CIENTE DELE.

O GRANDE ANIMADOR BILL TYTLA DISSE:

> "A QUESTÃO É QUE VOCÊ NÃO ESTÁ APENAS SACUDINDO SEU LÁPIS EM UM PAPEL; VOCÊ TEM PESO EM SUAS FORMAS, E DEVE FAZER TODO O POSSÍVEL PARA TRANSMITIR ESSA SENSAÇÃO AO PÚBLICO. É UMA LUTA CONSTANTE PARA MIM, E ESTOU CIENTE DO PESO O TEMPO TODO".

DIGAMOS QUE UMA MÃO PRESSIONE UM BALÃO: O BRAÇO PODE FICAR QUASE RETO –

MAS SE UMA MÃO PRESSIONA UMA BOLA DE BOLICHE –

O OMBRO É EMPURRADO PARA CIMA

E UMA MÃO PRESSIONANDO ÁGUA –

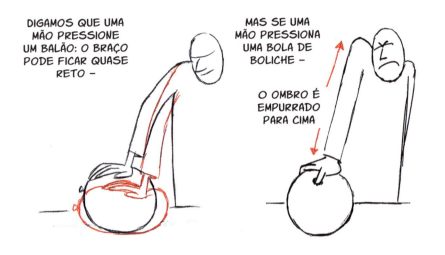
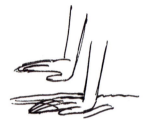

A MÃO VAI DESLOCAR UM POUCO DA ÁGUA, MAS VAI TER POUCO EFEITO SOBRE ELA.

VAMOS SOLTAR ALGUNS OBJETOS QUE CAEM EM DIFERENTES VELOCIDADES POR CAUSA DE SEU PESO E DO QUE SÃO FEITOS.

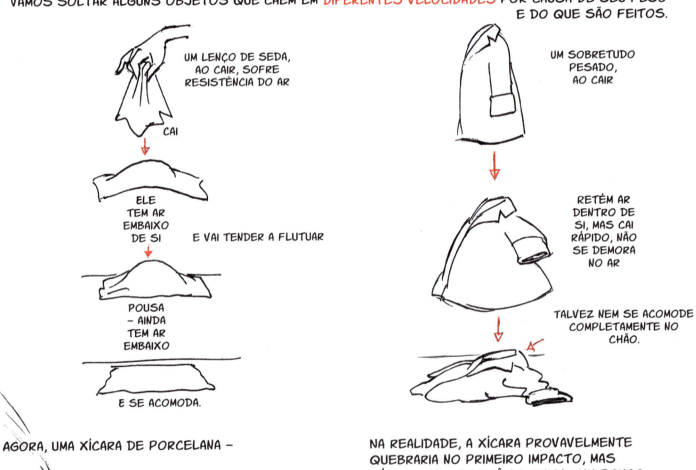

UM LENÇO DE SEDA, AO CAIR, SOFRE RESISTÊNCIA DO AR

CAI

ELE TEM AR EMBAIXO DE SI

E VAI TENDER A FLUTUAR

POUSA – AINDA TEM AR EMBAIXO

E SE ACOMODA.

UM SOBRETUDO PESADO, AO CAIR

RETÉM AR DENTRO DE SI, MAS CAI RÁPIDO, NÃO SE DEMORA NO AR

TALVEZ NEM SE ACOMODE COMPLETAMENTE NO CHÃO.

AGORA, UMA XÍCARA DE PORCELANA –

NA REALIDADE, A XÍCARA PROVAVELMENTE QUEBRARIA NO PRIMEIRO IMPACTO, MAS NÓS PODEMOS FAZÊ-LA QUICAR UM POUCO. TOME LIBERDADES COM A REALIDADE, MAS FAÇA ISSO PARECER CRÍVEL.

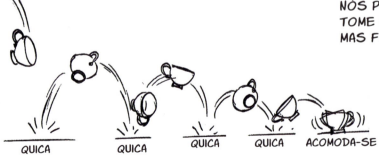

QUICA — QUICA — QUICA — QUICA — ACOMODA-SE — PAUSA — DEPOIS SE DESPEDAÇA.

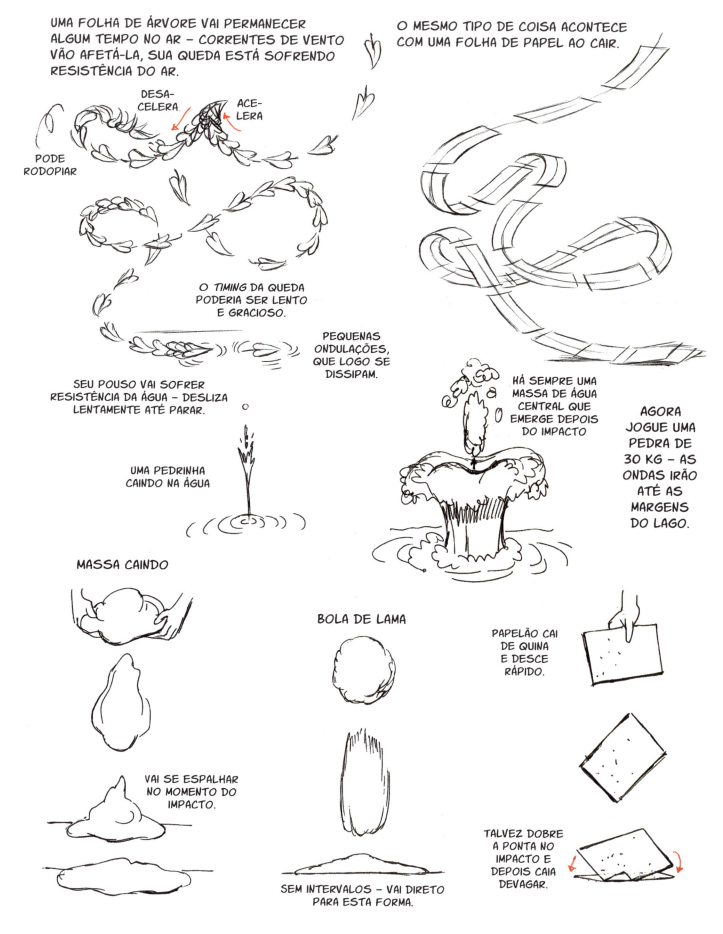

PRESSÃO E PESO

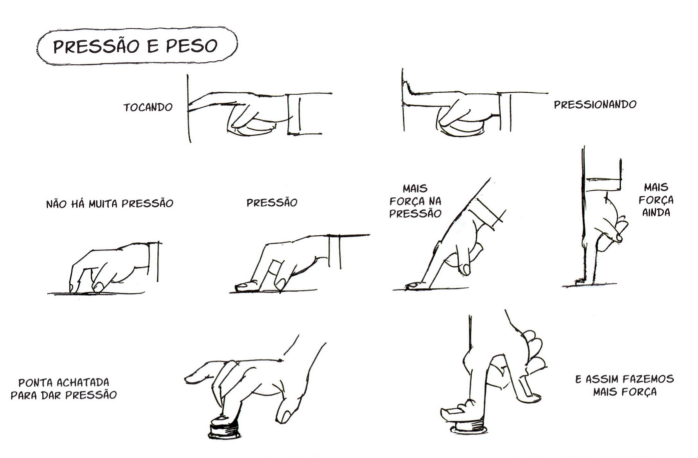

TOCANDO   PRESSIONANDO

NÃO HÁ MUITA PRESSÃO   PRESSÃO   MAIS FORÇA NA PRESSÃO   MAIS FORÇA AINDA

PONTA ACHATADA PARA DAR PRESSÃO   E ASSIM FAZEMOS MAIS FORÇA

SUPONHAMOS QUE A SUPERFÍCIE SEJA MACIA — DE TECIDO OU BORRACHA —, ELA IRIA CEDER.

SEM MUITA PRESSÃO AQUI   DOBRE OS DEDOS PARA PROPORCIONAR PRESSÃO

MAIS UMA VEZ, AO ERGUER UM OBJETO PESADO, O CORPO INTEIRO VAI AJUDAR, E A ORIGEM DA AÇÃO ESTÁ NOS QUADRIS —

AO PEGAR UM LÁPIS, A ORIGEM DA AÇÃO ESTÁ NO COTOVELO,

OBVIAMENTE NÃO NOS QUADRIS:

UMA CAIXA BEM PESADA CAINDO   UMA BOLA DE GOLFE DURA CAINDO

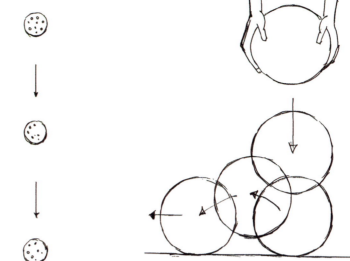

QUICA MUITO BREVEMENTE, DEPOIS ROLA. DE NOVO, NÃO SE ACHATA. E O SOM NA VERDADE VEM QUANDO ELA JÁ DEIXOU O CHÃO.

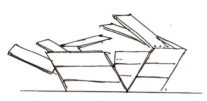

PARA SENTIRMOS O IMPACTO, A CAIXA SE ABRE PARCIALMENTE NO MOMENTO EM QUE TOCA O CHÃO.

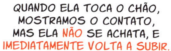

QUANDO ELA TOCA O CHÃO, MOSTRAMOS O CONTATO, MAS ELA NÃO SE ACHATA, E IMEDIATAMENTE VOLTA A SUBIR.

ROLA → PÁRA.

ELA QUICA UM POUCO, MAS LOGO ROLA ATÉ PARAR.

UMA BOLA DE TÊNIS FICA ACHATADA COM O IMPACTO

DEPOIS VOLTA À SUA FORMA ORIGINAL.

PRESSÃO FAZ PARTE DO PESO —

BALÃO   DE PERFIL   TOCANDO UMA MESA —   PRESSIONANDO UMA MESA.

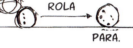

SE EMPURRARMOS COM MUITA FORÇA, NOSSOS BRAÇOS VÃO DOBRAR E NOSSOS PÉS VÃO DESLIZAR OU ESCORREGAR.

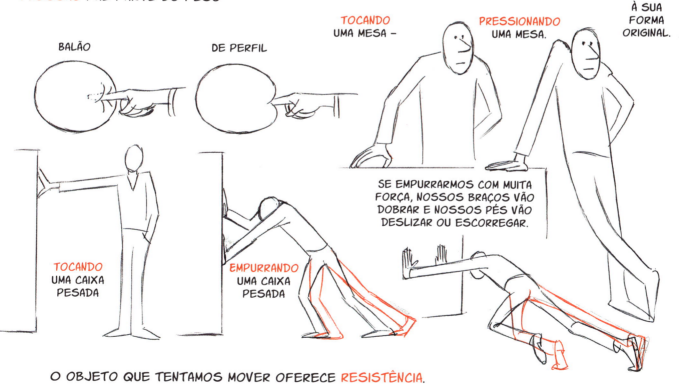

TOCANDO UMA CAIXA PESADA   EMPURRANDO UMA CAIXA PESADA

O OBJETO QUE TENTAMOS MOVER OFERECE RESISTÊNCIA.

> QUANTO ESFORÇO TEMOS DE DESPENDER?
> 1. PARA MOVER UM OBJETO?
> 2. PARA MUDAR SUA DIREÇÃO?
> 3. OU PARA PARÁ-LO?
>
> ISSO VAI INDICAR QUANTO O OBJETO PESA.

PARAR DE CORRER FAZ PARTE DO PESO:

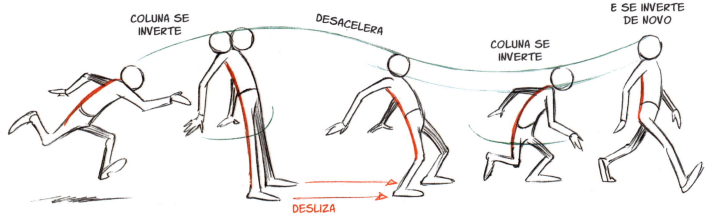

AO TERMINARMOS DE DESLIZAR, PERDEMOS UM POUCO O EQUILÍBRIO

DEPOIS PARTIMOS PARA A PRÓXIMA AÇÃO – COMO AO SAIR DE UMA ESCADA ROLANTE.

FRANK THOMAS DISSE:
"PRECISAMOS FAZER ALGO PARA DETER O AVANÇO (OU A PROGRESSÃO) DO PESO DE FORMA CONVINCENTE".

O QUE QUER QUE ESTEJA EM MOVIMENTO VAI TENTAR CONTINUAR EM MOVIMENTO – BRAÇOS, CABEÇA, MÃOS, CABELOS E ROUPAS.

POR ISSO, PARAMOS CADA UMA DAS PARTES – CADA PARTE INDICANDO SEU PRÓPRIO PESO.

MILT KAHL DISSE SOBRE ISSO:

"PARAR COISAS DE UM JEITO CONVINCENTE É UMA DAS TAREFAS MAIS DIFÍCEIS DE SE FAZER EM ANIMAÇÃO. QUANDO VOCÊ FAZ UM PERSONAGEM PARAR, ESCOLHA UM BOM LUGAR PARA PARAR. COMO VOCÊ ESCOLHE PARAR – QUE TIPO DE PARADA VAI SER, SE VAI SER UMA PARADA DE ALERTA OU UMA LENTA E PREGUIÇOSA, TUDO VAI FAZER DO LUGAR UMA ESCOLHA IMPORTANTE. DETESTO VER UM PÉ VIR À FRENTE, TOCAR O CHÃO E DEPOIS NADA ACONTECER COM ELE. PENSO QUE, QUANDO ELE POUSA NO CHÃO, TEMOS DE IR ALÉM E JOGAR PESO SOBRE ELE – OU MOVÊ-LO DE LEVE PARA A FRENTE – OU ERGUER O OUTRO PÉ".

ASSIM, A INTENSIDADE DO ESFORÇO EMPREGADO PARA PARAR O MOVIMENTO DE UM OBJETO EVIDENCIA O QUANTO ELE PESA.

ALÉM DISSO, A VELOCIDADE DE UMA AÇÃO VAI DETERMINAR O MOVIMENTO DAS ROUPAS –

SE UM HOMEM ESTÁ CORRENDO COM UM CASACO FEITO DE MATERIAL FINO E LEVE E PARA BRUSCAMENTE, O MATERIAL VAI CONTINUAR INDO EM FRENTE INDEPENDENTEMENTE DA PARADA, E DEPOIS VAI CAIR DE VOLTA E SE ACOMODAR. (PRINCÍPIO DA "ULTRAPASSAGEM")

PARA – MATERIAL CONTINUA   E SE ACOMODA.

UMA MULHER COM UMA CAMISOLA DE SEDA... O MATERIAL VAI PEGAR AR E ONDULAR PARA A FRENTE MAIS BRUSCAMENTE.

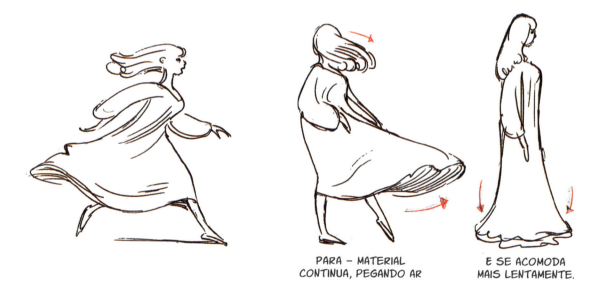

PARA – MATERIAL CONTINUA, PEGANDO AR   E SE ACOMODA MAIS LENTAMENTE.

ENTÃO QUANDO ELA PARA, SUAS ROUPAS E SEUS CABELOS ACOMPANHAM E ULTRAPASSAM O CONJUNTO, CHEGANDO UM POUCO DEPOIS DA AÇÃO PRINCIPAL. E CLARO, A AÇÃO PRINCIPAL TAMBÉM PARA, TERMINANDO EM TEMPOS DIFERENTES PARA AS DIFERENTES PARTES. ALGUÉM JÁ VIU ALGUMA AÇÃO EM QUE TODAS AS PARTES DE UM CORPO SE MOVEM UNIFORMEMENTE?
(EXCETO EM ROBÔS, E PROVAVELMENTE NEM NELES.)
NOVAMENTE, A "ULTRAPASSAGEM" É **RESULTADO** DE, E **GERADA POR**, UMA AÇÃO PRINCIPAL.

MAS O ÚNICO JEITO DE REALMENTE MOSTRAR PESO É COM A AÇÃO.
DIGAMOS QUE ALGUÉM VAI APANHAR UMA PORÇÃO DE FENO COM UM FORCADO –

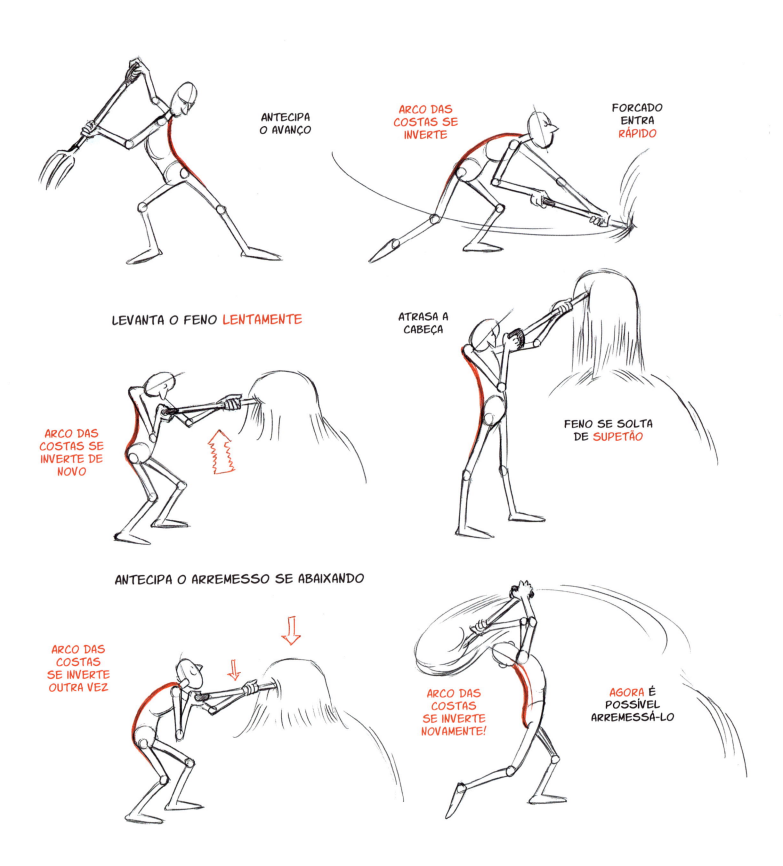

VAMOS ERGUER UMA PEDRA NOVAMENTE – COM SUGESTÕES DE COMO DETALHAR AS AÇÕES DE FORMA MAIS INTERESSANTE:

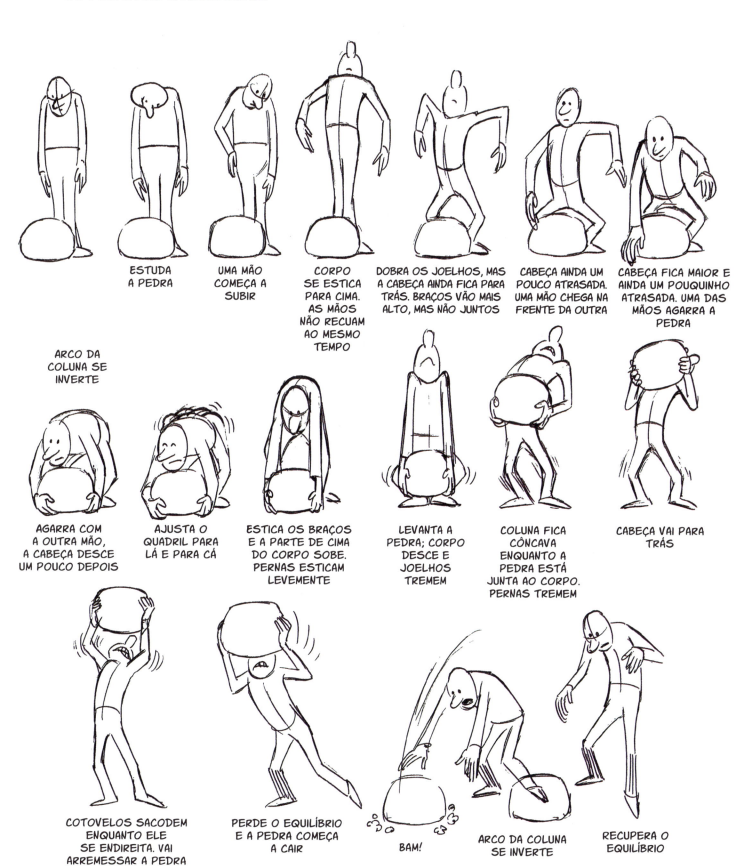

267

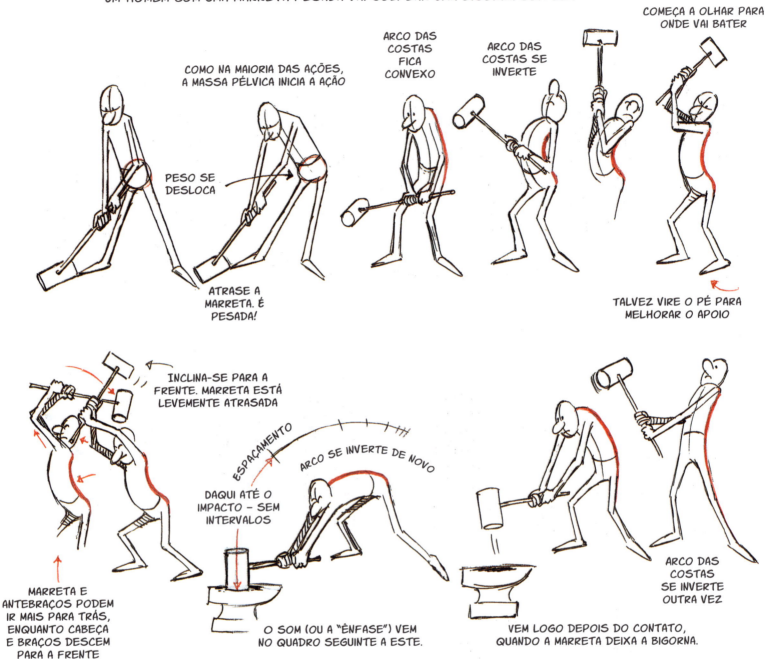

AO CORRER E TENTAR MUDAR DE DIREÇÃO, UM PERSONAGEM EVIDENCIA SEU PESO.

QUANDO IA VIRAR UMA ESQUINA, CHARLIE CHAPLIN FAZIA UMA FAMOSA DERRAPADA COM PULINHOS. ELE SALTITAVA DURANTE A CURVA E ENTÃO CORRIA PARA O OUTRO LADO.

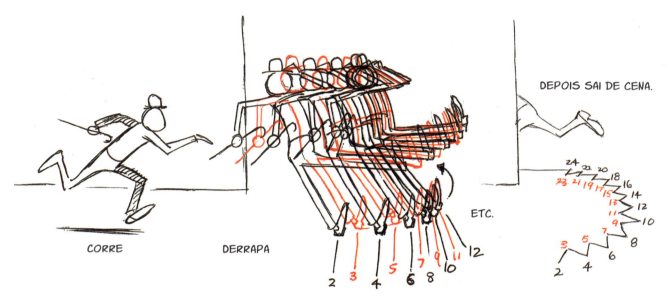

ASSIM COMO UM MOTOCICLISTA, ELE SE INCLINA PARA O CENTRO DA CURVA.

EM ANIMAÇÃO – SE ELE DERRAPA POR UM SEGUNDO – OS PÉS SÃO DESLOCADOS NOS INTERVALOS PARA QUE A DERRAPADA DÊ CERTO.

UM JEITO DE CONSEGUIR ISSO É FAZER UMA SÉRIE DE DESENHOS DE 2 A 24 (NÚMEROS PARES), DEPOIS FAZER OUTRA SÉRIE, LIGEIRAMENTE DESLOCADA, DE 3 A 23 (NÚMEROS ÍMPARES) E DEPOIS INTERCALAR AMBAS. (PARA MAIS INFORMAÇÃO, CONSULTE "VIBRAÇÕES".)

DANÇANDO

PARA TERMINARMOS ESTA SEÇÃO SOBRE PESO, É PRECISO FALAR SOBRE DANÇA. PORQUE A PARTE ESSENCIAL DA DANÇA NÃO É O QUE ESTÁ ACONTECENDO COM OS PÉS, MAS SIM O QUE ESTÁ ACONTECENDO COM O CORPO – O PESO –, AS SUBIDAS E DESCIDAS DO CORPO. KEN HARRIS E ART BABBITT ERAM ESPECIALISTAS EM ANIMAÇÃO DE DANÇA E DIZIAM EXATAMENTE A MESMA COISA: O MAIS IMPORTANTE EM UMA DANÇA SÃO AS SUBIDAS E AS DESCIDAS DO CORPO E DAS MÃOS. É O QUE ESTÁ ACONTECENDO COM O PESO DE UM CORPO, SE MOVENDO PARA CIMA E PARA BAIXO, AO SEGUIR UM RITMO.

SE DEIXARMOS DE FORA OS PÉS E ACERTARMOS AO MENOS AS SUBIDAS E DESCIDAS DO CORPO, PODEREMOS DEPOIS COLOCAR OS PÉS EM QUALQUER PARTE.

VAMOS ACRESCENTAR OS PÉS ACOMPANHANDO O PROJETO DE SUBIDAS E DESCIDAS DO CORPO. O COMPASSO É DE 12 FRAMES.

(FUNCIONA BEM EM DOIS)

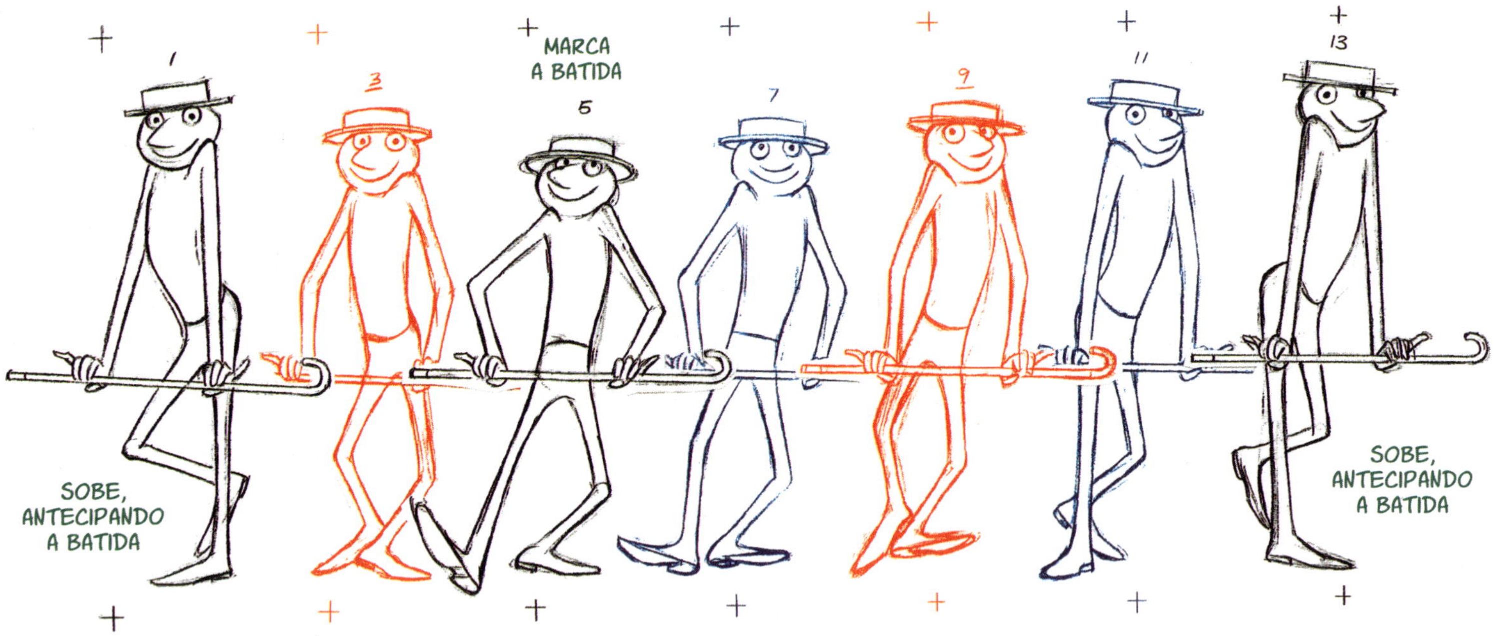

1
3
MARCA
A BATIDA
5
7
9
11
13
SOBE,
ANTECIPANDO
A BATIDA
SOBE,
ANTECIPANDO
A BATIDA

AGORA VAMOS DAR ÊNFASE À SUBIDA, JOGAR O CORPO PARA CIMA E PARA BAIXO E BALANÇAR OS BRAÇOS. O COMPASSO É DE 16 FRAMES POR SEGUNDO. A CADA 4 DESENHOS TEMOS UM EXTREMO. O MOVIMENTO ESTÁ TODO EM UNS, E SÓ PRECISA DE 3 INTERVALOS SIMPLES MAIS OU MENOS DIRETOS ENTRE CADA EXTREMO.

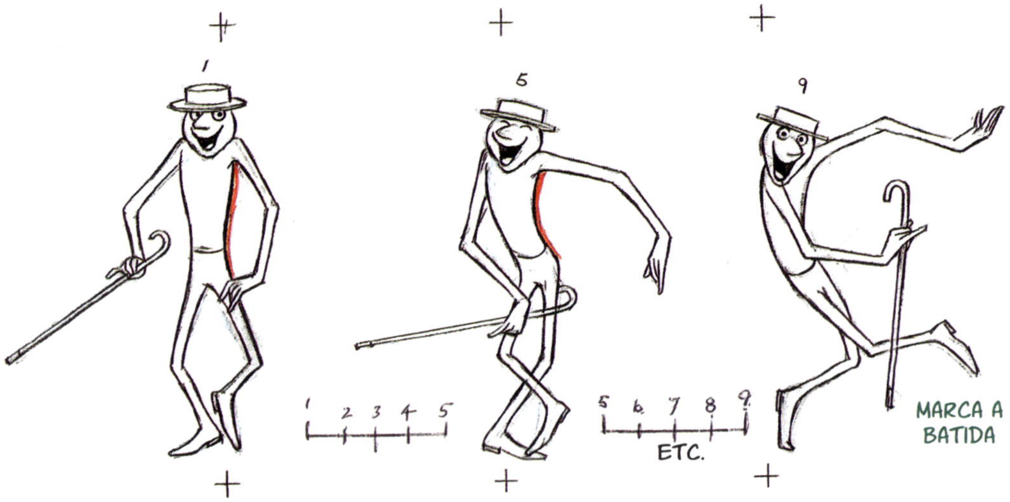

1
5
9
1 2 3 4 5
5 6 7 8 9
ETC.
MARCA A
BATIDA

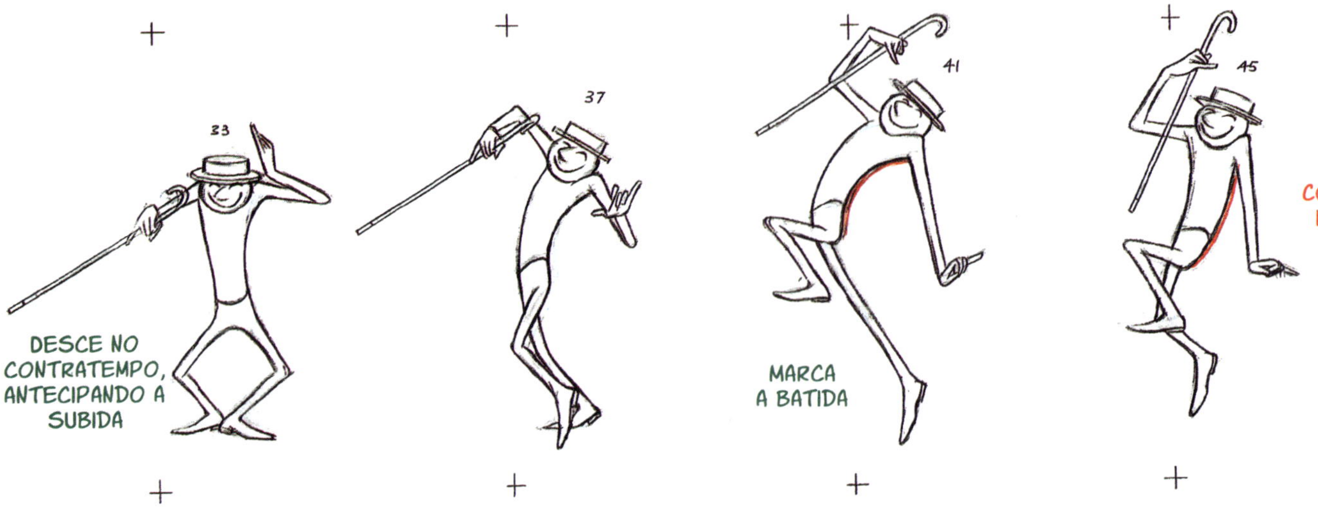

33
37
41
45
DESCE NO
CONTRATEMPO,
ANTECIPANDO A
SUBIDA
MARCA
A BATIDA
COSTAS SE
INVERTEM

EM UMA DANÇA, GERALMENTE O MOMENTO DA BATIDA É O PONTO MAIS BAIXO. SENTIMOS O PESO QUANDO O CORPO DESCE.

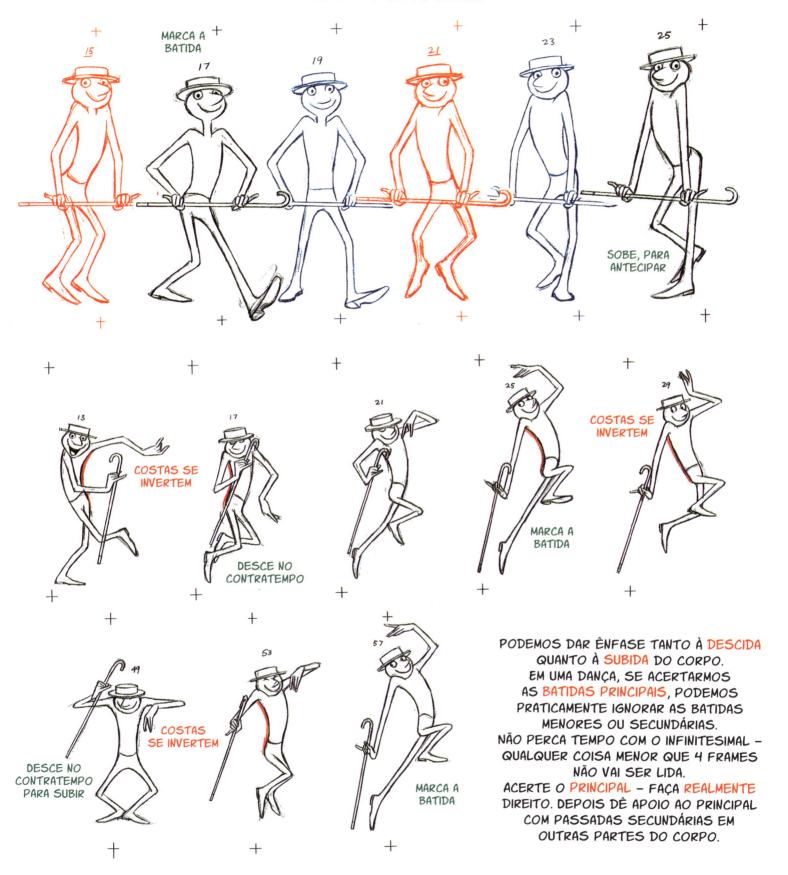

PODEMOS DAR ÊNFASE TANTO À DESCIDA QUANTO À SUBIDA DO CORPO. EM UMA DANÇA, SE ACERTARMOS AS BATIDAS PRINCIPAIS, PODEMOS PRATICAMENTE IGNORAR AS BATIDAS MENORES OU SECUNDÁRIAS.
NÃO PERCA TEMPO COM O INFINITESIMAL – QUALQUER COISA MENOR QUE 4 FRAMES NÃO VAI SER LIDA.
ACERTE O PRINCIPAL – FAÇA REALMENTE DIREITO. DEPOIS DÊ APOIO AO PRINCIPAL COM PASSADAS SECUNDÁRIAS EM OUTRAS PARTES DO CORPO.

QUANDO ALGUÉM DANÇA, PERCEBA A DIREÇÃO DA LINHA DOS OMBROS OPOSTA À LINHA DOS QUADRIS.

PARA A SINCRONIA DE AÇÕES COM UMA BATIDA MUSICAL, EXISTEM DUAS REGRAS GERAIS:

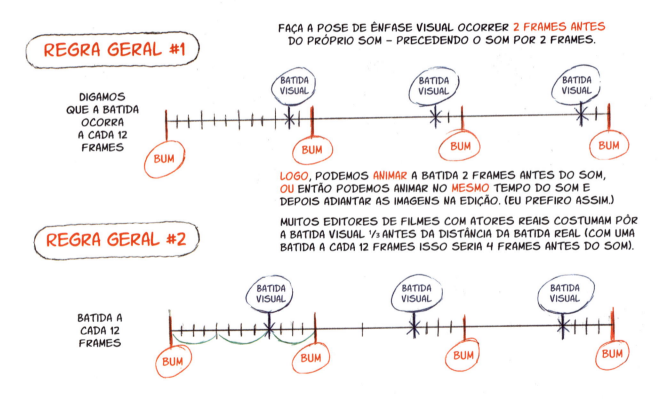

ASSIM COMO NO DIÁLOGO, ACREDITO QUE O MELHOR JEITO É ANIMAR NO MESMO TEMPO DO SOM – DEPOIS AJUSTAR NA EDIÇÃO ATÉ QUE FIQUE CORRETO. ALÉM DISSO, APRENDEMOS AS COISAS DESSE JEITO, JÁ QUE REGRAS GERAIS SÃO SÓ ISSO – REGRAS GERAIS. EXPERIMENTE E VEJA O QUE FUNCIONA MELHOR. TALVEZ SEJA MELHOR UM SÓ FRAME ANTES DO SOM, TALVEZ 2, 3 OU 4. TALVEZ SEJA MELHOR NO MESMO TEMPO. (MAS NUNCA FICA MELHOR DEPOIS.)

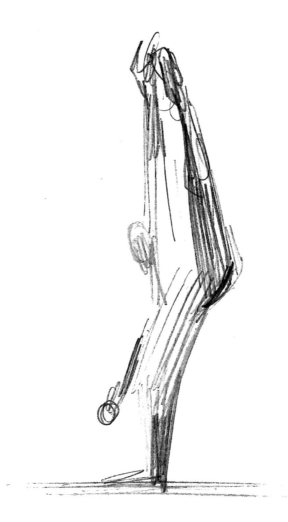

ANTECIPAÇÃO

ALGUÉM AÍ NÃO SABE O QUE ESTE SUJEITO VAI FAZER?

O GRANDE ANIMADOR BILL TYTLA DISSE:

"EXISTEM SOMENTE TRÊS GRANDES COISAS NA ANIMAÇÃO:

> 1 ANTECIPAÇÃO.
> 2 AÇÃO.
> 3 REAÇÃO.

E ESTAS IMPLICAM TODO O RESTO.
APRENDA COMO FAZER DIREITO ESSAS COISAS,
E VOCÊ VAI ANIMAR BEM".

CHARLIE CHAPLIN DISSE:

> 1 DIGA AO PÚBLICO O QUE VOCÊ VAI FAZER.
> 2 FAÇA.
> 3 DIGA-LHES QUE VOCÊ FEZ.

O GRANDE MÍMICO FRANCÊS MARCEL MARCEAU DISSE:

"USE GRANDES ANTECIPAÇÕES"

POR QUÊ? PORQUE **ELAS COMUNICAM O QUE VAI ACONTECER**. O PÚBLICO **VÊ** O QUE VAI ACONTECER – E AO VER A ANTECIPAÇÃO, ELES ANTECIPAM O MOVIMENTO CONOSCO. ELES VÃO CONOSCO.

POR QUÊ? PORQUE PARA QUASE TODA AÇÃO QUE FAZEMOS EXISTE UMA ANTECIPAÇÃO. NÓS PENSAMOS NAS COISAS PRIMEIRO, DEPOIS AS FAZEMOS.
A NÃO SER POR REAÇÕES PRÉ-PROGRAMADAS, COMO MUDAR DE MARCHA EM UM CARRO OU VESTIR UMA ROUPA, NÓS SABEMOS QUE PRIMEIRO PENSAMOS EM ALGO E DEPOIS EXECUTAMOS. QUANTO À FALA, SABEMOS QUE NOSSO CÉREBRO DETERMINA UMA NOÇÃO DO QUE PRETENDE DIZER, E DEPOIS PASSA POR UM PROCESSO BEM COMPLEXO DE SELEÇÕES MUSCULARES PARA ENUNCIAR AS PALAVRAS.

PORTANTO, ANTECIPAÇÃO É A **PREPARAÇÃO** PARA UMA AÇÃO. (E TODOS NÓS RECONHECEMOS QUANDO VEMOS UMA.) A ANTECIPAÇÃO ACONTECE EM QUASE TODA AÇÃO – E CERTAMENTE EM TODAS AS AÇÕES **MAIORES**.

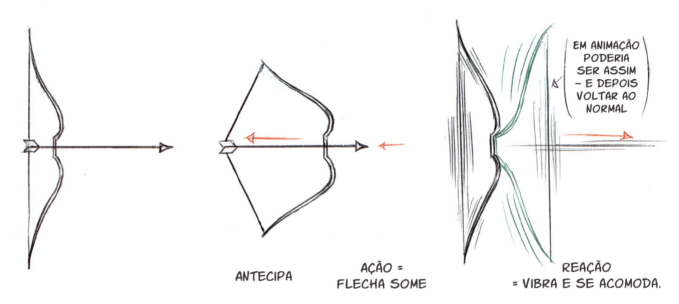

A ANTECIPAÇÃO VAI SEMPRE NA **DIREÇÃO OPOSTA** À QUAL A AÇÃO SE DIRIGE.

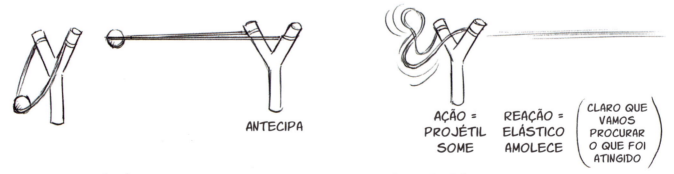

TODA AÇÃO É **INTENSIFICADA** AO SER **PRECEDIDA** POR SEU **OPOSTO**.

274

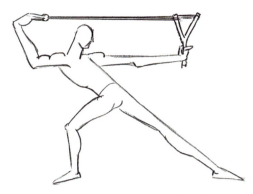

SE A AÇÃO FOR NO CORPO TODO, NOSSA ANTECIPAÇÃO VAI TER UMA TREMENDA FORÇA LATENTE.

GERALMENTE A ANTECIPAÇÃO É MAIS LENTA – MENOS VIOLENTA DO QUE A AÇÃO.
ANTECIPAÇÃO LENTA... ZIP! = AÇÃO RÁPIDA

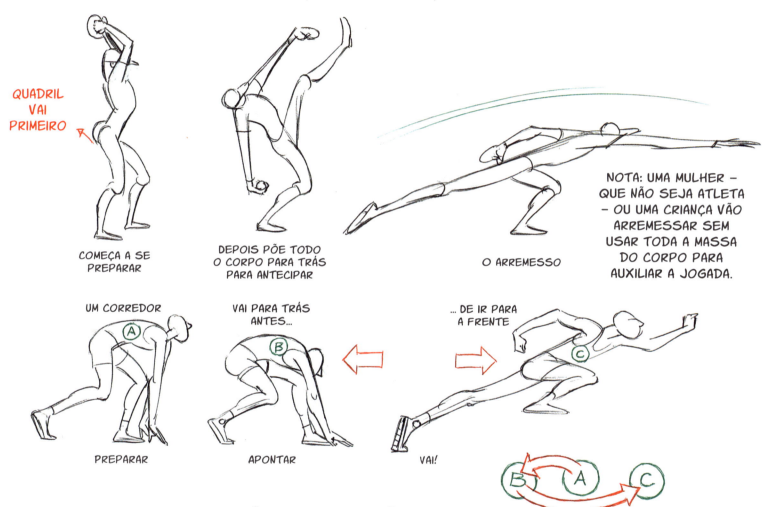

ENTÃO OBTEMOS UMA AÇÃO BEM MAIS FORTE –
QUALQUER AÇÃO PODE SER REFORÇADA SE HOUVER UMA ANTECIPAÇÃO ANTES.

ASSIM   NÓS VAMOS PARA TRÁS ANTES DE IR PARA A FRENTE.
VAMOS PARA A FRENTE ANTES DE IR PARA TRÁS.
VAMOS PARA BAIXO ANTES DE IR PARA CIMA.
VAMOS PARA CIMA ANTES DE IR PARA BAIXO.

A REGRA É: "ANTES DE IRMOS PARA UM LADO – PRIMEIRO VAMOS PARA O OUTRO".

275

CLARO, EM UM PERSONAGEM CARTUNESCO –

VÊ ALGO

ANTECIPA A SAÍDA

PENAS FICAM PARA TRÁS

SEM DESENHOS PARA A SAÍDA – ELE SIMPLESMENTE SE FOI.

A ANTECIPAÇÃO OCORRE COM MOVIMENTOS PEQUENOS E SUTIS. AO SE LEVANTAR DE UMA CADEIRA, UMA PESSOA VAI PARA TRÁS ANTES DE IR PARA A FRENTE, E PARA BAIXO...

... ANTES DE IR PARA CIMA.

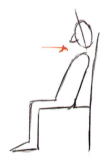
ANTECIPA PARA TRÁS PARA IR PARA A FRENTE

VAI PARA A FRENTE E PARA BAIXO PARA IR

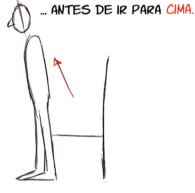
PARA CIMA

ALGUÉM QUE VAI APONTAR

AGORA, TORNANDO A AÇÃO MAIS FORTE –

ANTECIPA DE LEVE

E APONTA DE LEVE

PREPARANDO

CORPO PARA TRÁS DE LEVE

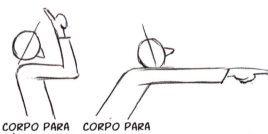
CORPO PARA A FRENTE

IR PARA TRÁS NA DIREÇÃO OPOSTA AMPLIA O RESULTADO.

VEJAMOS ALGO SIMPLES, COMO COMEÇAR UMA CAMINHADA –

NÃO É NATURAL COMEÇAR UMA CAMINHADA COM O PÉ QUE ESTÁ MAIS DISTANTE DA DIREÇÃO PARA ONDE ESTAMOS INDO.

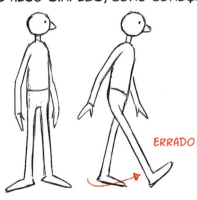
ERRADO

A MANEIRA ÓBVIA DE ELE IR PARA A ESQUERDA É COMEÇAR COM SEU PÉ ESQUERDO.

COMECE A CAMINHADA COM O PÉ QUE ESTÁ MAIS PRÓXIMO DO LADO PARA ONDE VAI.

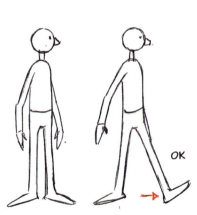
OK

MAS ELE PODERIA **ANTECIPAR** A CAMINHADA COM SEU PÉ DIREITO, ASSIM:

SEU PÉ DIREITO PODERIA **IR PARA TRÁS** COMO ANTECIPAÇÃO

(OU)

ELE PODERIA ANTECIPAR SUA CAMINHADA COLOCANDO O PÉ ESQUERDO PARA TRÁS, A FIM DE LIBERAR O DIREITO PARA DAR O PASSO À FRENTE.

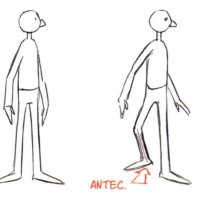
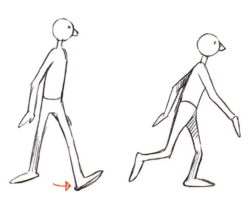
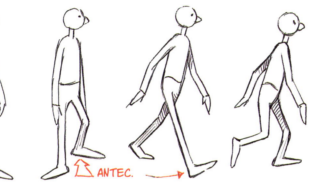
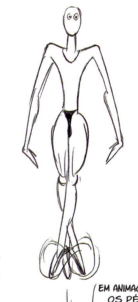

NO BALÉ, UM *PLIÉ* É UMA ANTECIPAÇÃO ANTES DE SALTAR NO AR E FAZER UM *ENTRECHAT* = ENTRELAÇAR REPETIDAMENTE OS PÉS.

VAMOS — **PARA BAIXO** ANTES DE IR **PARA CIMA**

(EM ANIMAÇÃO, OS PÉS PODEM FAZER UMA FORMA DE 8)

UM HOMEM EM UM TRAMPOLIM –

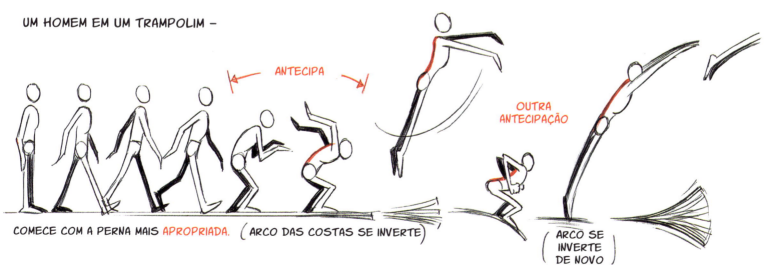

ANTECIPA

OUTRA ANTECIPAÇÃO

COMECE COM A PERNA MAIS **APROPRIADA**. (ARCO DAS COSTAS SE INVERTE)

(ARCO SE INVERTE DE NOVO)

277

COM AÇÕES MENORES — POR EXEMPLO, UMA MÃO ESCREVENDO:

É PERFEITAMENTE CLARO O QUE ESTÁ ACONTECENDO

MAS SE SIMPLESMENTE ACRESCENTARMOS UMA ANTECIPAÇÃO **PARA CIMA** ANTES QUE ELA ESCREVA, SENTIMOS QUE A PESSOA ESTÁ **PENSANDO**.

OU PODEMOS USAR GESTOS TEATRAIS BEM EXTRAVAGANTES COMO ANTECIPAÇÃO. DIGAMOS QUE UMA MULHER DO MUNDO DOS ESPETÁCULOS VAI COLOCAR A MÃO NO QUADRIL —

(EM FORMATO DE 8)

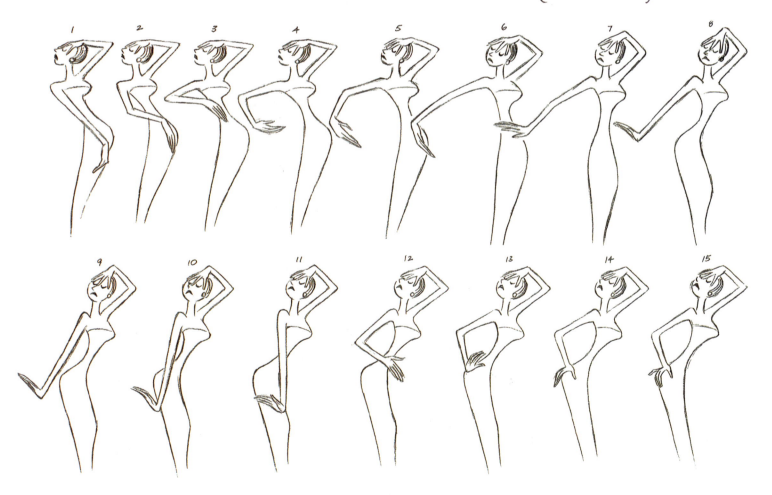

SE ALGUÉM VAI GOLPEAR OUTRA PESSOA, VAI ANTECIPAR O MOVIMENTO PARA TRÁS ANTES DE LEVAR O BRAÇO À FRENTE.

A ANTECIPAÇÃO NOS DIZ EXATAMENTE O QUE ESTÁ PARA ACONTECER.

NOS PRIMÓRDIOS DA ANIMAÇÃO, O CONTATO ERA COMO ATINGIR UM PUDIM –

O "IMPACTO" GERALMENTE DURAVA 4 FRAMES.

GRIM NATWICK DISSE:

"NA DISNEY, APRENDI COMO DESFERIR UM SOCO COM ART BABBITT. ART DIZIA, 'EU NEM SEQUER MOSTRO A MÃO ATINGINDO O QUEIXO. MOSTRO A MÃO DEPOIS QUE ELA PASSOU PELO QUEIXO E ELE SAIU DO LUGAR'".

HOJE MOSTRAMOS SOMENTE O RESULTADO.

NÃO HÁ PONTO DE CONTATO.

DEIXAMOS DE FORA O CONTATO E MOSTRAMOS A MÃO JÁ ALÉM DO PONTO DE IMPACTO = 10 VEZES MAIS FORÇA.

KEN HARRIS ME DISSE QUE ERA ISSO MESMO O QUE SE FAZIA NOS VELHOS FILMES DE FAROESTE. NA EDIÇÃO, ELES CORTAVAM OS FRAMES DE "PONTO DE CONTATO" E MOSTRAVAM SÓ O RESULTADO DO GOLPE, E ISSO AMPLIAVA TREMENDAMENTE O IMPACTO. PORTANTO, COLOCAMOS O MOMENTO DO GOLPE QUANDO O PUNHO JÁ PASSOU DO ROSTO – QUANDO O PERSONAGEM ESTÁ DESLOCADO E O BRAÇO JÁ FEZ SEU BALANÇO COMPLETO. NÓS SENTIMOS O IMPACTO, A FORÇA DO DESLOCAMENTO.

NOVAMENTE,

A ANTECIPAÇÃO É QUANDO NOS PREPARAMOS PARA UMA AÇÃO. NÓS TRANSMITIMOS O QUE VAMOS FAZER.
O ÚNICO PROBLEMA COM AS ANTECIPAÇÕES É QUE ELAS PODEM FICAR BEM BANAIS.
O PÚBLICO VAI PENSAR "AH, SIM, EU SEI, AGORA VOCÊ VAI FAZER ISSO E ISSO... QUE TÉDIO...".
POR ISSO O GRANDE LANCE É FAZER ALGO DIFERENTE – UMA SURPRESA –, QUE PODE SER BEM ENGRAÇADA (OU CHOCANTE). SÓ NÃO FAÇA O QUE É ESPERADO.

PODEMOS DIZER QUE A ANTECIPAÇÃO É UMA **EXPECTATIVA** DO QUE VAI OCORRER. O PÚBLICO **ESPERA** QUE ALGO ACONTEÇA ANTES DE REALMENTE ACONTECER.
UM EFEITO CÔMICO SURPRESA FUNCIONA QUANDO O PÚBLICO LÊ A EXPECTATIVA, ESPERA QUE DETERMINADA COISA ACONTEÇA, E AÍ ACONTECE OUTRA BEM DIFERENTE —

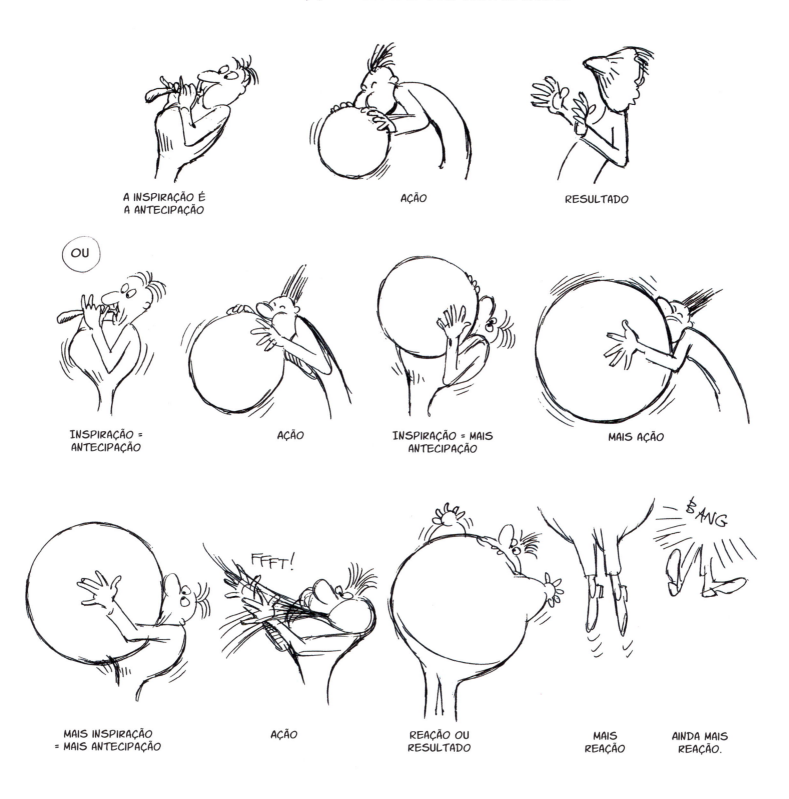

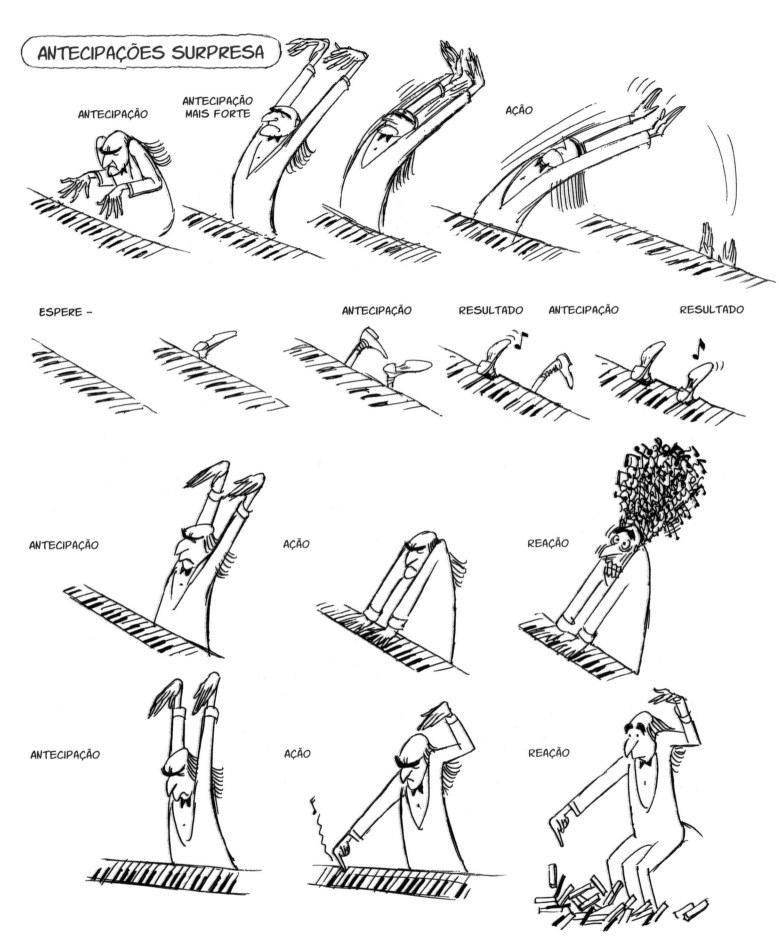

ANTECIPAÇÕES INVISÍVEIS

UMA MANEIRA DE SE OBTER A "VIVACIDADE" DE QUE OS ANIMADORES TANTO FALAM É ASSIM:
DIGAMOS QUE UM PERSONAGEM VÊ ALGO LIGEIRAMENTE SURPREENDENTE E ESTICA O ROSTO DE LEVE –

ACRESCENTAMOS UMA ANTECIPAÇÃO BEM RÁPIDA – SÓ 1 OU 2 DESENHOS NA DIREÇÃO OPOSTA ÀQUELA PARA ONDE QUEREMOS IR. É RÁPIDO DEMAIS PARA O OLHO ENXERGAR – DURA SÓ 1 OU 2 FRAMES. É INVISÍVEL AO OLHO, MAS NÓS SENTIMOS O QUE ACONTECE. ISSO É O QUE DÁ A VIVACIDADE.

DIGAMOS QUE UM GOLEIRO VAI PARAR UMA BOLA SOMENTE COM UM FLOREIO CIRCULAR DO PÉ –

CLARO, O PRÓPRIO FLOREIO JÁ É UMA ANTECIPAÇÃO DO GESTO DE PEGAR A BOLA.

283

ESTE RECURSO CONFERE UM CHARME EXTRA À AÇÃO, AO ANTECIPAR DE FORMA QUASE INVISÍVEL QUALQUER AÇÃO. É O MESMO QUE UMA ANTECIPAÇÃO "NATURAL" – É SÓ IR NA DIREÇÃO OPOSTA PRIMEIRO – MAS POR APENAS 1, 2 OU 3 FRAMES.

UM JOGADOR DE BEISEBOL, DEPOIS DE PEGAR UMA BOLA, PODE ANDIANTAR A ANTECIPAÇÃO DE SEU ARREMESSO POR APENAS 2 FRAMES –

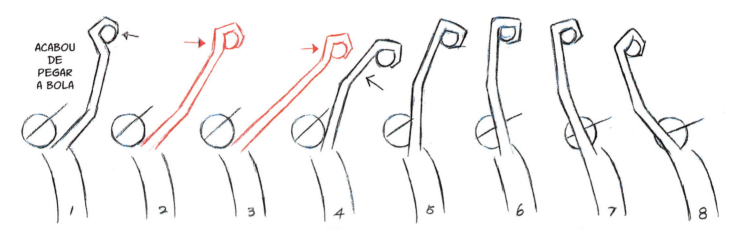

ANTECIPA PARA A FRENTE POR 2 FRAMES – AGORA VAI PARA TRÁS PARA A ANTECIPAÇÃO "NORMAL" –

CONCLUSÃO:

SEMPRE QUE POSSÍVEL, DEVEMOS TENTAR ENCONTRAR UMA ANTECIPAÇÃO (OU ANTECIPAÇÕES) ANTES DA AÇÃO.

    BILL TYTLA DISSE: "SEJA SIMPLES.
                                      SEJA DIRETO.
                                      SEJA CLARO"

                E   "SEJA BEM SIMPLES.
                     FAÇA UMA AFIRMAÇÃO –
                     E LEVE-A A CABO – DE FORMA SIMPLES".

    LOGO,

1. NÓS ANTECIPAMOS A AÇÃO,
2. EXECUTAMOS,
3. E MOSTRAMOS QUE FIZEMOS.

NATURALMENTE, A ANTECIPAÇÃO NOS LEVA DIRETO PARA AS "SURPRESAS" E "ÊNFASES".

SURPRESAS E ÊNFASES

UMA "SURPRESA" É A ANTECIPAÇÃO DE UMA ÊNFASE QUE EM SEGUIDA SE ACOMODA.

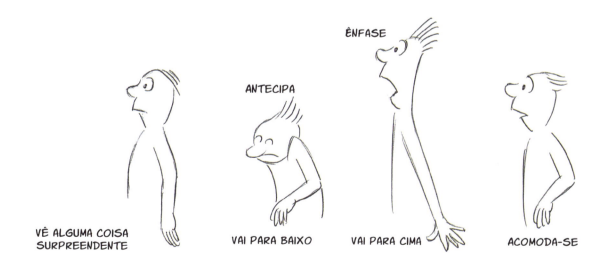

ESSE É O PADRÃO BÁSICO DE UMA "SURPRESA" EM DESENHO ANIMADO.

A SEGUIR, VEREMOS ALGUMAS FÓRMULAS E VARIAÇÕES DE SURPRESAS FEITAS EM HOLLYWOOD NOS ANOS 1930 E 1940...

MAS JÁ QUE ESTAMOS COM A MÃO NA MASSA, PODEMOS REFORÇAR A SURPRESA, ADICIONANDO UMA LEVE ANTECIPAÇÃO PARA CIMA — MOMENTO EM QUE O PERSONAGEM FOCALIZA A ATENÇÃO — ANTES DA ANTECIPAÇÃO PARA BAIXO:

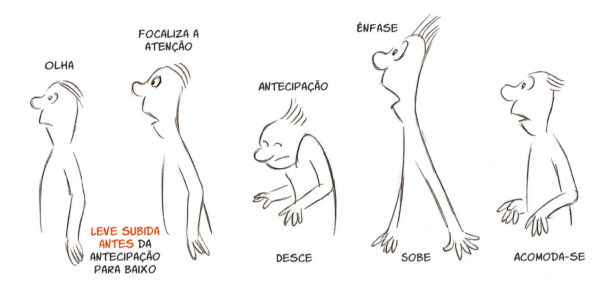

EIS UMA FÓRMULA PARA UMA SURPRESA SIMPLES, COM SUBIDAS E DESCIDAS: (DURA 1 PÉ DE FILME = $2/3$ DE UM SEGUNDO)

(ESTE É UM *TIMING* TÍPICO DA DISNEY)

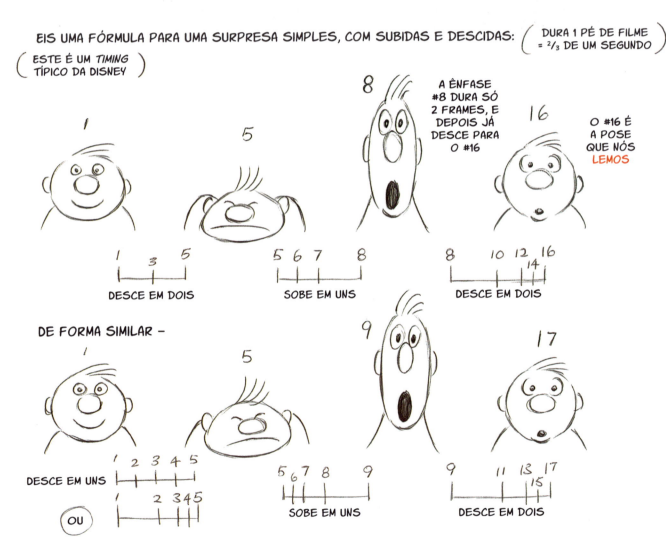

286

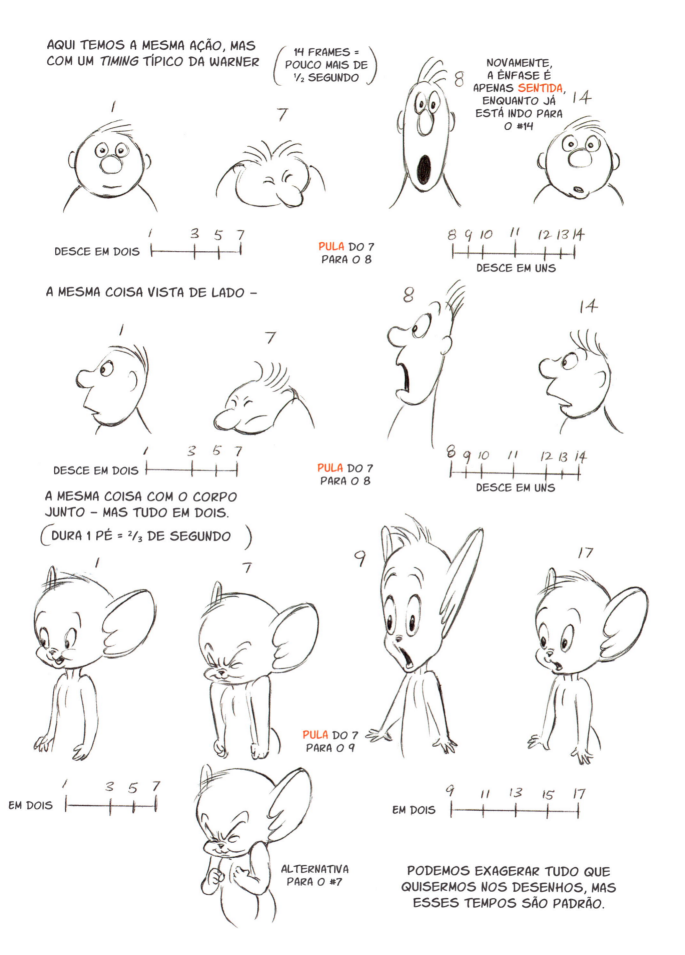

EIS AQUI UMA AÇÃO SIMILAR: OS GRÁFICOS SÃO OS MESMOS DO RATINHO, TODOS EM DOIS –

MAIS UMA VEZ, A ÊNFASE DO #9 É SENTIDA, COMO UM CHOQUE ELÉTRICO, E JÁ ESTÁ DE DESCIDA PARA O #17

EM DOIS

PULA DO 7 PARA O 9

ESSAS SÃO FÓRMULAS CONSAGRADAS, MAS PODEMOS COMEÇAR A USAR MAIS CRIATIVIDADE –

VAMOS TENTAR UMA QUE DURE MAIS DE UM PÉ (19 FRAMES)

MANTENHA OLHOS E BOCA FECHADOS ATÉ A ÊNFASE NO #11

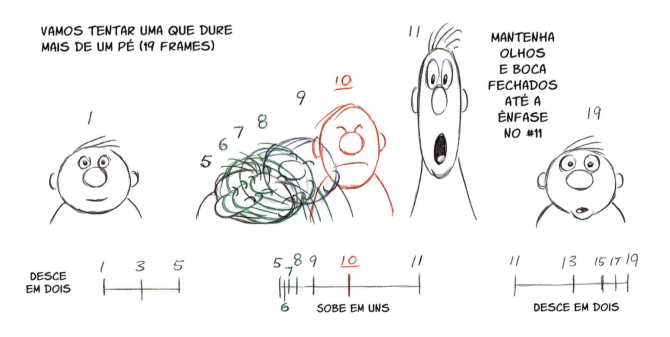

DESCE EM DOIS

SOBE EM UNS

DESCE EM DOIS

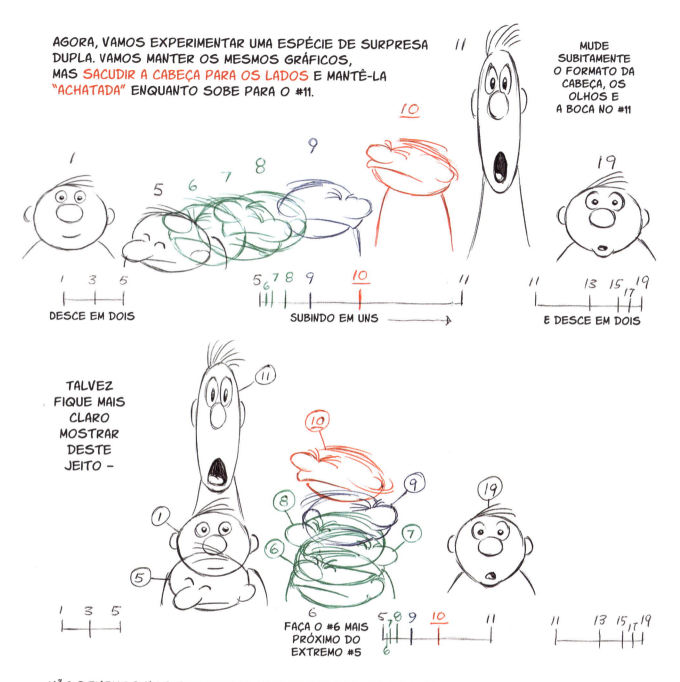

NÃO DEVEMOS NOS PREOCUPAR COM DESENHOS OU IMAGENS DISTORCIDOS. FILMES COM ATORES REAIS TÊM FRAMES QUE SÃO TERRIVELMENTE DISTORCIDOS.

MAS DEVEMOS SEMPRE LEMBRAR QUAL É O VOLUME ORIGINAL DO PERSONAGEM – E NUNCA ALONGAR OU ACHATAR ESQUECENDO ESSE VOLUME – OU O PERSONAGEM VAI MUDAR DE TAMANHO COM O PASSAR DOS FRAMES.

MILT KAHL DISSE: "EU MANTENHO A MESMA QUANTIDADE DE CARNE EM UMA SURPRESA".

NÃO DEVEMOS TEMER DISTORÇÕES NO INTERIOR DE UMA AÇÃO. NOSSOS DESENHOS OU IMAGENS PODEM PARECER ESTRANHOS, MAS SÓ VEMOS MESMO AS POSES INICIAIS E FINAIS. NÓS SENTIMOS AS DISTORÇÕES INTERNAS, E ISSO É O QUE CONTA.
FILMES COM ATORES REAIS CONTÊM ENORMES DISTORÇÕES E INCLINAÇÕES, E NÓS PODEMOS IR AINDA MAIS LONGE –

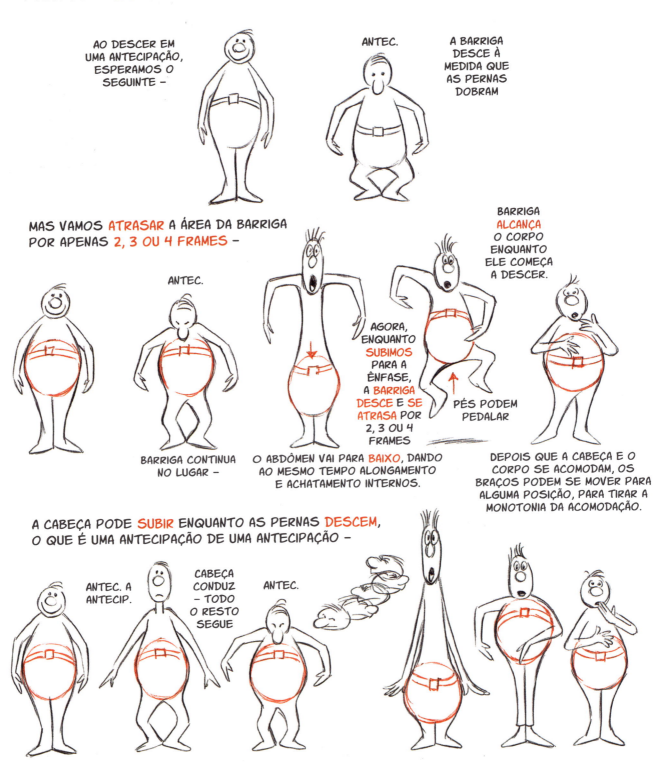

É DESSE MODO QUE TEX AVERY FAZIA SUAS SURPRESAS DELIRANTES E INSANAS, EXPANDINDO UMA SÉRIE DE AÇÕES COMBINADAS – ATRASANDO PARTES, MUITAS VEZES SÓ POR 2 FRAMES. UMA SÉRIE DE AÇÕES = UM RESULTADO CUMULATIVO.

ART BABBITT TINHA UM EXCELENTE RECURSO DE EMBELEZAMENTO PARA AS MÃOS AO FIM DE UMA SURPRESA – DO QUAL MUITOS ANIMADORES FIZERAM USO.

DEPOIS DA SURPRESA, QUANDO O PERSONAGEM ESTÁ VOLTANDO AO NORMAL (E SE TIVERMOS TEMPO PARA ISSO), FAÇA OS BRAÇOS GIRAREM EXAGERADAMENTE – EM UNS – BEM RÁPIDO.

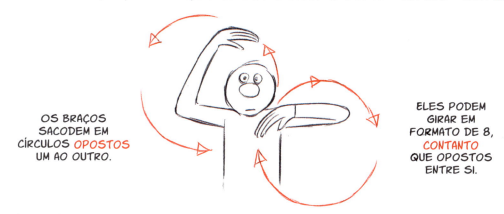

OS BRAÇOS SACODEM EM CÍRCULOS OPOSTOS UM AO OUTRO.

ELES PODEM GIRAR EM FORMATO DE 8, CONTANTO QUE OPOSTOS ENTRE SI.

O BRAÇO ESQUERDO FAZ O MESMO QUE O DIREITO – MAS COMEÇA MAIS TARDE – E VAI NA DIREÇÃO CONTRÁRIA.

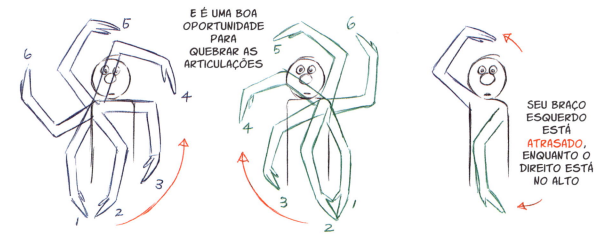

E É UMA BOA OPORTUNIDADE PARA QUEBRAR AS ARTICULAÇÕES

SEU BRAÇO ESQUERDO ESTÁ ATRASADO, ENQUANTO O DIREITO ESTÁ NO ALTO

OUTRO PEQUENO REFINAMENTO – OS BRAÇOS PODEM FICAR ESBARRANDO NO CHAPÉU:

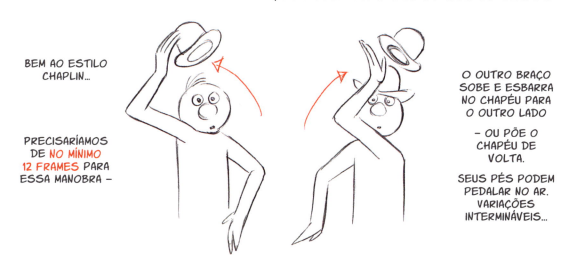

BEM AO ESTILO CHAPLIN...

PRECISARÍAMOS DE NO MÍNIMO 12 FRAMES PARA ESSA MANOBRA –

O OUTRO BRAÇO SOBE E ESBARRA NO CHAPÉU PARA O OUTRO LADO

– OU PÕE O CHAPÉU DE VOLTA.

SEUS PÉS PODEM PEDALAR NO AR. VARIAÇÕES INTERMINÁVEIS...

UMA BOA IDEIA É PROCURAR AQUELE BREAKDOWN EXTRA –
DIGAMOS QUE UM HOMEM VÊ ALGO REVOLTANTE E GRITA "O QUÊÊÊÊÊÊ?!!"

ISSO JÁ DÁ CONTA DO SERVIÇO, MAS VAMOS PROCURAR UM OUTRO BREAKDOWN – OUTRA POSE QUE REFORCE A AÇÃO E NOS DÊ MAIS "MUDANÇA", MAIS VITALIDADE:

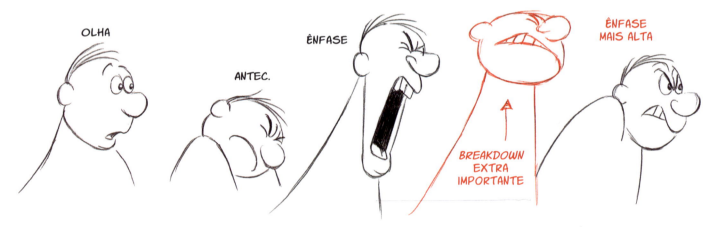

ASSIM, PROCURAMOS INSERIR ALGO QUE PROPORCIONE MAIS MUDANÇAS DE FORMA DENTRO DA AÇÃO. VAMOS PROPOR MAIS UMA. FAÇA-O ERGUER A CABEÇA ANTES DE DESCER PARA A ANTECIPAÇÃO:

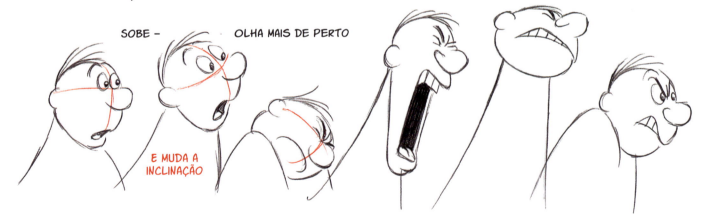

TALVEZ ESTEJAMOS CORRENDO O RISCO DE CAIR NO EXCESSO DE ANIMAÇÃO – NO ÓTIMO QUE É INIMIGO DO BOM –, MAS SEMPRE VALE A PENA VER SE HÁ OUTRA POSE TRANSITÓRIA QUE TRAGA MAIS CONTRASTE, MAIS MUDANÇA NO INTERIOR DA AÇÃO. (MAIS UMA VEZ, NÃO HÁ NADA COMO EXPERIMENTAR.)

TER ANTECIPAÇÕES DEMAIS PODE RESULTAR EM BANALIDADE, E SURPRESAS EXAGERADAS NÃO SÃO SEMPRE NECESSÁRIAS.

SÓ PARA CONTRARIAR TODAS ESSAS SUBIDAS, DESCIDAS E GIROS ALUCINADOS, UMA DAS SURPRESAS MAIS PODEROSAS QUE VI FOI EM UM FILME COM BASIL RATHBONE COMO VILÃO. ELE ESTÁ EXATAMENTE NO MEIO DA TELA, RECEBENDO DE UM ASSISTENTE UMA INFORMAÇÃO QUE O DEIXA CHOCADO.

HÁ VÁRIAS AÇÕES ACONTECENDO ATRÁS DELE E AO SEU REDOR, AS QUAIS PODERIAM DESVIAR NOSSA ATENÇÃO, MAS AINDA ASSIM SUA SURPRESA SALTA AOS OLHOS. ELE MAL SE MOVE UM CENTÍMETRO, E MESMO ASSIM VOCÊ REALMENTE VÊ O QUE ELE FEZ! NÃO HÁ DESCIDA DE ANTECIPAÇÃO NEM ÊNFASE ALONGADA. PARTE DO MOTIVO PELO QUAL PERCEBEMOS A AÇÃO É QUE SUA CABEÇA ESTÁ PARADA NO MEIO DA TELA (O "SAGRADO" OVAL CENTRAL). SUA CABEÇA SOBE EM UM MOVIMENTO CURTO E SÚBITO, QUE DEPOIS AMORTECE UM POUCO PARA TRÁS.

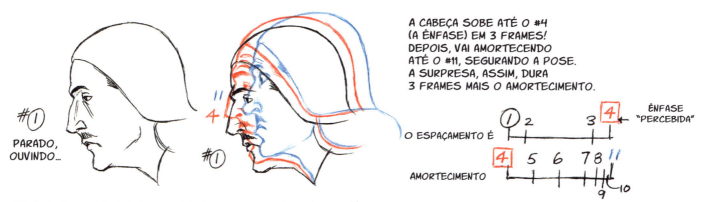

SE DEFINIRMOS A SURPRESA COMO UM MOVIMENTO ENÉRGICO QUE EXPRESSA SUSTO OU UMA REAÇÃO, VEMOS QUE O PERSONAGEM CONSEGUIU SE EXPRESSAR SEM NENHUM DE NOSSOS RECURSOS DE ANIMAÇÃO. MUITO EMBORA ESSES RECURSOS SEJAM ÚTEIS, A VIDA NÃO SEGUE NOSSAS CONVENIENTES FÓRMULAS DE ANIMAÇÃO. (É SÓ ESTUDAR QUALQUER AÇÃO AO VIVO.) ACERTAR AS ÊNFASES FOI A TAREFA QUE ME DEU MAIS TRABALHO NA ANIMAÇÃO. EU REALMENTE TIVE DE ME ESFORÇAR PARA ISSO — SE ERA UMA ÊNFASE SUAVE COM A CABEÇA OU O CORPO, OU UMA ÊNFASE ABRUPTA, SÚBITA, DE UMA MÃO OU UM DEDO. E MAIS, POR QUANTO TEMPO DEVERIA SEGURAR A POSE DA MÃO PARA QUE FOSSE LIDA?

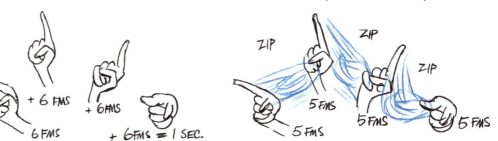

EXPERIMENTE APONTAR 4 VEZES EM UM SEGUNDO = 4 ÊNFASES. É BEM DIFÍCIL DE FAZER. 4 POSES ESTÁTICAS DE 6 FRAMES CADA — E COMO IR DE UMA A OUTRA? ENFIM, DESCOBRI QUE VOCÊ PRECISA DE 6 FRAMES PARA LER QUALQUER ÊNFASE.

TEX AVERY DIZIA QUE ERAM 5 FRAMES. VOCÊ PRECISA DESSE MÍNIMO DE FRAMES PARA LER UMA POSE ESTÁTICA. AS AÇÕES DE TEX ERAM TÃO RÁPIDAS QUE ACHO QUE ISSO FUNCIONAVA COMO PAUSA SUFICIENTE EM UM CONTEXTO DE TANTA VELOCIDADE.

293

POR FIM, EU ENTENDI TUDO – E COMO DE COSTUME, O SEGREDO ATÉ QUE É BEM SIMPLES! BASTA COMPREENDER A DIFERENÇA ENTRE UMA ÊNFASE ABRUPTA E UMA ÊNFASE SUAVE.

UMA ÊNFASE ABRUPTA SOFRE UM RECUO – ELA VAI E VOLTA:

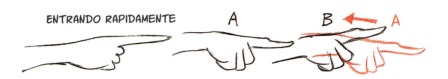

EXPERIMENTE APONTAR O DEDO BEM DE SUPETÃO – ELE VAI RECUAR DEPOIS DE CHEGAR AO FIM, OU VAI SUBIR E DESCER OU SACUDIR UM POUCO. NÃO VAI FICAR ESTÁTICO.

E UMA ÊNFASE SUAVE CONTINUA O SEU CAMINHO.

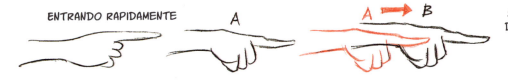

SE APONTARMOS MAIS DELICADAMENTE, A MÃO VAI DESACELERANDO ATÉ PARAR.

COM UMA ÊNFASE ABRUPTA:
SE GOLPEARMOS UMA BIGORNA COM UMA MARRETA DE AÇO, ELA OBVIAMENTE NÃO SERÁ AFETADA PELA MARRETA E, DEPOIS QUE ESTA DESCER, VAI QUICAR DE VOLTA.

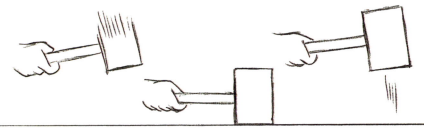

ESTE RECUO É A ÊNFASE. O SOM ESTÁ AQUI. 1 FRAME DEPOIS DO IMPACTO É QUANDO TEMOS O SOM.

CONTATO POR 1 FRAME — E IMEDIATAMENTE QUICA DE VOLTA — (E DESACELERA ATÉ UMA POSE ESTÁTICA)

O MESMO COM UM MARTELO GOLPEANDO UM PREGO – A ÊNFASE NÃO É QUANDO O MARTELO ESTÁ EM CONTATO COM O PREGO.

 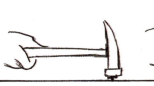

NOVAMENTE, O SOM ESTÁ NO MOMENTO DO RECUO – UM FRAME DEPOIS DO CONTATO.

NÃO ASSIM — NEM MESMO ASSIM — ESTA SIM

UMA ÊNFASE SUAVE VAI CONTINUAR INDO EM FRENTE. PENSE NO MAESTRO DE UMA ORQUESTRA CONDUZINDO O COMPASSO DE UMA VALSA –

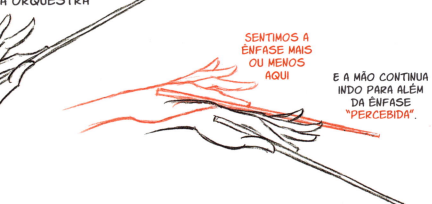

SENTIMOS A ÊNFASE MAIS OU MENOS AQUI

E A MÃO CONTINUA INDO PARA ALÉM DA ÊNFASE "PERCEBIDA".

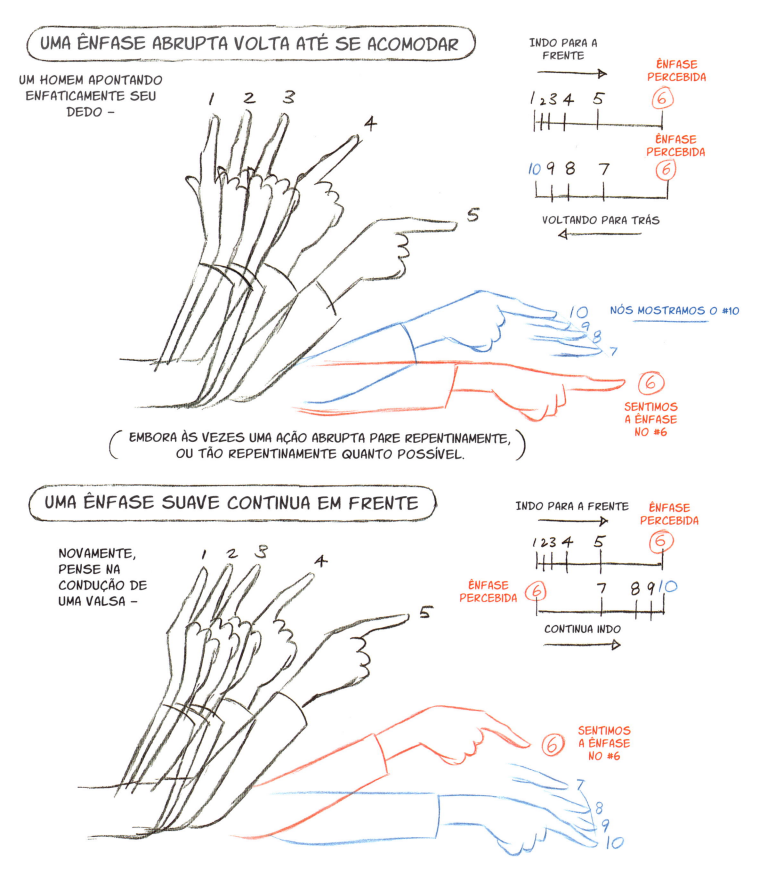

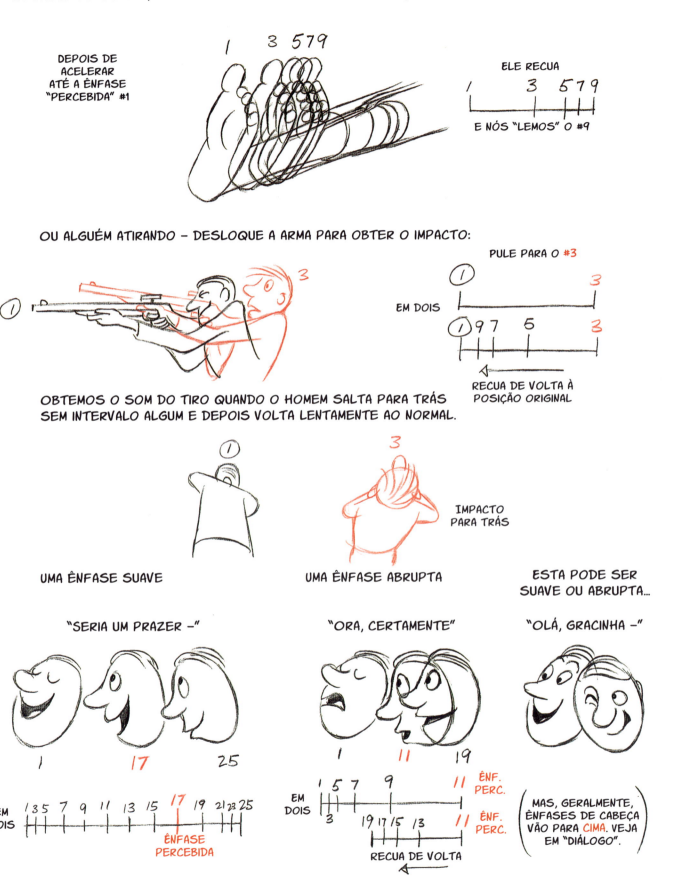

USO DO TEMPO EM TREMULAÇÕES, ONDULAÇÕES E CHICOTADAS

TEMOS NAS MÃOS A ARTE QUE MAIS LIVREMENTE PODE JOGAR COM O TEMPO.

NÓS NÃO PRECISAMOS USAR O TEMPO NORMAL. PODEMOS IR MUITO RÁPIDO, E OBTER HUMOR ESPÁSTICO E ATIVIDADE FRENÉTICA, OU BEM DEVAGAR, E OBTER BELEZA E DIGNIDADE.

ANOS ATRÁS, UM CIENTISTA AMIGO MEU MOSTROU-ME UM FILME QUE ELE FEZ AO REDOR DO MUNDO SOBRE HOMENS E ANIMAIS – NENHUM MOMENTO FILMADO EM VELOCIDADE NORMAL. TUDO FOI INTENCIONALMENTE GRAVADO MUITO RÁPIDO OU MUITO DEVAGAR. ELE MOSTRAVA ELEFANTES CORRENDO COMO RATOS E VICE-VERSA, PESSOAS EM RITUAIS RELIGIOSOS DANDO VOLTAS COMO SE BRINCASSEM DE PIQUE, CASAIS SE BEIJANDO EM CÂMERA LENTA, ETC. DEPOIS DE UMA HORA DISSO, SUA MENTE VIRAVA PELO AVESSO – GANHAVA ALGO COMO UM PONTO DE VISTA DIVINO SOBRE O TEMPO E AS AÇÕES.

HAVIA UMA CENA DE UM MENDIGO EM UM BANCO DE PARQUE COLOCANDO UM PALITO DE FÓSFORO ATRÁS DA ORELHA. FOI FILMADA EM CÂMERA RELATIVAMENTE LENTA, 30 OU 32 FRAMES POR SEGUNDO. ENQUANTO ELE GESTICULAVA COM O PALITO NOS DEDOS, ERA POSSÍVEL VER OS MÚSCULOS DE SEU ROSTO ONDULAREM DE PRAZER, ALGO QUE NUNCA SERIA VISÍVEL EM VELOCIDADE NORMAL. ESTRANHO, MAS IRRESISTÍVEL DE ASSISTIR.

DESDE ENTÃO EU SEMPRE EVITEI O TEMPO NORMAL. PROCURO SEMPRE IR UM POUCO MAIS RÁPIDO E DEPOIS MUDAR PARA UM POUCO MAIS DEVAGAR – COMBINE OS DOIS. PROCURE A MUDANÇA, OS CONTRASTES. O LENTO CONTRA O VELOZ. CONTINUE MUDANDO DE UM PARA O OUTRO. É DIFÍCIL DE DETECTAR, MAS FASCINANTE DE VER.

TEMPO DAS TREMULAÇÕES

EXISTEM VÁRIAS MANEIRAS DE TREMULAR DESENHOS PARA LÁ E PARA CÁ A FIM DE FAZER COISAS SACUDIREM OU VIBRAREM, FAZER MÃOS TREMEREM OU AJUDAR COM GARGALHADAS OU CHOROS.
CRIAMOS UMA SÉRIE DE DESENHOS DE AÇÃO NORMAL E OS INTERVALAMOS PARA A FRENTE E PARA TRÁS EM CAMINHOS DIFERENTES, PARA FAZÊ-LOS SACUDIR E ESTREMECER.

A FORMA MAIS SIMPLES DE TREMULAÇÃO É ESTA:

TOMEMOS UMA FOLHA EM UMA ÁRVORE, BATENDO AO VENDO...

O #1 E O #9 SÃO OS 2 EXTREMOS, E NÓS SÓ FAZEMOS 7 INTERVALOS IGUALMENTE ESPAÇADOS

A SEGUIR, APLICAMOS OS DESENHOS À FOLHA DE EXPOSIÇÃO E, EM VEZ DO HABITUAL –

1 / 2 / 3 / 4 / 5 / 6 / 7 / 8 / 9

– NÓS PULAMOS UM E VAMOS PARA A FRENTE, DEPOIS VOLTAMOS, ETC. –

1 / 3 / 2 / 4 / 3 / 5 / 4 / 6 / 5 / 7 / 6 / 8 / 7 / 9

OU PULAMOS ALGUNS QUADROS PARA A FRENTE E PARA TRÁS PARA UM EFEITO MAIS VIOLENTO:

1 / 5 / 4 / 2 / 7 / 4 / 3 / 9 / 1 / 5 / 4 / 9

E NÃO NOS LIMITAMOS SOMENTE A ISSO. PARA OBTER VARIEDADE, SEGURAMOS ALGUNS DESENHOS POR DOIS OU TRÊS QUADROS E OUTROS POR UM. É UMA EXPOSIÇÃO IRREGULAR – E DEPENDE DE QUÃO VIOLENTA QUEREMOS QUE SEJA.

1 / 3 / 2 / 5 / 4 / 6 / 9 / 7 / 8

VIBRAÇÕES TAMBÉM FUNCIONAM BEM EM DOIS:

1 / 3 / 2 / 4 / 3 / 5 / 4

QUALQUER COMBINAÇÃO PODE FUNCIONAR. ESSE É O PRINCÍPIO DA EXPOSIÇÃO TREMULADA.

OUTRA MANEIRA:
TOMEMOS UM TRAMPOLIM VIBRANDO DEPOIS QUE O MERGULHADOR SALTOU – FAZEMOS #1, #9 E #17

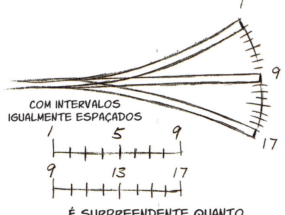

COM INTERVALOS IGUALMENTE ESPAÇADOS

É SURPREENDENTE QUANTO PODEMOS REPETIR CADA EXTREMIDADE, DO #1 AO #17. DEPOIS, ELE DESACELERA ATÉ PARAR.

1 / 17 / 2 / 16 / 3 / 15 / 4 / 14 / 5 / 13 / 6 / 12 / 7 / 11 / 8 / 10 / 9 / etc.

CLARO QUE PODEMOS FAZER POSES DE PASSAGEM MAIS FLEXÍVEIS ENTRE OS EXTREMOS

MAS VAI FUNCIONAR BEM DE QUALQUER JEITO.

ESSAS SÃO AS VIBRAÇÕES QUE A MAIORIA DOS ANIMADORES USA – POR FALTA DE NOME MELHOR, VOU CHAMÁ-LAS DE VIBRAÇÕES "PARA CIMA E PARA BAIXO" OU "PARA A FRENTE E PARA TRÁS".

ELAS PODEM SER USADAS NO RISO OU NO CHORO: OU AO TREMER DE FRIO:

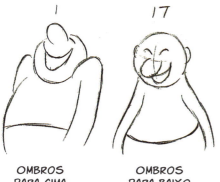

OMBROS PARA CIMA   OMBROS PARA BAIXO   OMBROS PARA CIMA   OMBROS PARA BAIXO

SIMPLESMENTE PORQUE OS EXTREMOS DA CABEÇA ESTÃO PRÓXIMOS UM DO OUTRO E OS DAS PERNAS, AFASTADOS, OBTEMOS UMA VARIEDADE DE ESPAÇAMENTO NA AÇÃO.

O ÚNICO PROBLEMA COM ESSE MÉTODO É QUE ELE TENDE A SER BASTANTE MECÂNICO — PODERÍAMOS QUEBRAR ISSO FAZENDO MAIS POSES DE PASSAGEM INTERESSANTES ENTRE OS EXTREMOS.

MAS O MÉTODO MAIS FORMIDÁVEL É O DESENVOLVIDO POR NORMAN FERGUSON NA DISNEY. KEN HARRIS ME MOSTROU O MÉTODO; KEN APRENDEU COM SHAMUS CULHANE, QUE APRENDEU COM FERGUSON. POR FALTA DE UM NOME, VOU CHAMÁ-LO DE

A FÓRMULA DE VIBRAÇÃO LADO A LADO

DIGAMOS QUE QUEREMOS VER UMA CABEÇA OSCILAR DE UM LADO PARA O OUTRO.

FAZEMOS UMA SÉRIE DE DESENHOS DE 1 A, POR EXEMPLO, 33 —

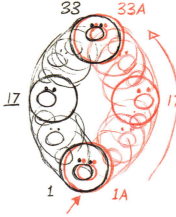

E DEPOIS INTERCALAMOS AS DUAS SÉRIES

A SEGUIR, TRAÇAMOS CUIDADOSAMENTE O #1 E O #33, SÓ QUE LIGEIRAMENTE DESLOCADOS — E FAZEMOS UMA NOVA SÉRIE DE DESENHOS #1A A 33A, SUBINDO PELO OUTRO LADO.

E OBTEMOS UMA OSCILAÇÃO DE UM LADO PARA O OUTRO COM DUAS FAIXAS DE AÇÃO. DOIS PADRÕES DE AÇÃO INTERCALADOS —

ENTREMEAR DUAS SÉRIES DE DESENHOS NOS PROPORCIONA TODO TIPO DE POSSIBILIDADE PARA AÇÕES DE VIBRAÇÃO.

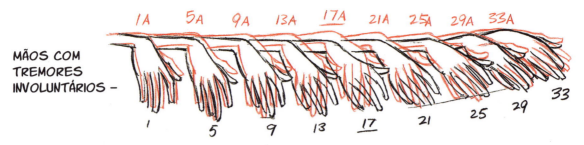

MÃOS COM TREMORES INVOLUNTÁRIOS –

KEN HARRIS ANIMOU UMA CENA EM QUE UMA VIBRAÇÃO DE "TERREMOTO" SUBIA PELO CORPO DO PERSONAGEM, DESDE OS PÉS, PASSANDO PELAS PERNAS, ATÉ CHEGAR ÀS COSTAS. USANDO ESSE SISTEMA, FICOU ASSIM:

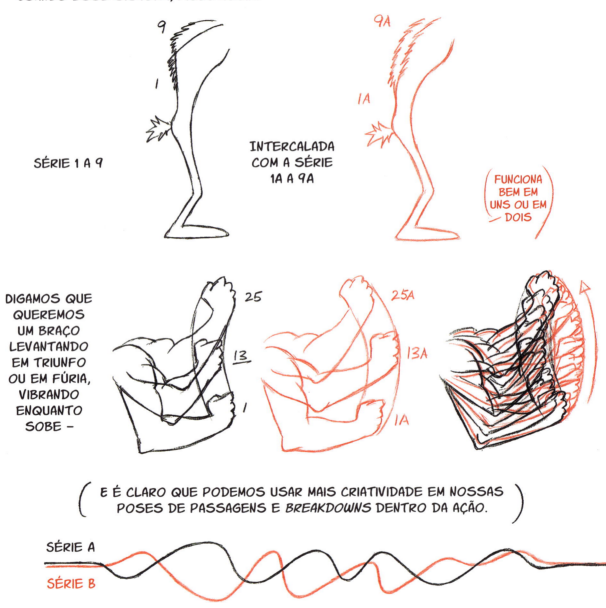

SÉRIE 1 A 9

INTERCALADA COM A SÉRIE 1A A 9A

(FUNCIONA BEM EM UNS OU EM DOIS)

DIGAMOS QUE QUEREMOS UM BRAÇO LEVANTANDO EM TRIUNFO OU EM FÚRIA, VIBRANDO ENQUANTO SOBE –

(E É CLARO QUE PODEMOS USAR MAIS CRIATIVIDADE EM NOSSAS POSES DE PASSAGENS E *BREAKDOWNS* DENTRO DA AÇÃO.)

SÉRIE A

SÉRIE B

ENTÃO, BASICAMENTE, SÃO SÓ DUAS SÉRIES DE DESENHOS FEITOS SEPARADAMENTE E INTERCALADOS UM COM O OUTRO – NOS DANDO POSSIBILIDADES ILIMITADAS DE OSCILAÇÕES, VIBRAÇÕES, TREMULAÇÕES E AGITAÇÕES.

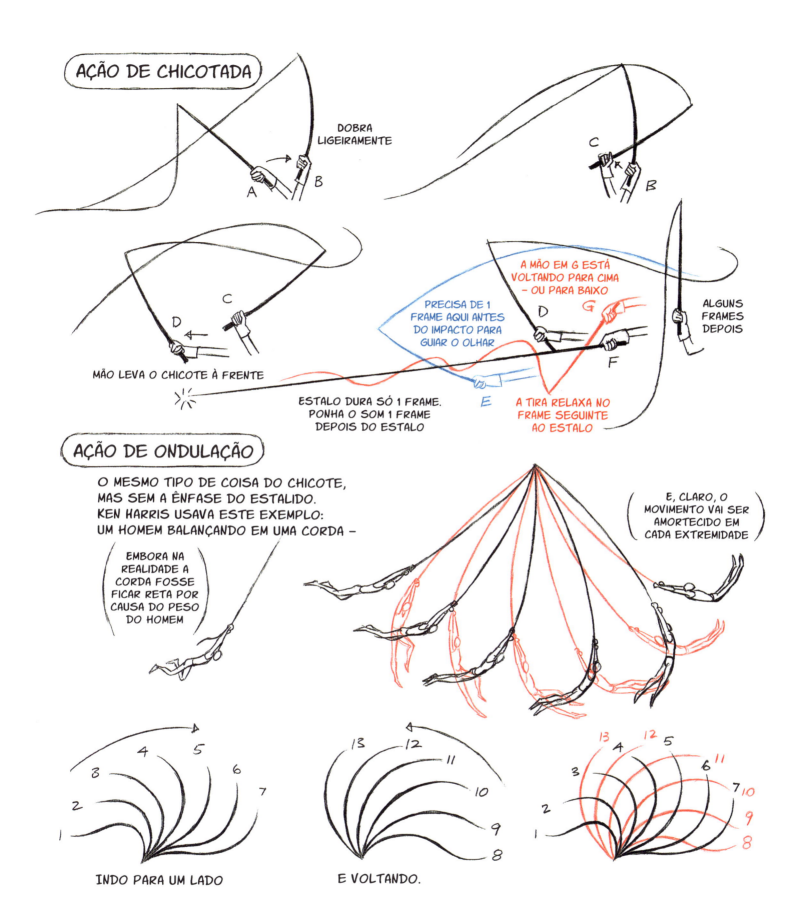

EIS AQUI UMA AÇÃO DE CHICOTADA APLICADA A UMA MULHER PISCANDO OS OLHOS – (EXAGERADA)

ABE LEVITOW NOS AJUDOU NOS DOIS ÚLTIMOS MESES DE *UM CONTO DE NATAL*, E ANIMOU UMA MARAVILHOSA GARGALHADA NO PEQUENO TIM. NO JANTAR, ENQUANTO NOS ACABÁVAMOS NO VINHO, EU ME DESFIAVA EM ELOGIOS SOBRE SEU TRABALHO E SOBRE A EXCELENTE GARGALHADA QUE ELE HAVIA FEITO. ABE DISSE: "BEM, É UMA TREMENDA FELICIDADE QUE ANOS ATRÁS KEN HARRIS TENHA ME MOSTRADO AQUELE PRINCÍPIO DO CHICOTE COMO PADRÃO PARA UMA RISADA". "O QUÊ? ME MOSTRE ISSO, JÁ!". CAMBALEAMOS DE VOLTA AO ESTÚDIO E ABE RABISCOU ALGO ASSIM:

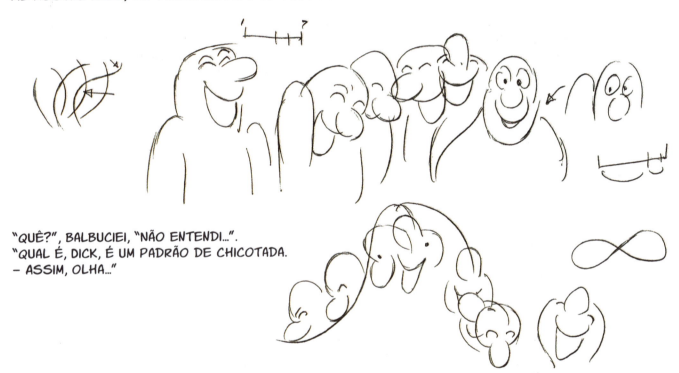

"QUÊ?", BALBUCIEI, "NÃO ENTENDI...".
"QUAL É, DICK, É UM PADRÃO DE CHICOTADA.
– ASSIM, OLHA..."

"FOI ISSO QUE VOCÊ FEZ NO PEQUENO TIM?"
"SIM, SABE, UMA AÇÃO DE CHICOTADA – DESSE JEITO..."

A GARGALHADA DE ABE ESTÁ NA PÁGINA SEGUINTE, E EU A INCLUÍ PARA MOSTRAR QUÃO SUTILMENTE ESSES PRINCÍPIOS BÁSICOS PODEM SER UTILIZADOS. OS OMBROS SOBEM E DESCEM COM A RISADA E VOCÊ QUASE CONSEGUE ENXERGAR O PADRÃO DE CHICOTADA ENRAIZADO NA AÇÃO.

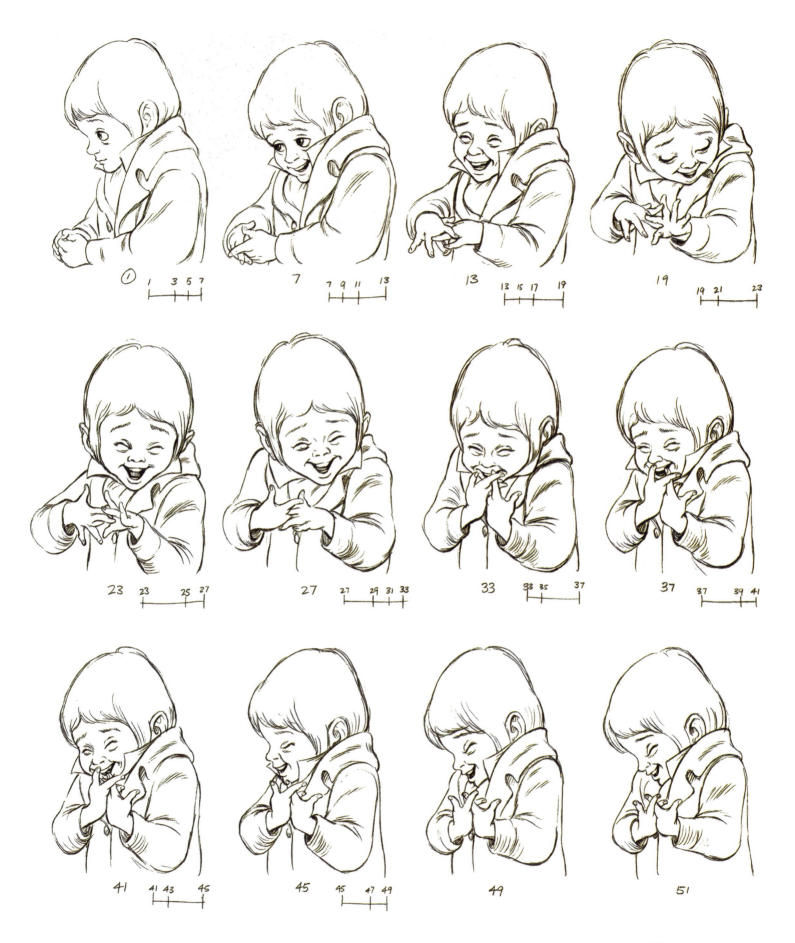

DIÁLOGO[5]

IMAGINE UM RAPAZ BONITO FALANDO COM UMA BELA GAROTA, E ELE DIZ O SEGUINTE:

PARECE QUE ELE ESTÁ DIZENDO "I LOVE YOU" ("EU TE AMO"), NÃO É?
MAS NÃO. ELE ESTÁ DIZENDO "ELEPHANT JUICE" ("SUCO DE ELEFANTE").
(MINHA FILHA APARECEU COM ESSA FRASE QUANDO TINHA 11 ANOS.)

VEJA. O QUE A IMAGEM ILUSTRA É QUE NÓS NÃO TEMOS UM PADRÃO DE FORMATOS DE BOCA PARA CADA CONSOANTE E VOGAL. SOMOS TODOS DIFERENTES. NOSSAS BOCAS SÃO DIFERENTES E NÓS AS USAMOS DE JEITOS DIFERENTES. NÃO EXISTE UMA MANEIRA BEM DEFINIDA PARA FORMAR LETRAS E VOGAIS ESPECÍFICAS. O ATOR JIM CARREY MOVE SUA BOCA DE UM MODO BEM DISTINTO DO DA RAINHA DA INGLATERRA.

CLARO, TODAS AS BOCAS ABREM PARA AS VOGAIS A, E, I, O, U.
E FECHAM PARA AS CONSOANTES B, M, P, F, T, V (BÊ, EME, PÊ, EFE, TÊ, VÊ).
E A LÍNGUA FICA ATRÁS DOS DENTES NAS LETRAS N, D, L, T (APESAR DE NEM SEMPRE A VERMOS).
MAS MUITAS DAS POSIÇÕES NA VIDA REAL SÃO AMBIVALENTES E INDIVIDUAIS.

---

5   Os exemplos de palavras ou frases deste capítulo ficaram na língua original, a fim de que as ilustrações correspondessem fielmente aos princípios de sincronização labial apresentados pelo autor. Esses princípios aplicam-se de forma idêntica a diálogos em qualquer outro idioma. (N. do T.)

EIS COMO NÃO FAZER SINCRONIZAÇÃO LABIAL:

NO 6º ANO DA ESCOLA EU TIVE UMA PROFESSORA EMPOLGADA QUE TINHA UMA BOCA BEM LARGA, CHEIA DE DENTES GRANDES DESTACADOS POR UM BATOM VERMELHO BRILHANTE.

TODA MANHÃ ELA NOS FAZIA LEVANTAR E PRONUNCIAR BEM

LEEN – TAAA – MEEN – TEEE:

"LÁÁ BIOOS FLEXÍÍ VEISSSS

LÁÁ BIOOS FLEXÍÍ VEISSSS

SÃÃO OS MEE LHOOÓ RES LÁÁ BIOOS QUE HÁÁÁ

PAA RAA FA LAAAR E PAA RAA CANNN TAAAAR".

E, LOGO A SEGUIR:

"BOOOM DIAAA A VO CÊÊÊS

BOOOM DIAAA A VO CÊÊÊS

TODOO MUNDOOO NO LUGAAAR

COUM SORRIIISO A BRILHAAAR

É ASSSIIIM QUE SINICIIIAAA

UM NOOVOO E BELOOO DIIIAAA!".

ÀS VEZES ELA NOS FAZIA SENTAR E PRONUNCIAR O "P" (PÊ) POR UM MINUTO, E EU ME DIVERTIA OUVINDO AS PEQUENAS EXPLOSÕES DE AR.
MAS AS PESSOAS NÃO FALAM ASSIM!
NÓS FLUÍMOS DE UM FORMATO DE PALAVRA PARA O OUTRO. OS ANIMADORES CHAMAVAM ISSO DE

FRASEADO

ASSIM COMO NA MÚSICA, NÓS "BORRAMOS" UMA PASSAGEM COMPLEXA E RÁPIDA CANTAROLANDO SÓ AS NOTAS PRINCIPAIS. NÃO PRECISAMOS METRALHAR CADA NOTA DISTINTAMENTE, ELAS SE MISTURAM.
QUANDO FALAMOS, NÃO ARR-TII-CUU-LAA-MOOSSS CADA SÍÍ-LAA-BAA, LETRA E ESTALIDO. ALGUMAS PESSOAS MAL MOVEM OS LÁBIOS AO FALAR.
O TRUQUE É PENSAR EM TERMOS DE PALAVRAS, FORMATOS DE PALAVRAS E FRASES, NÃO EM CADA LETRA.

NOSSAS BOCAS SÃO DIFERENTES.

A MAIORIA DAS PESSOAS, NA MAIOR PARTE DO TEMPO, DEIXA OS DENTES DE CIMA VISÍVEIS

OS DENTES DE BAIXO.

305

ATÉ AGORA, O MOMENTO EM QUE EU MAIS ME DIVERTI COM SINCRONIZAÇÃO LABIAL
(OU "LIP SYNC", COMO É CONHECIDA EM INGLÊS) FOI COM A VOZ DE VINCENT PRICE, PORQUE
ELE TINHA ROSTO, BOCA, MANDÍBULA E GARGANTA BASTANTE FLEXÍVEIS.
DE PERFIL SUA APARÊNCIA ERA NORMAL, MAS QUANDO SE VIRAVA DE FRENTE, PARECIA UM PEIXE.

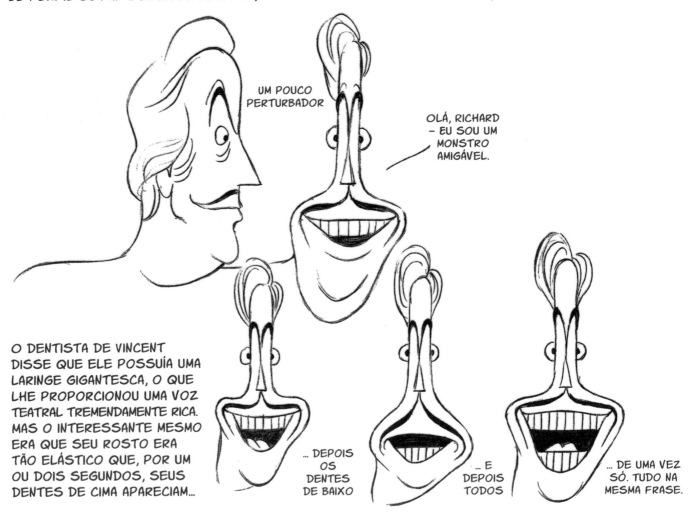

O DENTISTA DE VINCENT DISSE QUE ELE POSSUÍA UMA LARINGE GIGANTESCA, O QUE LHE PROPORCIONOU UMA VOZ TEATRAL TREMENDAMENTE RICA. MAS O INTERESSANTE MESMO ERA QUE SEU ROSTO ERA TÃO ELÁSTICO QUE, POR UM OU DOIS SEGUNDOS, SEUS DENTES DE CIMA APARECIAM...

E COMO ELE PROLONGAVA SUAS FRASES, EU TINHA TEMPO PARA ARTICULAR CADA BAFORADA, ESTALO, CONSOANTES E VOGAIS LENTAS (COMO SE ESTIVESSE DE VOLTA AO 6º ANO).
MESMO COM EXCESSO DE ANIMAÇÃO, AINDA FICAVA NATURAL. NA MAIOR PARTE DO TEMPO SÓ PRECISAMOS SEGURAR A POSE DA BOCA, A NÃO SER QUE ESTEJAMOS GRITANDO OU CANTANDO.

AS CONSOANTES IMPORTANTES SÃO AQUELAS EM QUE A BOCA ESTÁ FECHADA –

PARA PODERMOS LER ESSAS POSES, PRECISAMOS DE PELO MENOS DOIS QUADROS.
UM NÃO BASTA. (SE NÃO FIZERMOS ESSAS POSES, A VOGAL QUE VIER A SEGUIR ESTARÁ COMPROMETIDA.)

PARA UMA FALA BOA E CLARA, TEMOS DE IR PARA AS VOGAIS DE FORMA SÚBITA (SEM INTERVALOS). NÃO AMORTEÇA O INÍCIO DA VOGAL, AMORTEÇA DEPOIS DA ÊNFASE. ENTRE DE REPENTE, VOLTE SUAVE.
POR EXEMPLO, NA PALAVRA "BANG":

OU PODERÍAMOS AMORTECER UM POUCO NA PARTE INFERIOR DA EXPLOSÃO INICIAL – E DEPOIS FAZER UMA PEQUENA EXPLOSÃO PARA O "NG".

VEJAMOS A PALAVRA "BASEBALL" ("BEISEBOL"), COM DUAS VOGAIS FORTES – DÊ MAIS ÊNFASE À PRIMEIRA DO QUE À SEGUNDA:

NOVAMENTE, SE ALGUÉM PRONUNCIAR UMA VOGAL BEM ABERTA COMO EM "HEY!" OU "WOW!" – NÃO USE DESENHOS PARA IR SUAVEMENTE PARA A PRIMEIRA VOGAL FORTE.

ISTO É:

= MUITO MOLE E SUAVE

(CRÍTICA COMUM ENTRE ANIMADORES: "FICOU OK, MAS ESTÁ TUDO MUITO SUAVE...".)

DISPENSE OS INTERVALOS INICIAIS. PULE DIRETO PARA A VOGAL FORTE, E VOCÊ VAI OBTER MUITO MAIS VITALIDADE:

NÃO SE ESQUEÇA DE ALONGAR O ROSTO.

UM ERRO CONSTANTE NOS DIÁLOGOS É QUANDO A PARTE DE BAIXO DO ROSTO NÃO SE ALONGA OU NÃO SE COMPRIME O BASTANTE; ISSO TORNA NOSSA ANIMAÇÃO RÍGIDA E POUCO NATURAL.

A (CHAVE) PARA A BOA SINCRONIZAÇÃO LABIAL É PROPORCIONAR A SENSAÇÃO DA PALAVRA, E NÃO DAS LETRAS INDIVIDUALMENTE.

A IDEIA É NÃO TERMOS ATIVIDADE DEMAIS – ENTENDA O FORMATO DA PALAVRA E GARANTA QUE VAMOS ENXERGÁ-LA. ESCOLHA O QUE É MAIS IMPORTANTE E EVITE ABRIR E FECHAR A BOCA A CADA LETRINHA QUE APARECE.

AO DUBLAR FILMES ESTRANGEIROS, OS ATORES E ATRIZES MARCAM SOMENTE AS ÊNFASES, E PASSAM POR ALTO PELO QUE HÁ ENTRE ELAS. ELES MARCAM A PRIMEIRA VOGAL NO COMEÇO DE UMA FRASE E A ÚLTIMA VOGAL ENFÁTICA DA FRASE; E O QUE ESTIVER NO MEIO VAI FUNCIONAR BEM (OU TENDE A FUNCIONAR).

RACIOCINE ASSIM:

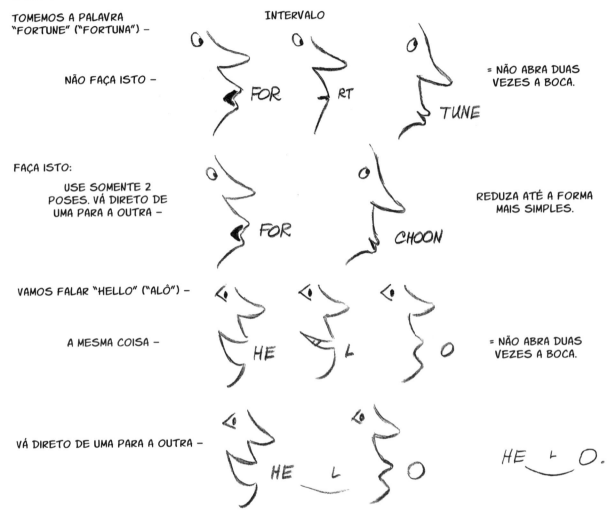

308

LEMBRE-SE DE QUE OS DENTES DE CIMA ESTÃO FIXADOS AO CRÂNIO E NÃO SÃO ANIMADOS, E A AÇÃO DA MANDÍBULA É QUASE SEMPRE PARA CIMA E PARA BAIXO – COM OS LÁBIOS E A LÍNGUA FORMANDO OS SONS.

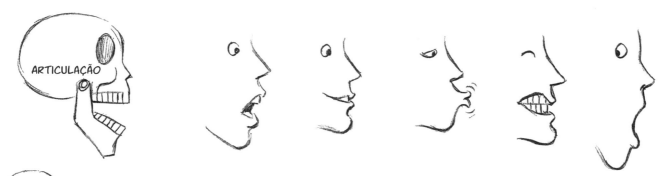

UMA REGRA: NUNCA INTERVALE A LÍNGUA DURANTE A FALA. NOSSAS LÍNGUAS SE MOVEM TÃO RÁPIDO, QUE NÓS AS VEMOS SOMENTE EM CIMA OU EMBAIXO, NUNCA NO MEIO DO CAMINHO (MAS É CLARO QUE ELA FAZ PAUSAS). VEJA AS PALAVRAS "LUNCH" ("ALMOÇO") E "LEMON" ("LIMÃO"):

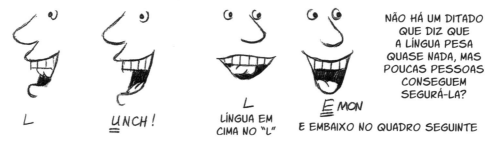

NÃO HÁ UM DITADO QUE DIZ QUE A LÍNGUA PESA QUASE NADA, MAS POUCAS PESSOAS CONSEGUEM SEGURÁ-LA?

A LÍNGUA ESTÁ LIGADA À MANDÍBULA, E NÃO FLUTUANDO EM UM LIMBO OU PRESA NA GARGANTA. ALÉM DISSO, A MANDÍBULA E OS DENTES NÃO SÃO DE BORRACHA. MANTENHA A CONSISTÊNCIA NOS DENTES.

HOJE EM DIA, HÁ UMA TENDÊNCIA INCRIVELMENTE ENGRAÇADA EM QUE OS ANIMADORES DIZEM APENAS "ORA, É UM DESENHO ANIMADO, ENTÃO QUE SEJA BEM CARTUNESCO". E TRATAM OS DENTES COMO BORRACHA, E PULAM

É VÁLIDO E, MUITAS VEZES, HILÁRIO – MAS NÃO É NOSSA INTENÇÃO AQUI.

OUTRA REGRA: COMO DISSEMOS ANTERIORMENTE, PRECISAMOS DE PELO MENOS 2 FRAMES PARA LER CONSOANTES IMPORTANTES – COMO M, B, P, F, V OU T. SE NÃO, O PÚBLICO NÃO VAI VÊ-LAS. TOMEMOS A FRASE "SEE MY..." ("VEJA MINHA..."):

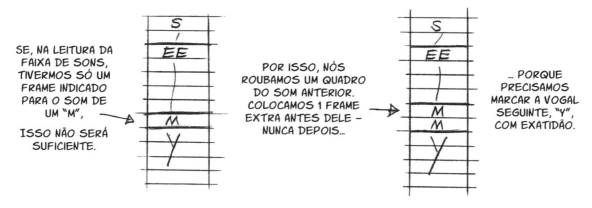

SE, NA LEITURA DA FAIXA DE SONS, TIVERMOS SÓ UM FRAME INDICADO PARA O SOM DE UM "M", ISSO NÃO SERÁ SUFICIENTE.

POR ISSO, NÓS ROUBAMOS UM QUADRO DO SOM ANTERIOR. COLOCAMOS 1 FRAME EXTRA ANTES DELE – NUNCA DEPOIS...

... PORQUE PRECISAMOS MARCAR A VOGAL SEGUINTE, "Y", COM EXATIDÃO.

SINCRONIA ENTRE IMAGEM E SOM

ISSO NOS TRAZ AO ESPINHOSO PROBLEMA: NÓS ANIMAMOS A IMAGEM EM SINCRONIA EXATA COM O SOM, OU ANIMAMOS A IMAGEM 1 FRAME À FRENTE DA MODULAÇÃO DO SOM, OU 2 FRAMES À FRENTE, OU O QUÊ?

RESPOSTA: TRABALHE EM SINCRONIA EXATA.

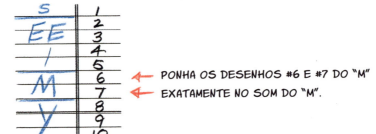

OU

SE ESTIVERMOS ANIMANDO EM DOIS – E FUNCIONA BEM DESSA FORMA – TRABALHE 1 FRAME À FRENTE.

EXISTE UMA REGRA BEM GERAL QUE DIZ QUE O DIÁLOGO FICA MELHOR SE A IMAGEM VIER 2 FRAMES ANTES DO SOM. POR CAUSA DISSO, ESPALHOU-SE UMA MODA NA QUAL ALGUNS EDITORES IMPUNHAM AOS ANIMADORES A TIRANIA DE ANIMAR TUDO 2 FRAMES ANTES DO SOM, PARA QUE SIMPLESMENTE PUDESSEM OBTER LOGO O RESULTADO E IR PARA CASA.

ERRADO. NÃO EXISTE APENAS UMA REGRA. ÀS VEZES A SINCRONIA EXATA FUNCIONA MELHOR; ÀS VEZES FICA MELHOR COM A IMAGEM 1 FRAME ANTES DO SOM; MUITAS VEZES SAI MELHOR COM 2 FRAMES À FRENTE (DAÍ A REGRA), E ALGUMAS VEZES O MELHOR JEITO É ATÉ COM 3 FRAMES ANTES DO SOM.

SE VOCÊ SEMPRE ACHAR QUE "O CERTO SÃO 2 FRAMES ANTES", VAI CAIR EM UMA SITUAÇÃO ABSURDA NA QUAL FICA COM O PENSAMENTO TODO DESLOCADO –

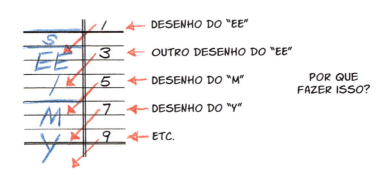

POR QUE FAZER ISSO?

CONCLUSÃO:

EXISTE UMA SINCRONIA VERDADEIRA, QUE É A EXATA. IMAGEM COMBINANDO 100% COM SOM É PERFEITO, LOGICAMENTE. DEPENDE APENAS DO QUE PARECE MELHOR QUANDO ACIONAMOS O VÍDEO. ASSIM, COLOCAMOS A EXPOSIÇÃO NO PONTO EXATO DO SOM – OU 1 FRAME À FRENTE, SE FOR CONVENIENTE – <u>NUNCA DEPOIS</u>.

DEPOIS PODEMOS REPRODUZIR OS TESTES NA SINCRONIA EXATA, E A SEGUIR AVANÇAR A IMAGEM 1 OU 2, OU ATÉ 3 FRAMES – DEPENDENDO DE COMO NOS PARECER MELHOR. É ASSIM QUE APRENDEMOS. TUDO DEPENDE DO PERSONAGEM, DO TIPO DE VOZ E DE COMO REALIZAMOS NOSSO TRABALHO.

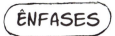

OS VELHOS MESTRES COLOCAVAM AÇÕES FÍSICAS INTENSAS E MOVIMENTOS DE CABEÇA 3 OU 4 FRAMES ANTES DA MODULAÇÃO DO SOM; E A SEGUIR DESENHAVAM A AÇÃO DA BOCA EM SINCRONIA EXATA. POR EXEMPLO, PARA A PALAVRA "NOW" ("AGORA"):

ELES DESENHAVAM A ÊNFASE NA SUBIDA (OU NA DESCIDA) 3 OU 4 FRAMES À FRENTE, E DEPOIS A BOCA ABRIA COM O SOM.
DE FORMA SIMPLIFICADA –

ESSE RECURSO NOS DÁ UM EXCELENTE RESULTADO. BEM MELHOR DO QUE MARCAR TUDO DE UMA VEZ SÓ.

NA MAIORIA DAS VEZES, A ÊNFASE DA CABEÇA VAI PARA CIMA.

① ANTECIPE PARA BAIXO.
② DEPOIS A CABEÇA FAZ A ÊNFASE PARA CIMA.
③ E DEPOIS OS LÁBIOS SE MOVEM NA PRIMEIRA VOGAL (GERALMENTE É UMA VOGAL O QUE VAMOS MARCAR).

PODEMOS INVERTER AS DIREÇÕES, MAS A ÊNFASE PARA CIMA É MAIS FORTE (EMBORA PARA BAIXO FUNCIONE TAMBÉM). DE TODO MODO, SEMPRE VAI HAVER ÊNFASES – A MENOS QUE UMA PESSOA ABSOLUTAMENTE MONÓTONA ESTEJA FALANDO.

("BEM, FINALMENTE VOCÊ ESTÁ EM CASA!".)
MARQUE SOMENTE AS VOGAIS QUE SÃO IMPORTANTES. PASSE RAPIDAMENTE PELAS OUTRAS.
AO FALAR, NÓS MARCAMOS CERTAS ÊNFASES E MISTURAMOS O RESTO.

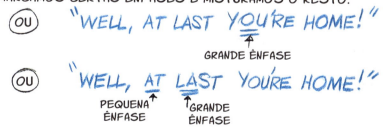

MARQUE APENAS AS ÊNFASES PRINCIPAIS. SELECIONE O QUE É IMPORTANTE – SEJA UMA ÊNFASE SUAVE, SEJA UMA ABRUPTA.

ÊNFASE ABRUPTA: "NO!" A CABEÇA DESCE (OU SOBE) E VOLTA ATÉ SE ACOMODAR.

ÊNFASE SUAVE: "NOOOOO..." A CABEÇA DESCE (OU SOBE) E CONTINUA O MOVIMENTO.

EIS UM EXEMPLO DE AÇÃO DO CORPO PREDOMINANDO NA CENA. ELA ESTÁ DIZENDO "I'LL SLIP INTO SOMETHING COOLER" ("VOU VESTIR ALGO MAIS FRESCO").
↑
ÊNFASE

ELA MARCA A ÊNFASE COM O OMBRO.
O OMBRO ESTÁ ALTO ENQUANTO ELA SE VIRA PARA NÓS, ANTECIPA PARA BAIXO E SOBE RÁPIDO NA ÊNFASE PRINCIPAL DA PALAVRA "COOLER". AO MESMO TEMPO, A CABEÇA DURANTE A ÊNFASE VAI PARA BAIXO NO "COO". A ÚNICA ÊNFASE NA BOCA TAMBÉM É NO "OO". OMBRO PARA CIMA, CABEÇA PARA BAIXO, BOCA EXAGERADA — TUDO PARA MARCAR A ÚNICA ÊNFASE DA FRASE.

AQUI ESTÃO OS EXTREMOS PRINCIPAIS: CHAVES #1, #37 E #55 CONTAM A HISTÓRIA.

FUNCIONA BEM, MAS FICARIA BEM MELHOR SE A ÊNFASE DA CABEÇA E DO OMBRO VIESSEM 3 OU 4 FRAMES ANTES DA MODULAÇÃO DO "OO".

312

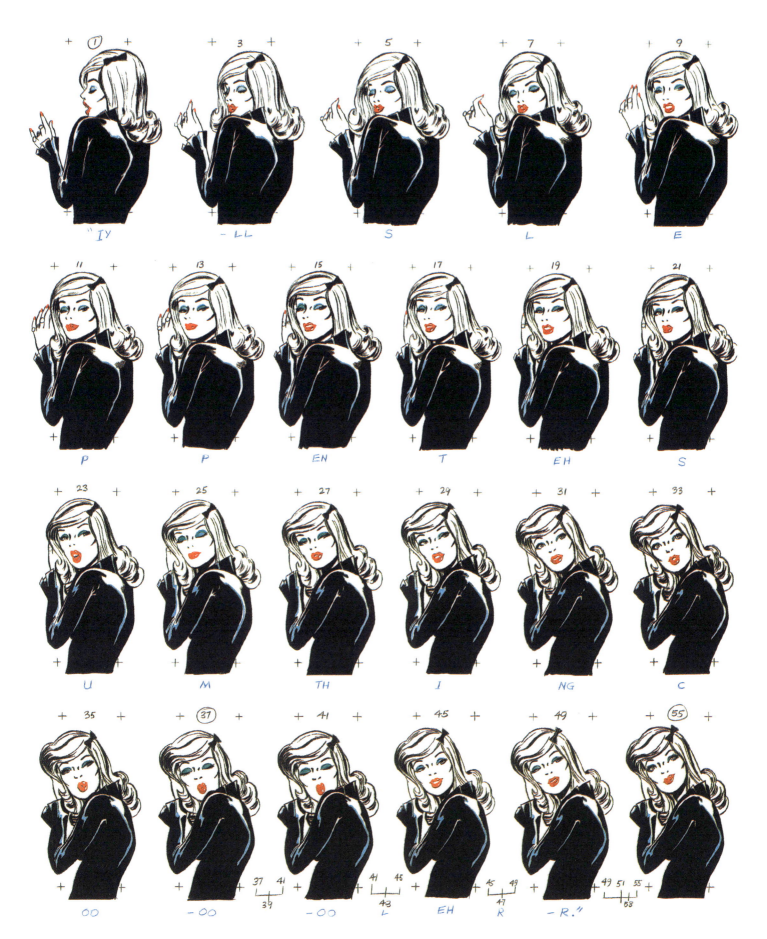

ATITUDE

FAÇA O PROPÓSITO DA CENA SER CLARO COM A AÇÃO DO CORPO EM PRIMEIRO LUGAR. A ATITUDE DO CORPO DEVE REFLETIR A ATITUDE FACIAL. É TUDO UMA COISA SÓ. A EXPRESSÃO DO CORPO E DO ROSTO É MAIS IMPORTANTE DO QUE O MOVIMENTO.

SE ACERTARMOS NA ATITUDE DO CORPO E DA CABEÇA, QUASE PODEMOS PASSAR SEM AS BOCAS. A AÇÃO DA BOCA PODE VIR POR ÚLTIMO, PODE SER A ÚLTIMA PARTE QUE VAMOS TRABALHAR.

KEN HARRIS DISSE QUE A ÉPOCA EM QUE MAIS APRENDEU SOBRE SINCRONIZAÇÃO LABIAL FOI QUANDO TEVE DE ANIMAR UM PERSONAGEM MARCIANO QUE NÃO TINHA BOCA. ISSO SIGNIFICA QUE ELE TINHA DE MARCAR CORRETAMENTE AS ÊNFASES DA CABEÇA PARA TORNÁ-LO CONVINCENTE.

DURANTE O PLANEJAMENTO, PRECISAMOS GARANTIR QUE NÃO HAJA <u>COISAS DEMAIS ACONTECENDO</u>. QUANTAS POSES PARA ESSA FRASE? PARA ESSE <u>PENSAMENTO</u>? ATUE COM SEU CORPO, DEPOIS REDUZA A AÇÃO PARA A FORMA MAIS SIMPLES, E MANTENHA A SIMPLICIDADE.

SÓ CONSEGUIMOS COMUNICAR UMA COISA DE CADA VEZ. ASSIM COMO SÓ PODEMOS DIZER UMA PALAVRA DE CADA VEZ, SÓ PODEMOS RESSALTAR UM GESTO DE CADA VEZ. TODA A POSE DEVE TRABALHAR RUMO A ESSA COISA, ESSE GESTO.

O SEGREDO

UMA TARDE, NO INÍCIO DOS ANOS 1970, EU ESTAVA CONVERSANDO COM MILT KAHL SOBRE OS EXCELENTES FORMATOS DE BOCAS QUE ELE SEMPRE FAZIA EM SUAS ANIMAÇÕES. ELE DISSE: "OBSERVE OS CANTORES PARA APRENDER SOBRE FORMATOS DE BOCAS".

PERGUNTEI: "EXISTE ALGUM SEGREDO PARA O LIP SYNC?".

ELE SE ANIMOU. "VOCÊ QUER O SEGREDO? EU TE CONTO QUAL É O <u>SEGREDO</u>! SABE O JIM HENSON E AQUELE SAPO DOS MUPPETS? BEM, ELE É UM GÊNIO! ELE CONSEGUE ALGO QUE OS TITEREIROS NUNCA FIZERAM ANTES. ELE VESTE UMA MEIA NA MÃO E, APESAR DE NUNCA COMBINAR EXATAMENTE A BOCA COM OS SONS, FAZ UM TRABALHO MUITO MELHOR DO QUE A MAIORIA DOS ANIMADORES COM TODOS OS NOSSOS RECURSOS TÉCNICOS. OBSERVE O QUE ELE ESTÁ FAZENDO! ELE ESTÁ FAZENDO A AÇÃO <u>AVANÇAR</u>. ESTÁ INDO PARA ALGUM LUGAR COM O SAPO ENQUANTO FALA.

APRENDI ISSO LÁ ATRÁS, COM O FILME *CANÇÃO DO SUL*, QUANDO FIZ A RAPOSA DIZER AO COELHO: 'VOU ASSAR VOCÊ NAQUELA FOGUEIRA, ETC.'. EU MAL MOVIA A BOCA DA RAPOSA. ELA FALAVA ENTRE OS DENTES ENQUANTO AVANÇAVA PARA PERTO DO COELHO. ELA <u>AVANÇOU</u> EM DIREÇÃO AO COELHO! EU A FIZ AVANÇAR ENQUANTO FALAVA, E ESSE É O SEGREDO. <u>VÁ</u> A ALGUM LUGAR, QUALQUER LUGAR, ENQUANTO FALA."

QUANDO VOLTEI À INGLATERRA, CORRI ATÉ KEN HARRIS AOS PULINHOS: "EU APRENDI O SEGREDO! O SEGREDO DO LIP SYNC! MILT KAHL ME CONTOU O SEGREDO!".

KEN ME FITOU, ZOMBETEIRO.

"O SEGREDO!", BALBUCIEI, "O SEGREDO É <u>AVANÇAR</u> COM A AÇÃO ENQUANTO FALA!". OS OLHOS DE KEN ROLARAM PARA CIMA. "O QUE VOCÊ ACHA QUE EU ESTIVE TENTANDO TE DIZER?" BEM, A FICHA CAIU (FINALMENTE) E EU NUNCA MAIS OLHEI PARA TRÁS. E É ISSO.

ATUAÇÃO

NOS ANOS 1930, ALGUÉM PERGUNTOU A LOUIS ARMSTRONG: "O QUE É O SWING?". LOUIS RESPONDEU: "RAPAZ, SE VOCÊ PRECISOU PERGUNTAR, NUNCA VAI SABER".

MAS TODOS NÓS SABEMOS ALGO SOBRE ATUAÇÃO! FAZEMOS ISSO O DIA TODO. ESTAMOS ATUANDO EM DIFERENTES PAPÉIS O TEMPO TODO. EXISTEM VÁRIAS VERSÕES DE UMA MESMA PESSOA.

VOCÊ AGE COM SUA ESPOSA/MARIDO/AMANTE DO MESMO JEITO QUE COM UM GUARDA DE TRÂNSITO QUE PEDE SEUS DOCUMENTOS? OU COM A GERENTE DO BANCO? OU COM SEUS FILHOS? SEU CHEFE? SEUS COLEGAS DE TRABALHO? AMIGOS? SUBORDINADOS? SEUS INIMIGOS?

ESTAMOS DESEMPENHANDO PAPÉIS A TODO MOMENTO, DEPENDENDO DA SITUAÇÃO EM QUE ESTAMOS, E ESTAMOS CIENTES DISSO. NÓS REPRODUZIMOS A PERSONALIDADE APROPRIADA PARA O QUE É EXIGIDO EM CADA SITUAÇÃO.

EXISTEM EM VOCÊ:
- O AUTORITÁRIO
- A CRIANÇA
- O ESTUDANTE
- O ADULTO RESPONSÁVEL
- O AMANTE
- O PALHAÇO
- A PESSOA GENTIL E EMPÁTICA
- O CAÇADOR
- O MANÍACO SEDENTO DE PODER, ETC.

O TRUQUE É PRESTAR ATENÇÃO A ISSO E USAR ESSE RECURSO PARA EXPRESSAR COISAS. É DESENVOLVER A HABILIDADE DE PROJETAR A PERSONALIDADE POR MEIO DOS NOSSOS DESENHOS OU DAS IMAGENS INVENTADAS. É MERGULHAR NOS PERSONAGENS QUE ESTAMOS REPRESENTANDO, NA SITUAÇÃO EM QUE ELES ESTÃO; SABER O QUE É QUE ELES QUEREM – E POR QUE QUEREM – ISSO É ATUAÇÃO.

NOSSA INTENÇÃO É COMUNICAR ALGO COM CLAREZA POR MEIO DE UM PERSONAGEM ESPECÍFICO. É EXPRESSAR COM REPRESENTAÇÕES NÍTIDAS O QUE ESTÁ ACONTECENDO COM ELE.

FAÇA UMA COISA DE CADA VEZ, E TUDO VAI ESTAR PERFEITAMENTE CLARO.

SE COMEÇARMOS COM ESSE PRINCÍPIO, PODEREMOS APROFUNDAR A ATUAÇÃO TANTO QUANTO FORMOS CAPAZES.

COM CERTEZA CONHECEMOS TODAS AS EMOÇÕES BÁSICAS.

E SABEMOS O QUE É MEDO
        GANÂNCIA
        FOME
        FRIO
        LUXÚRIA
        VAIDADE
        AMOR
        E A NECESSIDADE DE DORMIR.

RECONHECENDO ISSO, TRATA-SE AGORA DE SABER COMO DIFERENTES PESSOAS LIDAM COM ESSAS EMOÇÕES. É, PORTANTO, SÓ UMA QUESTÃO DE AMPLIARMOS NOSSO REPERTÓRIO PARA ACOMODAR MAIS PAPÉIS – O QUE FAZEMOS NATURALMENTE POR MEIO DA OBSERVAÇÃO E DA EXPERIÊNCIA – E DE DESENVOLVER A HABILIDADE DE PROJETAR ESSE REPERTÓRIO SOBRE O PERSONAGEM EM QUE ESTAMOS TRABALHANDO.

MILT KAHL SEMPRE DIZIA: "ACHO QUE É SÓ FAZER O QUE DEVE SER <u>FEITO</u>. SE VOCÊ TEM UM PROBLEMA, PRECISA COMUNICAR O QUE TE BLOQUEIA. É PRECISO TER UM CONHECIMENTO APROFUNDADO DO QUE VOCÊ PROCURA. E SE JÁ SOUBER O QUE <u>PROCURA</u>, É SÓ CORRER ATRÁS ATÉ ALCANÇAR".

(E) TAMBÉM DIZIA: "REFLITA BASTANTE SOBRE COMO VAI SER O MELHOR JEITO DE COLOCAR A ATUAÇÃO NA TELA, COMUNICANDO O QUE PRECISA SER COMUNICADO".

É PRECISO <u>ENTRAR</u> NO PERSONAGEM. O QUE ELE/ELA DESEJA? E AINDA MAIS IMPORTANTE: <u>POR QUE</u> O PERSONAGEM DESEJA AQUILO?

O QUE EU ESTOU FAZENDO E <u>POR QUE</u> ESTOU FAZENDO ISSO?

AS PESSOAS QUE REALMENTE SABEM COMO ATUAR DIZEM: "VOCÊ NÃO ATUA, VOCÊ <u>SE TORNA</u>".

O ASTRO DE CINEMA GENE HACKMAN DISSE ALGO ASSIM: "TRABALHO INSANAMENTE PARA NUNCA SER PEGO ATUANDO".

OS BONS ATORES FAZEM UM BOCADO DE PESQUISA PARA QUE A REALIDADE QUE DESEJAM REPRESENTAR SE TORNE A REALIDADE <u>DELES</u>.

O EXCELENTE ATOR NED BEATTY DISSE: "ALGUNS ATORES HIPNOTIZAM A SI MESMOS PARA SE TORNAR O PERSONAGEM, MAS APENAS UM PEQUENO GRUPO DE ATORES REALMENTE HIPNOTIZA O PÚBLICO".

LOGO, A IDEIA É HIPNOTIZAR O PÚBLICO.

FRANK THOMAS USAVA A PALAVRA "CATIVAR". "VOCÊ ESTÁ TENTANDO CATIVAR A ATENÇÃO DO PÚBLICO E MANTÊ-LA — MANTÊ-LA COM ALGO REAL, COM QUE ELE POSSA SE IDENTIFICAR".

CONCLUSÃO:

TENTAMOS FAZER O RESULTADO SER TÃO REAL, TÃO SUPER-REAL, QUE FICA IRRESISTÍVEL DE ASSISTIR. EXPERIMENTAMOS CADA EMOÇÃO E AMPLIAMOS O RESULTADO.

SEMPRE FIQUEI CONSTRANGIDO AO VER OS ANIMADORES EM VOLTA DO BEBEDOURO DA COPA FALANDO SOBRE "ATUAÇÃO".

SABE-SE BEM QUE VÁRIOS ARTISTAS CANTAM MUITO BEM SEUS FEITOS, MAS QUANDO VOCÊ VÊ SEUS DESENHOS, SÃO SÓ UMA AMOSTRA SEM VIDA DO QUE OS ARTISTAS REALMENTE SÃO. E ISSO É AINDA MAIS GRITANTE QUANDO OS DESENHOS ESTÃO EM MOVIMENTO. VOCÊ ENXERGA AS FORÇAS E AS FRAQUEZAS DA PESSOA EM UM INSTANTE.

SE ELA FOR UMA PESSOA FRIA E DISTANTE, SUPERFICIAL, OU UM DESASTRE EMOCIONAL, TUDO VAI ESTAR BEM CLARO EM SEUS DESENHOS PARA TODOS VEREM. POR ISSO, SÓ CONSEGUIMOS NOS EXPRESSAR DA MELHOR MANEIRA POSSÍVEL COM O QUE TEMOS A OFERECER TÉCNICA E EMOCIONALMENTE.

 UM PROFISSIONAL REALMENTE BOM DEVE SER CAPAZ DE LIDAR COM UM AMPLO ESPECTRO DE MATERIAL DE ATUAÇÃO, QUALQUER QUE SEJA SEU ESTADO EMOCIONAL.

EXISTE UMA HISTÓRIA SOBRE UM HOMEM SERIAMENTE DEPRIMIDO NA ALEMANHA QUE FOI VER UM PSIQUIATRA.

O PSIQUIATRA DIZ: "VOCÊ PERDEU TODO O SEU SENSO DE HUMOR, PRECISA DAR UMAS BOAS RISADAS. VÁ AO CIRCO — LÁ HÁ UM GRANDE PALHAÇO, GROCK, O HOMEM MAIS ENGRAÇADO QUE VOCÊ VAI VER NA VIDA".

E O HOMEM RESPONDE: "EU SOU GROCK".

FRANK THOMAS, UM ANIMADOR MESTRE EM EVOCAR EMPATIA E SOFRIMENTO, SEMPRE ME CRITICOU (CONSTRUTIVAMENTE) POR PERDER TEMPO DEMAIS COM ANIMAÇÃO ESPETACULAR DE COISAS SECUNDÁRIAS E NÃO O SUFICIENTE COM O CENTRO EMOCIONAL DA AÇÃO.

PARTE DO MOTIVO ERA PORQUE EU SENTIA QUE AINDA NÃO ERA BOM O BASTANTE EM ATUAÇÃO, ENTÃO TRABALHAVA NO "MUNDO" EM QUE A AÇÃO SE AMBIENTAVA E DEIXAVA O LANCE DO "HAMLET" POR ÚLTIMO — MAS A CRÍTICA DE FRANK É VÁLIDA.

A ANIMAÇÃO PASSAVA POR UM PERÍODO DE ESTAGNAÇÃO QUANDO COMEÇAMOS A PRODUZIR *UMA CILADA PARA ROGER RABBIT*, E FRANK ME ESCREVEU UMA CARTA MARAVILHOSAMENTE ENCORAJADORA QUE INCLUÍA "SE VOCÊ LEVAR A CABO ESSE PROJETO, VAI SER UM HERÓI".

EU CARREGUEI A CARTA DO FRANK NO BOLSO DA CAMISA POR TODOS OS 2 ANOS E MEIO DE PRESSÕES DE PRODUÇÃO, E A RELIA TODA VEZ QUE AS COISAS FICAVAM DIFÍCEIS.

QUANDO O FILME FOI LANÇADO E VIROU UM SUCESSO, NÃO OUVI NEM UMA PALAVRA DO FRANK.

2 MESES DEPOIS VIROU O MAIOR FILME DO ANO, E NADA DO FRANK.

3 MESES DEPOIS EU LIGUEI PARA ELE.

"OI, FRANK, É O DICK."

"... É..."

"BEM, FRANK, NÓS CONSEGUIMOS! É UM SUCESSO, FRANK! UM SUCESSO!"

"... É..."

"DIGO, BEM, NÓS DEMOS O NOSSO MELHOR, E VIROU UM SUCESSO IMENSO! ENORME!"

"... É."

"BEM, EU SEI, FRANK, PODERIA TER SIDO MELHOR, MAS NÓS TRABALHAMOS BASTANTE E TODO MUNDO ADOROU!"

"... É."

"BEM, É, HMM, VOCÊ PODERIA ATÉ DIZER QUE DEMOS CARA DE NOVIDADE A UM SIMPLES ARTIFÍCIO, MAS FOI UM SUCESSO!"

"... É."

"AH, QUAL É, FRANK! EU SEI QUE VOCÊ SEMPRE ME CRITICA POR NÃO CATIVAR O PÚBLICO EMOCIONALMENTE, MAS TEM QUE ADMITIR, QUANDO O VILÃO IA MATAR O COELHO NO TANQUE DE ACETONA, TODAS AS CRIANÇAS NA PLATEIA GRITARAM 'NÃO, NÃO FAÇA ISSO!'." (LONGA PAUSA...) "QUEM DERA ELAS TIVESSEM GRITADO."

BEM, EU SEI O QUE FRANK QUIS DIZER. EM MINHA DEFESA, EU TIVE DE INSISTIR MUITO FORTEMENTE PARA QUE INSERISSEM NO INÍCIO DO FILME UMA ANIMAÇÃO QUE EU FIZ, NA QUAL PUDÉSSEMOS AO MENOS VER <u>COMO ERA</u> A CARA DO COELHO, ANTES QUE ELE COMEÇASSE A RICOCHETEAR POR TODOS OS LADOS COMO SE FOSSE O CRUZAMENTO DE UM ROJÃO COM UMA GOMA DE MASCAR.

MAS HOUVE UMA GRANDE OPORTUNIDADE PARA EXPLORAR A TRISTEZA, QUE NÓS DEIXAMOS PASSAR. ERA UMA CENA EM QUE ROGER SE SENTAVA EM UM CAIXOTE, EM UM BECO ESCURO, CHORANDO POR CAUSA DO QUE ELE PENSAVA SER A INFIDELIDADE DA ESPOSA.

ASSIM COMO GROCK, EU QUIS MOSTRAR UM LADO COMPLETAMENTE DIFERENTE DA PERSONALIDADE DO COELHO POR TRÁS DE SUA MÁSCARA PROFISSIONAL. QUERIA ANIMAR EU MESMO A CENA, MAS ESTAVA MUITO OCUPADO COM OUTRAS COISAS. TÍNHAMOS UM EXCELENTE ANIMADOR-CHEFE QUE ESTAVA MUITO SOLITÁRIO NA ÉPOCA, E PERCEBI QUE ELE ERA O HOMEM CERTO PARA O TRABALHO.

NO ENTANTO, UM EXECUTIVO DO ALTO ESCALÃO CHEGOU E DISSE: "A PROPÓSITO, DICK, 'FULANO' QUERIA MUITO FAZER ESSA CENA". EU DISSE: "OH, NÃO, ELE É UM ANIMADOR FORMIDÁVEL, CRIATIVAMENTE ENGRAÇADO, EXCELENTE, MAS SEU TRABALHO É MUITO GERAL, E EU ACHO QUE ELE NÃO SERVE PARA ESSA CENA. ELE TEM UMA ÓTIMA NAMORADA, ESTÁ SEMPRE FELIZ E NÃO É A PESSOA PARA ESTE SERVIÇO".

"MAS ELE _REALMENTE_ QUER FAZER A CENA, DICK; ELE ANDA ME TELEFONANDO TODA HORA PARA FALAR DELA."

"MAS ELE É O CARA ERRADO. A CENA ATÉ VAI FICAR OK, MAS NÃO VAI TER ESSE OUTRO LADO IMPORTANTE DELA. O OUTRO SUJEITO DEVIA ANIMÁ-LA." "MAS ELE ESTÁ _DOIDO_ PARA FAZÊ-LA!"

PERDI A DISCUSSÃO, POR MINORIA DE VOTOS. É ERRADO, MAS O FILME FOI UM SUCESSO DE QUALQUER JEITO E SER DESPEDIDO NÃO ERA UMA OPÇÃO. CLARO QUE O RESULTADO FICOU PARECIDO COM TODAS AS OUTRAS CENAS FRENÉTICAS; E PERDEMOS A OPORTUNIDADE DE DAR UMA OUTRA DIMENSÃO AO PERSONAGEM, QUE TERIA EXERCIDO UMA INFLUÊNCIA EMOCIONAL MUITO MAIS PODEROSA SOBRE O PÚBLICO.

NÃO DÁ PARA GANHAR TODAS.

EM UMA ENTREVISTA EM 1972, NO FESTIVAL DE FILMES DE ZAGREB, FRANK THOMAS FALOU SOBRE UM HOMEM "QUE NUNCA HAVIA TIDO TALENTO PARA O ENTRETENIMENTO. ERA UM DOS MELHORES ASSISTENTES QUE TIVERA. CONHECIA TUDO O QUE SE PODIA ENSINAR SOBRE MOVIMENTO DO PERSONAGEM, PESO, PROFUNDIDADE, EQUILÍBRIO E TUDO MAIS. CONSEGUIA DESENHAR QUALQUER COISA, MAS TINHA UM SENSO MUITO FRACO DE ENTRETENIMENTO E _ESCOLHAS_ MUITO POBRES SOBRE O QUE FAZER EM ANIMAÇÃO; E POR ISSO SUA ANIMAÇÃO ERA SEMPRE MONÓTONA. ATÉ SE MOVIA BEM, MAS NINGUÉM QUERIA OLHAR PARA ELA".

MILT KAHL SEMPRE DIZIA: "É UMA QUESTÃO DE ESCOLHER O ASSUNTO _CERTO_ PARA DESENVOLVER E SEGUI-LO COM PERSEVERANÇA; E NÃO DEIXAR NENHUMA OUTRA IDEIA _INTERFERIR NELA_. NÃO DEIXE SUA IDEIA PRINCIPAL SER SEPULTADA OU PERTURBADA POR NENHUMA OUTRA COISA".

CONCLUSÃO:

PENSAMOS NA ATUAÇÃO DE MODO GERAL, COMO SE FÔSSEMOS ATORES DESEMPENHANDO-A. COMO PODEMOS EXECUTÁ-LA DO MELHOR JEITO PARA TORNAR O TRABALHO O MELHOR POSSÍVEL? ANTES DE ANIMAR, DEVEMOS DESCOBRIR COM ANTECEDÊNCIA _EXATAMENTE_ O QUE VAMOS REALIZAR.

SAIBA AONDE ESTÁ INDO. AO PLANEJAR, _MARQUE BEM_ AS POSES IMPORTANTES.

ART BABBITT DISSE QUE O GRANDE BILL TYTLA (RENOMADO PELA POTÊNCIA EMOCIONAL E PAIXÃO PROFUNDA CONTIDAS EM SEU TRABALHO) PASSAVA DIAS RASCUNHANDO PEQUENAS MINIATURAS. ELE JÁ TINHA TUDO RESOLVIDO EM MINIATURAS ANTES DE ANIMAR. (E O RESULTADO FINAL AINDA SAÍA TÃO RÁPIDO QUANTO O DOS OUTROS ANIMADORES.) GRIM NATWICK TAMBÉM ME DISSE QUE "TYTLA PLANEJAVA COM MUITO, MUITO CUIDADO".

MUDANÇAS DE EXPRESSÃO

FIQUEI BASTANTE IMPRESSIONADO COM O QUE O MESTRE ANIMADOR/PROFESSOR ERIC LARSON, DA DISNEY, DISSE NO LIVRO DE FRANK THOMAS E OLLIE JOHNSTON, *THE ILLUSION OF LIFE*. ELE DISSE QUE, NOS PRIMEIROS CURTAS DO MICKEY MOUSE, HAVIAM DESCOBERTO O SEGUINTE PRINCÍPIO:

SE VOCÊ ESTÁ OLHANDO PARA UMA IMAGEM E –

> "O PERSONAGEM BAIXA GRADUALMENTE AS SOBRANCELHAS ATÉ FICAR DE CENHO FRANZIDO – PAUSA – E DEPOIS ERGUE UMA SOBRANCELHA E DÁ UMA OLHADA PARA O LADO, VOCÊ IMEDIATAMENTE VAI SENTIR A MUDANÇA DE UM PENSAMENTO PARA O OUTRO. ALGO MUITO IMPORTANTE ACONTECEU!

POR MEIO DE UMA MUDANÇA DE EXPRESSÃO, O PROCESSO DE PENSAMENTO FOI REVELADO".

EU PENSEI, OK, VAMOS RASCUNHAR ESSE PRINCÍPIO EM SUA FORMA MAIS SIMPLES E VER COMO FICA –

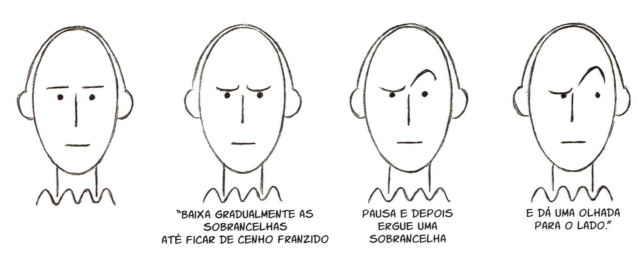

"BAIXA GRADUALMENTE AS SOBRANCELHAS ATÉ FICAR DE CENHO FRANZIDO   PAUSA E DEPOIS ERGUE UMA SOBRANCELHA   E DÁ UMA OLHADA PARA O LADO."

EXCELENTE. ELE ESTÁ PENSANDO! DEPOIS ME PERGUNTEI: HAVERIA UM JEITO DE REFORÇAR UM POUCO MAIS O PROCESSO?

OK, VAMOS FAZER AS SOBRANCELHAS SUBIREM EM ANTECIPAÇÃO ANTES DE BAIXAREM.

FUNCIONA. PODEMOS REFORÇAR MAIS AINDA?
POR QUE NÃO ANTECIPAMOS A SOBRANCELHA QUE VAI SUBIR, BAIXANDO-A UM POUCO MAIS?

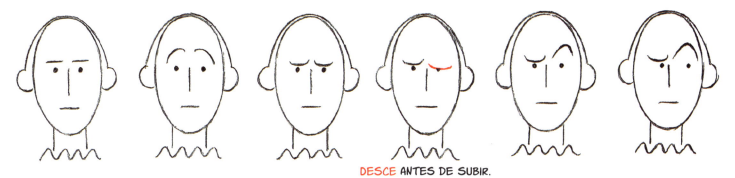

DESCE ANTES DE SUBIR.

TAMBÉM FUNCIONA. HÁ ALGO MAIS QUE POSSAMOS FAZER?

UMA PISCADA LENTA AO MOVER OS OLHOS PODE AJUDAR.

TALVEZ JÁ TENHAMOS CAÍDO NO EXCESSO DE ANIMAÇÃO AQUI, E TALVEZ SAIA UM POUCO BANAL, MAS MOSTRA BEM O QUE É POSSÍVEL FAZER AO PROCURARMOS ALGUMAS POSIÇÕES EXTRAS, OU SEJA, MAIS MUDANÇA E MAIS RETORNO SOBRE O ESFORÇO.

PROCURE O CONTRASTE

MILT KAHL SEMPRE DIZIA: "NÃO MUDE A EXPRESSÃO DURANTE UM MOVIMENTO AMPLO".
ELE USAVA O SEGUINTE EXEMPLO:
DIGAMOS QUE UM HOMEM LÊ UM LIVRO –

ELE OUVE UM BARULHO QUE O DEIXA ALARMADO, QUE O ASSUSTA, E VIRA A CABEÇA.

PARA COMEÇAR, PRECISARÍAMOS DE UM PONTO DE PARTIDA – ALGO QUE SEJA OPOSTO – BEM DIFERENTE DE NOSSA EXPRESSÃO FINAL.

VAMOS LEVANTAR O LIVRO E CURVAR O HOMEM EM DIREÇÃO A ELE – DÊ-LHE UMA EXPRESSÃO ACOMODADA OU ENTRETIDA – E AÍ TEREMOS UMA MUDANÇA MAIOR, UMA TRANSFORMAÇÃO MAIS FORTE.

MAS NÃO QUEREMOS ALTERAR SUA EXPRESSÃO DURANTE O MOVIMENTO, QUANDO NÃO PODERÍAMOS VÊ-LA. POR ISSO, INSERIMOS UMA POSE EM QUE POSSAMOS VER A MUDANÇA ANTES DO MOVIMENTO.

A EXPRESSÃO MUDA QUANDO ELE ESTÁ COMEÇANDO A VIRAR A CABEÇA, E NÓS SABEMOS QUE ELE ESTÁ ASSUSTADO.

DEPOIS ELE VIRA →

(OU) FAÇA-O VIRAR A CABEÇA E MUDAR DE EXPRESSÃO NO FIM DO MOVIMENTO, ONDE PODEREMOS VÊ-LA.

QUALQUER UM DOS JEITOS É BASTANTE EFICAZ.

A IDEIA É COLOCAR A MUDANÇA ONDE VOCÊ POSSA VÊ-LA – NÃO DURANTE O MOVIMENTO AMPLO; A NÃO SER QUE O MOVIMENTO SEJA BEM LENTO – AÍ, SIM, PODEREMOS LER A TRANSFORMAÇÃO.

DE NOVO, A MENTE É O PILOTO. PENSAMOS NAS AÇÕES ANTES DE O CORPO EXECUTÁ-LAS. HÁ SEMPRE UMA FRAÇÃO DE SEGUNDO DE "TEMPO DE PENSAMENTO" ANTES QUE O PERSONAGEM FAÇA UMA AÇÃO.

APONTAMENTO SOBRE ATUAÇÃO

UM MAU ATOR VAI APONTAR AO MESMO TEMPO QUE DIZ –

LÁ VAI ELE!

EXTREMO NO "LÁ"

MAS PODEMOS FUGIR DO CLICHÊ SE ELE SIMPLESMENTE APONTAR PRIMEIRO E FALAR DEPOIS –

LÁ VAI ELE!

MUITO MELHOR.

OU, FAÇA-O FALAR PRIMEIRO E <u>DEPOIS</u> APONTAR –

LÁ VAI ELE!

GESTOS SÃO MAIS FORTES QUE PALAVRAS.

A PROPÓSITO, AO APONTAR, É UMA BOA IDEIA CONDUZIR COM O PULSO E FAZER A MÃO E OS DEDOS CHEGAREM DEPOIS.

E – UM DETALHE BEM PEQUENO – EM UM MOVIMENTO RÁPIDO, INDO DE Ⓐ A Ⓑ:

Ⓐ

PODEMOS INSERIR 1 FRAME ANTES DE B NA DIREÇÃO ERRADA. RÁPIDO DEMAIS PARA VER, MAS VAMOS SENTIR O SÚBITO "ESTALO".

Ⓑ

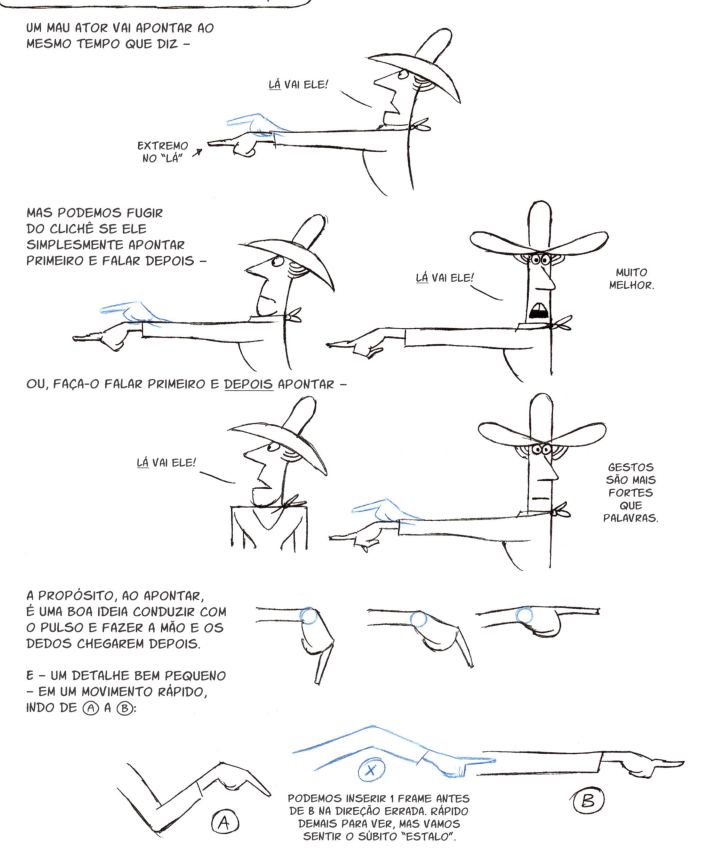

LINGUAGEM CORPORAL

O BRILHANTE DIRETOR DE ARTE/DESIGNER DA DISNEY, KEN ANDERSON, DISSE:

"A PANTOMIMA É A ARTE FUNDAMENTAL DA ANIMAÇÃO.

A LINGUAGEM CORPORAL É SUA RAIZ, E FELIZMENTE É UNIVERSAL".

EU ESTIVE EM TEERÃ COM KEN LOGO ANTES DA REVOLUÇÃO, E TIVE UM CHOQUE DESAGRADÁVEL E UMA GRANDE LIÇÃO QUANDO RODARAM MEU FILME *UM CONTO DE NATAL*, DE MEIA HORA, GANHADOR DE OSCAR, PARA UM PÚBLICO IRANIANO.

TENTAMOS APLICAR NO FILME O MÁXIMO DE LINGUAGEM CORPORAL QUE PODÍAMOS, MAS AINDA HAVIA ALI A HISTÓRIA <u>LITERÁRIA</u> DE DICKENS. É ÓBVIO QUE O PÚBLICO NÃO ENTENDEU UMA PALAVRA. UM DESENHO ANIMADO DE CHUCK JONES VEIO A SEGUIR E DESBANCOU O NOSSO COMPLETAMENTE.

POR ISSO, NÓS, ANIMADORES, DEVEMOS REDUZIR A QUANTIDADE DE PALAVRAS SEMPRE AO MÍNIMO NECESSÁRIO, E TORNAR TUDO TÃO CLARO QUANTO POSSÍVEL POR MEIO DA PANTOMIMA. DEVEMOS SENTIR QUE TEMOS SOMENTE O CORPO PARA CONTAR A HISTÓRIA.

É UMA GRANDE IDEIA ESTUDAR FILMES MUDOS. APESAR DE A MAIOR PARTE DA ATUAÇÃO SER RIDICULAMENTE EXAGERADA OU PIEGAS, TUDO É MUITO <u>CLARO</u>. É QUASE UMA ARTE PERDIDA.

UM ATOR PRECISA, ATÉ CERTO PONTO, SER ESPONTÂNEO; MAS, PARA NÓS, O TRABALHO PODE SER TUDO, MENOS ESPONTÂNEO. PODEMOS SENTAR E PENSAR MUITO A RESPEITO DA CENA. PODEMOS EXPERIMENTAR, TESTAR E FAZER ALTERAÇÕES. TEMOS TOTAL CONTROLE DO CORPO E NÃO HÁ NENHUMA LIMITAÇÃO DE DESTREZA FÍSICA, OU GRAVIDADE, OU IDADE, OU RAÇA, OU SEXO. NOVAMENTE, PODEMOS INVENTAR O QUE NÃO EXISTE NA REALIDADE E AINDA ASSIM FAZER PARECER CONVINCENTE.

SIMETRIA OU "ESPELHAMENTO"

SINTO QUE A SIMETRIA GANHOU MÁ FAMA POR CAUSA DA MÁ ATUAÇÃO NA ANIMAÇÃO. AS PESSOAS COSTUMAM DIZER "EVITE O ESPELHAMENTO", QUE É QUANDO AMBOS OS BRAÇOS E AS MÃOS ESTÃO FAZENDO A MESMA COISA.

MAS É SÓ ASSISTIR A QUALQUER POLÍTICO, PREGADOR, LÍDER OU ESPECIALISTA NA TELEVISÃO, QUANDO ESTÃO EXPLICANDO VEEMENTEMENTE SUAS IDEIAS, E VEREMOS SEUS BRAÇOS E MÃOS ESPELHANDO-SE SIMETRICAMENTE.

EIS AQUI O PADRÃO GERAL –   (DEPOIS ELES QUEBRAM O PADRÃO)

"PRECISAMOS DE EQUILÍBRIO, HARMONIA, ABUNDÂNCIA,

FELICIDADE PARA TODOS.

E CABE A <u>VOCÊ</u> VOTAR EM MIM OU ENVIAR SEU DINHEIRO

PARA QUE EU POSSA TRAZER, GLORIOSAMENTE,

SUCESSO, ILUMINAÇÃO, HARMONIA, PROSPERIDADE, ABUNDÂNCIA, VIDA EQUILIBRADA, ETC."

ELES PODEM FAZER O MESMO EM UMA VERSÃO REDUZIDA –

"SOU ABERTO, HONESTO,   TUDO PARTE DO MEU CORAÇÃO…   E EU NUNCA VOU MENTIR PARA VOCÊ   PARA PROPORCIONAR UM GLORIOSO E INCLUSIVO   FUTURO PARA TODOS NÓS."

E PRESTE ATENÇÃO EM SEUS PRÓPRIOS GESTOS QUANDO ESTIVER EXPLICANDO ALGO PARA ALGUM GRUPO. NÓS FAZEMOS ISSO NATURALMENTE. ACREDITO QUE A SIMETRIA É UMA EXPRESSÃO DE HARMONIA, BELEZA, EQUILÍBRIO, ORDEM E AUTORIDADE, E AS PESSOAS A USAM O TEMPO TODO (QUEBRANDO O PADRÃO PARA APONTAR OU ALGO DO TIPO) E DEPOIS RETORNAM A ELA PARA EXPRESSAR A PLENITUDE DO QUE ESTÃO TENTANDO TRANSMITIR. PORTANTO, O USO CRITERIOSO DO ESPELHAMENTO É EFICAZ, PORQUE ELE ESTÁ EM TODO LUGAR. TUDO TEM A VER COM A MANEIRA COMO O UTILIZAMOS.
UMA FORMA DE ALIVIAR A INFÂMIA DO ESPELHAMENTO É SIMPLESMENTE ATRASAR UMA DAS MÃOS OU BRAÇOS POR 4 OU 6 FRAMES:

COMO FARIA UM DANÇARINO   OU INCLINAR ALGUMA OUTRA PARTE   OU USAR PLANOS EM PERSPECTIVA.

EM UMA MARAVILHOSA AULA DE TV SOBRE ATUAÇÃO, MICHAEL CAINE CHOCOU A TODOS AO DIZER: "SE VOCÊ VIR ALGUM ATOR ATUANDO DE FORMA ADMIRÁVEL – ROUBE A IDEIA!" (PAUSA PARA EFEITO) "<u>ROUBE!</u>" (PÚBLICO EM CHOQUE, HORRORIZADO) "PORQUE… <u>ELE</u> JÁ FEZ ISSO".

UM BOM CONSELHO VEIO DO ESTÚDIO DISNEY, LOGO NO INÍCIO:
SE VOCÊ TEM POUCO TEMPO, DEDIQUE-O AOS OLHOS, POIS SÃO O QUE AS PESSOAS VEEM. CLARO QUE É VERDADE. OS OLHOS SÃO A PARTE VISÍVEL DO CÉREBRO, DIRETAMENTE CONECTADOS A ELE.

ACHO QUE É POR ISSO QUE VEMOS A "ALMA" DA OUTRA PESSOA REVELADA EM SEUS OLHOS. É ASSUSTADOR. ESTAMOS OLHANDO PARA DENTRO UM DO OUTRO.

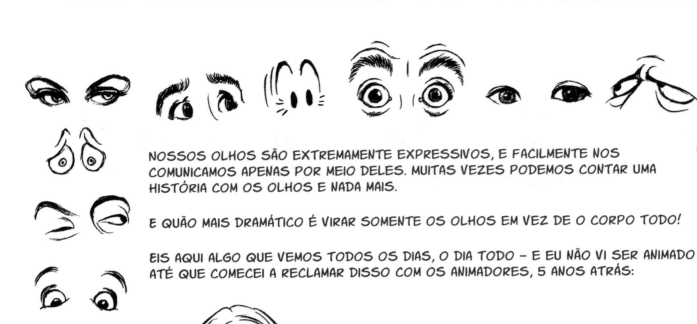

NOSSOS OLHOS SÃO EXTREMAMENTE EXPRESSIVOS, E FACILMENTE NOS COMUNICAMOS APENAS POR MEIO DELES. MUITAS VEZES PODEMOS CONTAR UMA HISTÓRIA COM OS OLHOS E NADA MAIS.

E QUÃO MAIS DRAMÁTICO É VIRAR SOMENTE OS OLHOS EM VEZ DE O CORPO TODO!

EIS AQUI ALGO QUE VEMOS TODOS OS DIAS, O DIA TODO – E EU NÃO VI SER ANIMADO ATÉ QUE COMECEI A RECLAMAR DISSO COM OS ANIMADORES, 5 ANOS ATRÁS:

QUANDO ALGUÉM ESCUTA AO TELEFONE, SEUS OLHOS MUDAM DE DIREÇÃO EM PEQUENOS MOVIMENTOS SÚBITOS, O QUE REFLETE AS MUDANÇAS DE PENSAMENTO EM REAÇÃO AO QUE OUVE. OS OLHOS RARAMENTE FICAM PARADOS.

É INTERESSANTE DISTENDER A PUPILA PARA MOSTRAR FORMA, PARA SENTIRMOS PARTE DO OLHO.

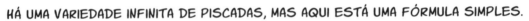

MOVA A PUPILA PARA BAIXO COM A PÁLPEBRA, COMO SE FOSSE PESADA, COMO SE FORÇASSE A PUPILA.

HÁ UMA VARIEDADE INFINITA DE PISCADAS, MAS AQUI ESTÁ UMA FÓRMULA SIMPLES.

É MEIO GROSSEIRA, MAS EFICAZ – FUNCIONA BEM EM UNS OU EM DOIS. PODEMOS FALAR ETERNAMENTE SOBRE ATUAÇÃO (E FALAMOS), MAS NOSSO TRABALHO É:

① COMUNICAR O PROPÓSITO DA CENA CLARAMENTE.

② ENTRAR NO PERSONAGEM OU NOS PERSONAGENS (E TODOS SÃO MESMO DIFERENTES).

③ MOSTRAR NITIDAMENTE O QUE ELES ESTÃO PENSANDO.

326

AÇÃO ANIMAL

ANIMAIS DE QUATRO PATAS ANDAM COMO DUAS PESSOAS COLADAS UMA NA OUTRA – UMA LIGEIRAMENTE ANTES DA OUTRA –; DOIS PARES DE PERNAS LEVEMENTE FORA DE SINCRONIA.

NÓS PROCURAMOS PELAS MESMAS COISAS QUE EM UM HUMANO. COMEÇAMOS PELAS POSES DE CONTATO (PROVAVELMENTE INICIANDO COM A PATA DIANTEIRA). ONDE ESTÃO OS PONTOS ALTOS E BAIXOS? ONDE FICA O PESO? QUAL É A VELOCIDADE? O PERSONAGEM? AS DIFERENÇAS NA COMPLEIÇÃO?

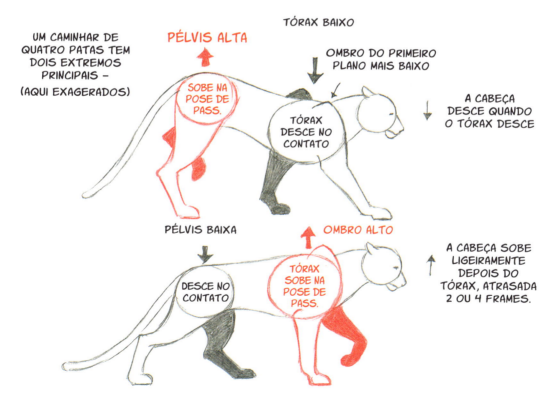

MAS COM DOIS PARES DE PERNAS TRABALHANDO, HÁ UM BOCADO DE TRANSFERÊNCIA DE PESO ACONTECENDO – DE ONDE O PESO ESTÁ VINDO, E PARA ONDE ESTÁ INDO.

SE OPTARMOS POR UMA ABORDAGEM "REALISTA" EM NOSSA AÇÃO, VAMOS PRECISAR FAZER UMA PESQUISA: DESCOBRIR COMO É A CONSTITUIÇÃO FÍSICA DO ANIMAL, SEU TIPO E TAMANHO, OBSERVANDO MUITO, ATÉ O CONHECERMOS BEM.

REFERÊNCIA DO MUNDO REAL

ESTUDE OS FILMES, OS VÍDEOS E AS EXTRAORDINÁRIAS FOTOS DE MUYBRIDGE, NAS QUAIS OS ALTOS E BAIXOS E MUDANÇAS NO FORMATO DOS MÚSCULOS SÃO CLARAMENTE INDICADOS GRAÇAS AO FUNDO QUADRICULADO.

UM MESTRE EM AÇÃO ANIMAL, MILT KAHL, DISSE QUE FAZIA PESQUISAS MINUCIOSAS SOBRE ANIMAIS, E FAZIA SEMPRE. DISSE TAMBÉM QUE DEDICOU CENTENAS DE HORAS A ESTUDAR AÇÕES, CAMINHADAS E CORRIDAS DE ANIMAIS VARIADOS: O QUE ESTÁ ACONTECENDO, ONDE ESTÁ O PESO E COMO DESENHÁ-LO. ELE ACREDITAVA QUE NÃO HAVIA UM JEITO FÁCIL DE ALCANÇAR ESSE PATAMAR: NÓS SIMPLESMENTE TEMOS DE TRILHAR TODO O PROCESSO.

MILT VIA TREMENDO VALOR NOS LIVROS DE MUYBRIDGE – CONSIDERAVA-OS AINDA MELHORES DO QUE FILMES, POR CAUSA DO FUNDO QUADRICULADO.

KEN HARRIS TAMBÉM SENTIU A EFICÁCIA DE MUYBRIDGE. ELE REDUZIU A ESSÊNCIA A UMA SIMPLES FÓRMULA – ALGO ASSIM:

JÁ QUE A MAIORIA DOS ANIMAIS ANDA DE FORMA BEM SIMILAR, SE COMPREENDERMOS A CAMINHADA DE UM ANIMAL DE PORTE MÉDIO, COMO UM CAVALO, UM CACHORRO OU UM GATO GRANDE, PODEMOS APLICAR O MESMO CONHECIMENTO A OUTROS ANIMAIS, DEPENDENDO DE SEU TAMANHO, PESO, DESIGN E *TIMING* – OS INTERVALOS DE SUAS PATAS TOCANDO O CHÃO.
SE CAMINHARMOS DE QUATRO, PODEMOS SENTIR COMO ELES ANDAM.

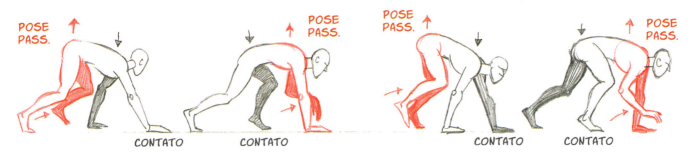

328

ABE LEVITOW FORMULOU UMA
PERGUNTA INTERESSANTE:

UM CAVALO CAMINHA COMO UM AVESTRUZ E UM HOMEM?

CONTATO

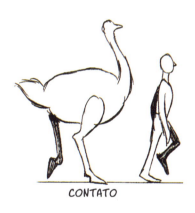
CONTATO

CONTATO

ETC.

OU

UM AVESTRUZ E UM HOMEM CAMINHAM COMO UM CAVALO?

329

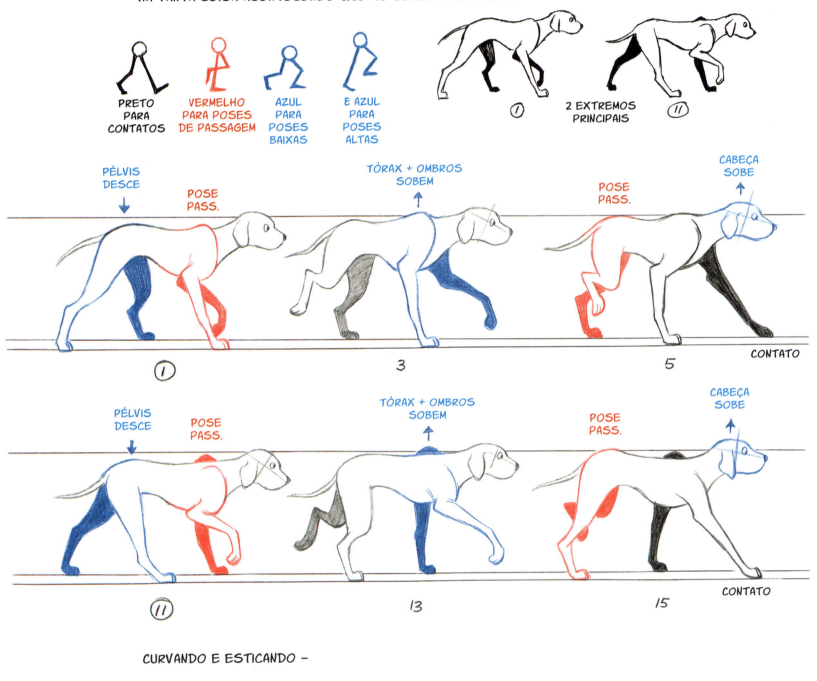

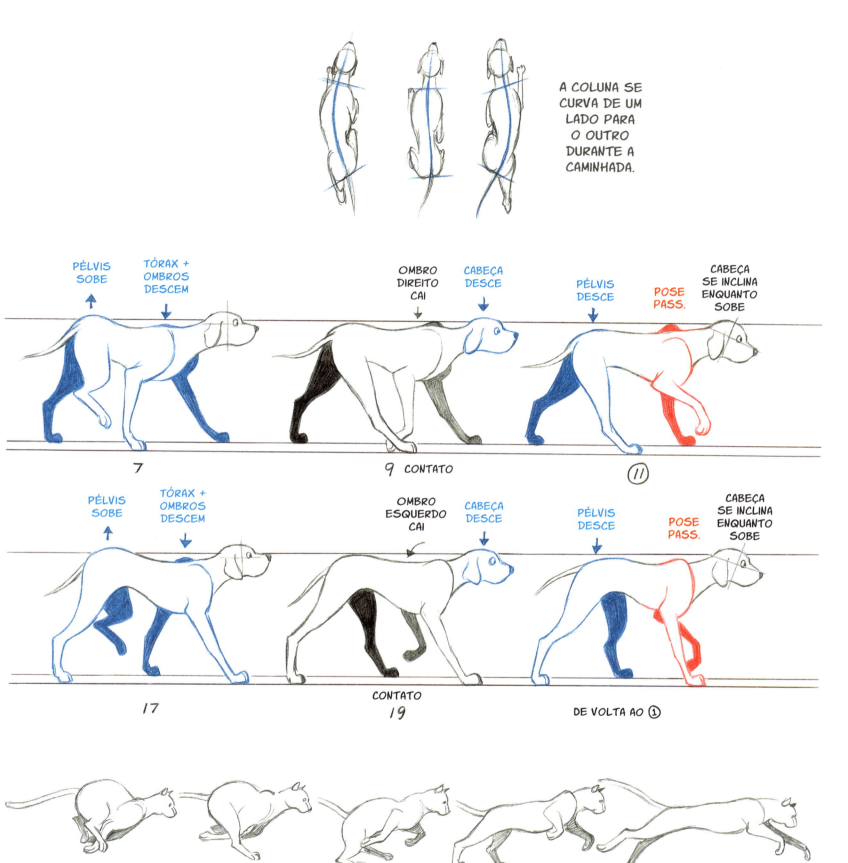

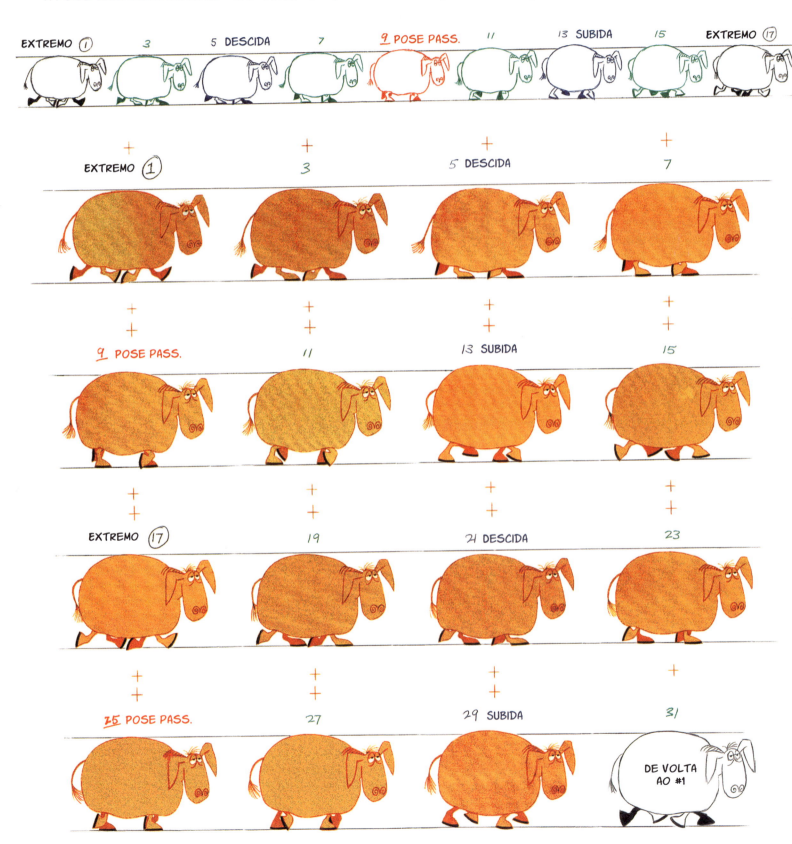

DIREÇÃO

CREIO QUE HAJA APENAS ALGUMAS POUCAS COISAS IMPORTANTES A SABER SOBRE DIREÇÃO, MAS É PRECISO CONHECÊ-LAS BEM.

O TRABALHO DA PESSOA QUE DIRIGE É FAZER TUDO FUNCIONAR. EU TENHO TRÊS REGRAS:

1. SEJA SIMPLES.
2. SEJA CLARO.
3. PONHA TUDO ONDE VOCÊ POSSA VER.

O DIRETOR É UMA CRIATURA DE DUAS CARAS COM PÉS EM DOIS CAMPOS. A SITUAÇÃO EXIGE ISSO.

"É UM NEGÓCIO, DIABOS!"
(EXECUTIVO ANÔNIMO)

"NÃO É UM NEGÓCIO. É UMA EXPRESSÃO!"
EMERY HAWKINS (ANIMADOR)

É CLARO QUE SÃO AMBOS – MAS SABE A REGRA DE OURO?

QUEM TEM O OURO FAZ AS REGRAS.

SOMOS CONTRATADOS PARA EXECUTAR UM SERVIÇO, E DEVEMOS FAZER O QUE NOS CONTRATAM PARA FAZER. DEVEMOS SEGUIR AS REGRAS. SE QUISERMOS LIBERDADE ARTÍSTICA, DEVEMOS PROVIDENCIAR NOSSO PRÓPRIO OURO.

(O BRIEFING) É MUITO IMPORTANTE! EU SEMPRE ESCREVO EM UMA FOLHA DE PAPEL QUAIS SÃO NOSSOS OBJETIVOS. POR EXEMPLO, NO FILME *UMA CILADA PARA ROGER RABBIT*: PRIMEIRO, FAÇAM O CASAMENTO ENTRE A AÇÃO AO VIVO (COM ATORES REAIS) E O UNIVERSO DOS DESENHOS SE MESCLAR DE FORMA CONVINCENTE.

SEGUNDO, USEM:
- (A) ARTICULAÇÃO DA DISNEY.
- (B) PERSONAGENS TIPO WARNER.
- (C) HUMOR À LA TEX AVERY (MAS NÃO TÃO BRUTAL).

NOSSO TRABALHO É DISSIPAR OS MEDOS DOS EXECUTIVOS E LHES INCITAR A GANÂNCIA AO DAR MOSTRAS DE NOSSO TALENTO – RESOLVENDO OS PROBLEMAS ASSIM QUE APARECEM. PROJETE O QUE É NECESSÁRIO OU ESCOLHA O QUE JÁ ESTÁ BOM E MOSTRE QUE FUNCIONA.

(O ROLO LEICA) OU ANIMATIC, OU STORYBOARD FILMADO EM CORES VAI MOSTRAR O QUE ESTÁ FUNCIONANDO (E O QUE NÃO ESTÁ), E É ALGO A QUE TODOS DEVEM DEDICAR BASTANTE TEMPO – E SE ACALMAR. E ENTÃO FAZEMOS AS MUDANÇAS NO ROLO LEICA, NÃO NA ANIMAÇÃO. ASSIM, OS ANIMADORES PODEM DAR PROSSEGUIMENTO AO SEU TRABALHO COM ALGUMA PAZ.

(SEPARE OS PERSONAGENS) E MOSTRE A DIFERENÇA ENTRE ELES. TUDO SE TRATA DE CONTRASTE: TAMANHOS, FORMAS, CORES, VOZES. PONHA OPOSTOS LADO A LADO: GRANDE E PEQUENO, GORDO E MAGRO, ALTO E BAIXO, REDONDO E QUADRADO, VELHO E JOVEM, RICO E POBRE, ETC.

ESSA SEPARAÇÃO É MUITO IMPORTANTE! UM EXEMPLO BEM-SUCEDIDO DISSO É *O REI LEÃO*, DA DISNEY, EM QUE TODAS AS CRIATURAS TÊM APARÊNCIAS, VOZES E COMPORTAMENTOS BASTANTE DIFERENTES ENTRE SI.

CAUSE UMA BOA IMPRESSÃO ALOQUE OS MELHORES ANIMADORES NA ABERTURA, NO ENCERRAMENTO E EM CERTOS PONTOS-CHAVE IDENTIFICADOS NO MEIO – COMO FAZEM OS ATORES QUE SABEM DA IMPORTÂNCIA DAS ENTRADAS E SAÍDAS TEATRAIS. PONHA OS MELHORES PROFISSIONAIS EM CENAS LONGAS E DE CLOSE-UP, OS MENOS EXPERIENTES EM TOMADAS DE 2 SEGUNDOS, E OS MÉDIOS NO MEIO.

SELECIONANDO OS ANIMADORES TODO MUNDO TEM UMA ESPECIALIDADE NA QUAL SE SAI MELHOR. É NOSSO TRABALHO ESCALAR CADA UM PELO QUE CONSEGUE FAZER, E NÃO PELO QUE NÃO CONSEGUE.

FAZENDO MUDANÇAS A MENOS QUE ELE PEÇA AJUDA, PERMITA QUE O ANIMADOR CRIE SEM IMPEDIMENTOS. QUANDO ELE ESTIVER "GESTANDO" UMA NOVA CENA, NÃO VAI SE IMPORTAR DE FAZER EVENTUAIS MUDANÇAS EM UMA CENA ANTERIOR. SOMOS TODOS IGUAIS NESSE ASPECTO.

"FALE! FALE!" MANTENHA A PORTA ABERTA PARA CONTRIBUIÇÕES DE TODOS DA EQUIPE. SE ENCONTRÁ-LOS MURMURANDO, PEÇA A CADA UM QUE "FALE! FALE!". ELES PODEM ESTAR CERTOS SOBRE ALGUMA COISA.

GRAVAÇÃO DE VOZ SE VOCÊ ESCALAR O ATOR CERTO PARA O TRABALHO, VAI SER A COISA MAIS FÁCIL DO MUNDO. ELE GERALMENTE VAI ENTREGAR NA PRIMEIRA TOMADA O QUE VOCÊ PRECISA. DEPOIS VAI FAZER MAIS UMA TOMADA SÓ POR SEGURANÇA. NA VERDADE, VAI ENTREGAR O QUE VOCÊ PRECISA JÁ NO ENSAIO; POR ISSO, FAÇA O ENGENHEIRO DE SOM GRAVAR TUDO. VOCÊ SÓ VAI ACABAR COM CINQUENTA TOMADAS NA MÃO SE NÃO TIVER DEIXADO CLAROS OS REQUISITOS DO QUE PRECISA.

CONTINUIDADE É NOSSA RESPONSABILIDADE GARANTIR QUE A TOMADA DE UM ANIMADOR TENHA CONTINUIDADE PERFEITA COM A TOMADA SEGUINTE DE OUTRO. NÃO HÁ DESCULPAS PARA UM DIRETOR QUE ERRE ISSO, JÁ QUE PODEMOS FAZER DESENHOS PERFEITAMENTE LIGADOS UM AO OUTRO.

PESQUISA MUITO, MUITO, MUITO IMPORTANTE. PESQUISE TUDO QUE PUDER, ATÉ CONHECER O ASSUNTO DE COR. NÃO AJA SEM PREPARAÇÃO.

EDIÇÃO DEVEMOS CONHECER TÉCNICAS DE EDIÇÃO. EU ESTUDO O DIRETOR JAPONÊS AKIRA KUROSAWA, A QUEM EU CONSIDERO O MAIOR EDITOR E DIRETOR DO MUNDO.

ACREDITE EM SEU MATERIAL OUTRA GRANDE QUALIDADE DE AKIRA KUROSAWA É QUE ELE ACREDITAVA EM SEU MATERIAL. ELE CONFIAVA NO PÚBLICO E EM SUA PRÓPRIA HABILIDADE DE CONTAR A HISTÓRIA, E PERMITIA QUE O PÚBLICO SE CONECTASSE AO FILME. PORTANTO, COMO DIRETOR, VOCÊ PRECISA ACREDITAR EM SEU MATERIAL.

É IMPRESSIONANTE A QUANTIDADE DE MANOBRAS QUE PODEMOS FAZER.

UMA SITUAÇÃO INTERESSANTE ACONTECEU EM *UMA CILADA PARA ROGER RABBIT*.

O ATOR BOB HOSKINS POSSUÍA UMA ENORME HABILIDADE DE SE CONCENTRAR EM UM COELHO INEXISTENTE DE POUCO MENOS DE 1 METRO DE ALTURA. DIFERENTEMENTE DA MAIORIA DOS ATORES, QUE OLHAVA ATRAVÉS DO PERSONAGEM INVISÍVEL, BOB CONSEGUIA MIRAR EXATAMENTE NA ALTURA DE QUASE 1 METRO EM QUE OS OLHOS DO COELHO ESTARIAM.

UM DIA, O ANIMADOR SIMON WELLS (HOJE UM GRANDE DIRETOR) CHEGOU PARA MIM E DISSE: "TEMOS UM PROBLEMA – HOSKINS ESTÁ OLHANDO PARA UM COELHO DE QUASE 2 METROS DE ALTURA – O QUE FAZEMOS?". ELE ESTAVA CERTO. HOSKINS TEVE UM LAPSO E SE VIU FALANDO COM UM PONTO NA PAREDE A QUASE 2 METROS DO CHÃO.

O COELHO DEVIA ESTAR AQUI EMBAIXO.

PENSEI: "BEM, O COELHO TEM UNS PÉS IMENSOS – VAMOS DEIXÁ-LO ESTICADO NA PONTA DOS PÉS CONTRA A PAREDE". "SEM UM BOM MOTIVO?" – "O QUE MAIS PODEMOS FAZER? O COELHO É NEURÓTICO, PODE FUNCIONAR."

CHEGARAM ATÉ MESMO A USAR A CENA NOS TRAILERS DO FILME E NINGUÉM JAMAIS QUESTIONOU.

EU RASCUNHO TUDO EM MINIATURAS PRIMEIRO. COMO ESSES PEQUENOS DESENHOS SÃO DESENHOS "QUE PENSAM", SEMPRE PARECEM MOSTRAR SE A IDEIA FUNCIONA COM CLAREZA OU NÃO:

1. O senhor não sabe o quanto é difícil; 2. ser uma mulher – caminhada deslumbrante (andar fatal); 3. do jeito que eu sou. 4. E você não sabe o quanto é difícil ser um homem olhando para uma mulher do jeito que você é. 5. Eu não sou má; 6. eu apenas fui desenhada assim. – corpo todo, não MCU.

337

E PARA CONCLUIR: UMA REVISÃO

O PROCEDIMENTO

PARA FAZER A SOPA:

ESTRUTURA DE PLANEJAMENTO

STORYBOARD (DESENHOS FINALIZADOS? OU RASCUNHOS)

PRÓXIMO ↓

TESTAR ROLO <u>LEICA</u> OU ANIMATIC OU STORYBOARD FILMADO

PRÓXIMO ↓

PODEMOS ATÉ TESTAR ESTES

DESENHOS DE PLANEJAMENTO (GERALMENTE PEQUENAS MINIATURAS)  HOMEM MORDE CACHORRO

DEPOIS COMPREENSÃO NÍTIDA DA CENA

TESTAR (POSES--CHAVE) DESENHOS OU POSES IMPORTANTES QUE <u>NÃO PODEM</u> FALTAR.

TESTAR EXTREMOS = QUAISQUER OUTRAS POSES QUE TAMBÉM <u>TÊM DE</u> CONSTAR.
– GERALMENTE OS "CONTATOS"

TESTAR POSES DE PASSAGEM (TALVEZ SÓ RASCUNHOS)

FLUXO ESPONTÂNEO

FAZER VÁRIAS PASSADAS DE ANIMAÇÃO DIRETA –

COMEÇANDO PELO QUE É MAIS IMPORTANTE

DEPOIS, O QUE OCUPA UM SEGUNDO NÍVEL DE IMPORTÂNCIA

DEPOIS, O TERCEIRO NÍVEL

DEPOIS, O QUARTO

E OUTRAS PARTES – COMO MOVIMENTO DE ROUPAS,

CABELO,

GORDURA,

CAUDAS, ETC.

E PODEMOS SEGUIR TESTANDO.

OS INGREDIENTES

E PARA REALIZAR O PROCEDIMENTO VAMOS USAR:

BOAS POSES-CHAVE PARA OBTER CLAREZA

PESO = "MUDANÇA" E ANTECIPAÇÃO.

PARA OBTER FLEXIBILIDADE:

VAMOS USAR SOBREPOSIÇÃO DE AÇÕES (ATRASANDO ALGUMAS PARTES E MOVENDO OS OBJETOS EM PARTES DISTINTAS)

E TAMBÉM QUEBRAS SUCESSIVAS DE ARTICULAÇÕES

ÊNFASES – CABEÇA, CORPO, MÃOS, PÉS
(USE-AS BEM CEDO)

VIBRAÇÕES E TREMULAÇÕES

COMPRESSÃO E DISTENSÃO
(ACHATAMENTO E ALONGAMENTO)

DIFERENTES CAMINHADAS E CORRIDAS = QUEREMOS REALÇAR A <u>DIFERENÇA</u> ENTRE COISAS E PESSOAS.

MOVIMENTOS "INVENTADOS" QUE NÃO PODEM ACONTECER NO MUNDO REAL,

MAS FAZEMOS PARECER CONVINCENTES.

PARA O DIÁLOGO, VAMOS <u>AVANÇAR</u> RUMO A ALGUM LUGAR DURANTE A FALA.

USAREMOS TODOS ESSES INGREDIENTES DE FORMA AMPLA OU BEM SUTIL.

TUDO ISSO FORMA A ANATOMIA QUE VAI NOS PERMITIR ENTREGAR A PERFORMANCE, SUSTENTÁ-LA E TORNÁ-LA IRRESISTÍVEL DE ASSISTIR.

E, QUANDO TUDO ISSO TIVER SIDO ABSORVIDO PELA CORRENTE SANGUÍNEA,

ESTAREMOS LIVRES PARA NOS EXPRESSAR!

"O NEGÓCIO É A PEÇA"[6]

---

6   Frase de Hamlet, na tradução de Millor Fernandes. (*Hamlet*. Porto Alegre: L&PM Pocket, 1997, p. 49.) (N. do T.)

ESTA EDIÇÃO AMPLIADA ME PERMITIU ACRESCENTAR DETALHES QUE NÃO PUDERAM SER INSERIDOS DA ÚLTIMA VEZ...

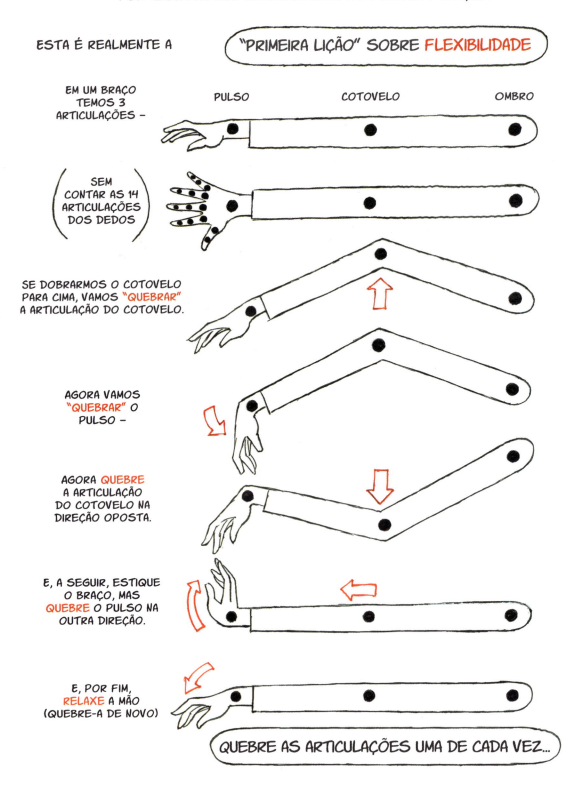

ATRASANDO PARTES E PROGREDINDO NA AÇÃO

ESTA FOI UMA LIÇÃO MUITO VALIOSA PARA MIM!
ANOS ATRÁS UM DE MEUS MELHORES ESFORÇOS FOI NA CENA DE UMA BRUXA DIZENDO "VOU TE DAR O ELIXIR". FIZ AS MÃOS DELA BALANÇANDO PARA A FRENTE E PARA TRÁS COMO UM GARÇOM ITALIANO. (SÓ ESTOU MOSTRANDO DESENHOS ALEATÓRIOS AQUI.)

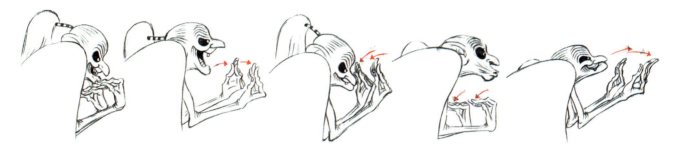

SATISFEITO, CORRI ATÉ ART BABBITT, QUE GRUNHIU: "É, OK, MAS VOCÊ ESTÁ 'ESPELHANDO' AS MÃOS. VAI FICAR MUITO MELHOR SE VOCÊ ATRASAR SÓ UMA DAS MÃOS POR 4 FRAMES. PARA DEIXÁ-LA MAIS SOLTA".
E EU FIZ ISSO. TODO O RESTO DA PERSONAGEM ERA O MESMO, MAS A MÃO ATRASADA FUNCIONOU! (DE NOVO, SÓ DESENHOS ALEATÓRIOS AQUI.)

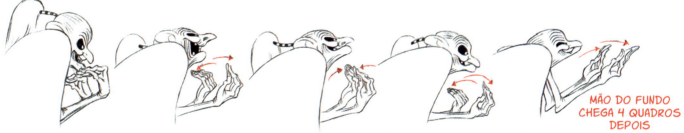

MÃO DO FUNDO CHEGA 4 QUADROS DEPOIS

MARAVILHADO COM O RESULTADO, CORRI SATISFEITO ATÉ KEN HARRIS. "É, ESTÁ BOM", KEN RESMUNGOU, "MAS POR QUE VOCÊ NÃO PROGREDIU NA AÇÃO? MOVA A VELHA PARA A FRENTE ENQUANTO ELA GESTICULA". (VEJA "O SEGREDO" DO LIP SYNC NA PÁGINA 314.) ENTÃO DESENHEI TUDO DE NOVO, FAZENDO-A "PROGREDIR". A AÇÃO ERA EXATAMENTE A MESMA, MAS EU A MOVI AO LONGO DA PÁGINA – INDO A ALGUM LUGAR. A CENA TODA SE TRANSFORMOU. (ISTO É O MELHOR QUE POSSO FAZER PARA MOSTRÁ-LA AQUI.)

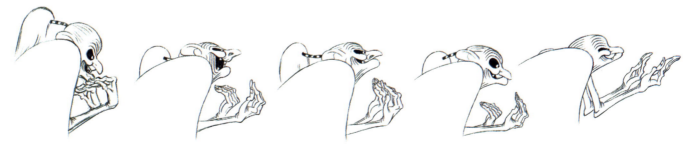

MESMOS DESENHOS (RETRAÇADOS) FAZENDO-A PROGREDIR AO LONGO DA PÁGINA

343

PONHA A AÇÃO ONDE VOCÊ PODE VÊ-LA

ESTA É UMA CENA DE AÇÃO RÁPIDA, DESENHADA AO ESTILO DE KAL — UM GRANDE CARTUNISTA POLÍTICO.

344

A PRIMEIRA-MINISTRA DA ÉPOCA, MARGARET THATCHER, CONFRONTA NEIL KINNOCK, ENTÃO LÍDER DA OPOSIÇÃO. (NÓS ANIMAMOS A CENA COM TINTA SOBRE PAPEL — EXATAMENTE COMO O PRÓPRIO CARTUNISTA TRABALHAVA.) EU FIZ AS POSES-CHAVE E OS EXTREMOS COM SILHUETAS TÃO NÍTIDAS E LEGÍVEIS QUANTO PUDE.

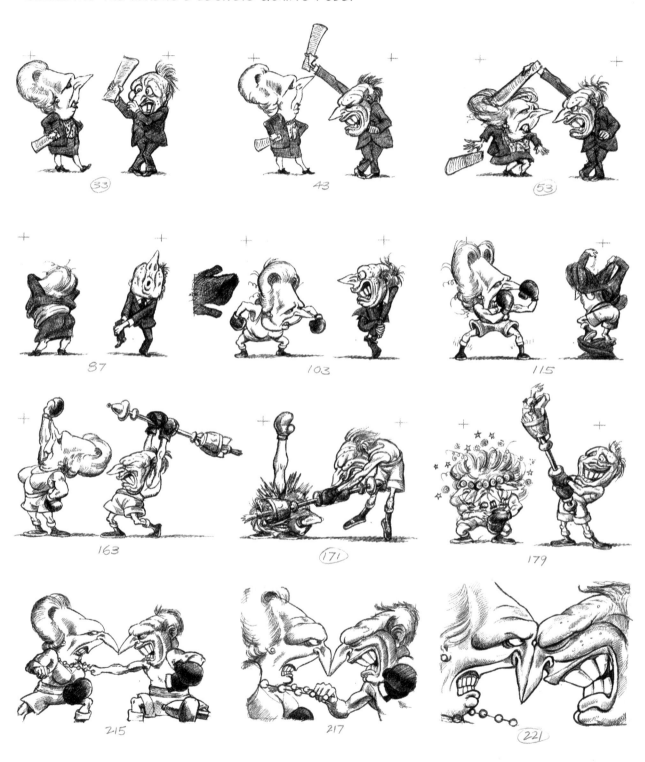

UM SALTITAR À LA HOLLYWOOD

EIS AQUI UMA ANIMAÇÃO DO PATO DA CAPA DESTE LIVRO. ELE ATRAVESSA A TELA EM PASSOS DE 12 FRAMES. FOI PRECISO FAZÊ-LO EM UNS, SENÃO ELE IRIA SOFRER DE TREMULAÇÃO ESTROBOSCÓPICA.

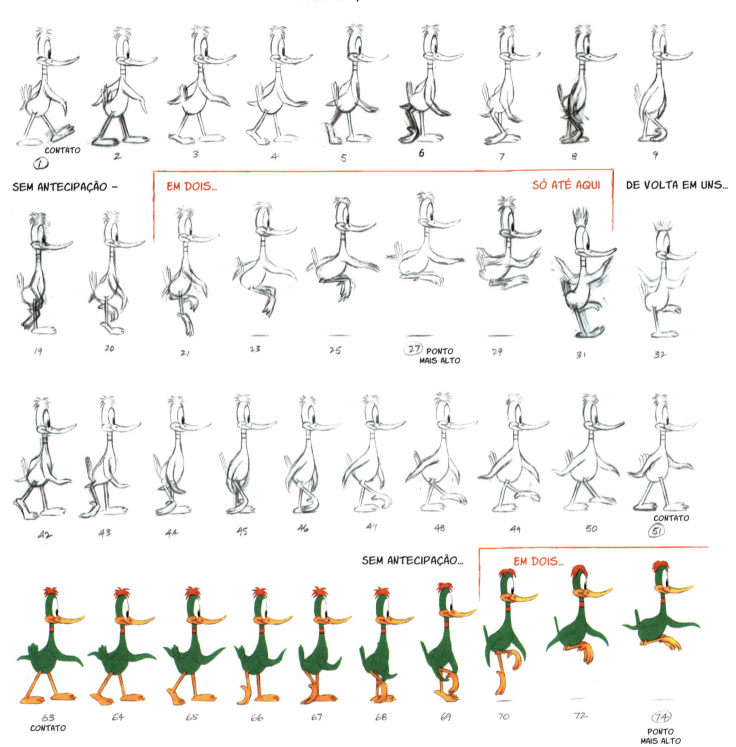

MAS QUANDO ELE DÁ SEUS PULINHOS INESPERADOS, ELE SE MOVE EM DOIS. ISSO CONFERE UMA TEXTURA VARIADA. É O "BRILHO DO DOIS", COMO FRANK THOMAS DIZIA. E A SEGUIR VOLTAMOS PARA MOVIMENTOS SUAVES EM UNS. EU LHE DEI UM BALANÇO ENGRAÇADO DE BRAÇOS E, APESAR DE SUA CABEÇA FICAR FIRME NO LUGAR, SEU QUADRIL E CAUDA BALANÇAM DE LEVE DE UM LADO PARA O OUTRO.

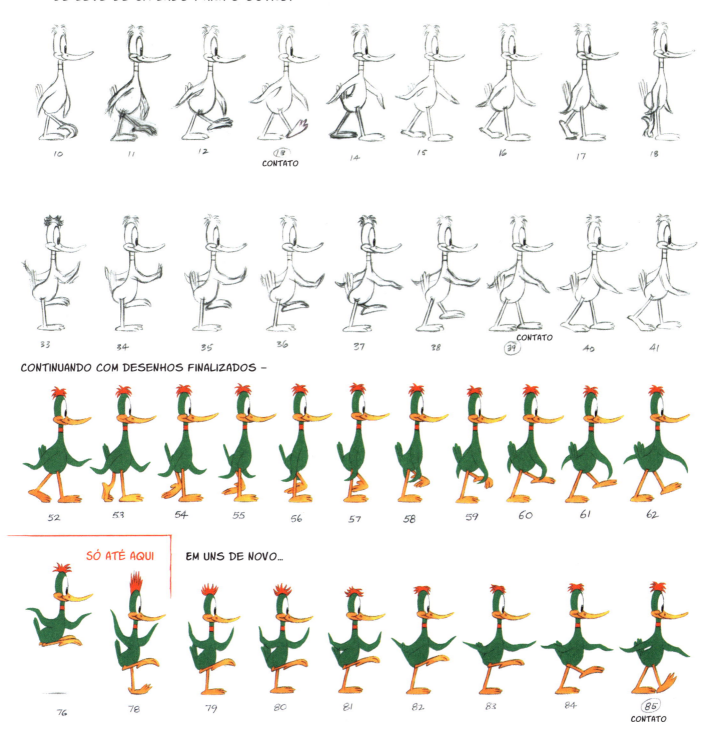

CONTINUANDO COM DESENHOS FINALIZADOS —

SÓ ATÉ AQUI   EM UNS DE NOVO...

347

CONTRASTE E "MUDANÇA"

PROCURE COMEÇAR COM UMA FORMA OPOSTA À QUE VOCÊ DESEJA ALCANÇAR. FAÇA O INÍCIO SER DIFERENTE DE COMO VAI SER O FIM. MILT KAHL DIZIA QUE DESENHAVA AS COSTAS DE UMA MULHER MAIS RETAS DO QUE SERIAM NA REALIDADE, A FIM DE OBTER MAIOR MUDANÇA QUANDO O "LARGO QUADRIL SE ESPALHASSE". "EU SEMPRE PROCURO ESSE CONTRASTE EM TUDO."

OBTENHA MAIOR CONTRASTE DO RETO PARA O CURVO

FRASEAR O DIÁLOGO

QUANDO DISSERMOS "HOW ARE YOU?" ("COMO VAI?"), NÃO FAÇA ISTO! NÃO ARTICULE CADA LETRA E ESTALIDO. A SOLUÇÃO É FAZER MENOS POSIÇÕES PRINCIPAIS.

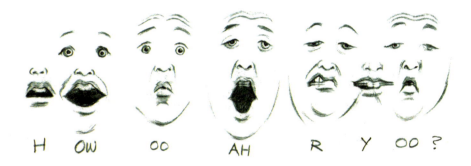

H OW OO AH R Y OO ?

PODEMOS FAZER COM APENAS **4 POSIÇÕES**? INDO DE FORMA MEIO "INDISTINTA" DE UMA A OUTRA. FUNCIONA BEM MELHOR ASSIM!

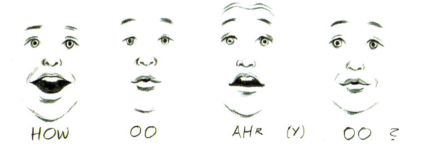

HOW OO AHR (Y) OO ?

PODEMOS FAZER SOMENTE COM **3 POSIÇÕES**? FUNCIONA AINDA MELHOR – SIMPLES E NATURAL – ISSO É O QUE ELES QUEREM DIZER COM DIÁLOGO **"FRASEADO"**.

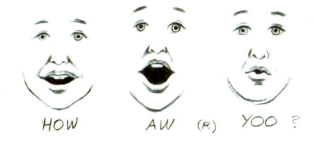

HOW AW (R) YOO ?

NÃO FAZEMOS EXCESSO DE ANIMAÇÃO. MANTENHA AS SUAS POSES SEMPRE CLARAS E SIMPLES.

> USANDO FILMAGENS REAIS COMO REFERÊNCIA

PARA ANIMAR A PANTERA NAS DUAS PÁGINAS A SEGUIR, ESTUDEI FILMAGENS AO VIVO PARA SABER ONDE FICAVAM OS ALTOS E BAIXOS, E DEPOIS ME AFASTEI DO REALISMO QUANDO ELA SE APROXIMAVA DA CÂMERA. ACREDITO QUE A IDEIA É USAR APENAS **PARTES** DA REFERÊNCIA – QUALQUER COISA QUE AJUDE A COMPREENDER A REALIDADE – E DEPOIS DECOLAR POR CONTA PRÓPRIA...

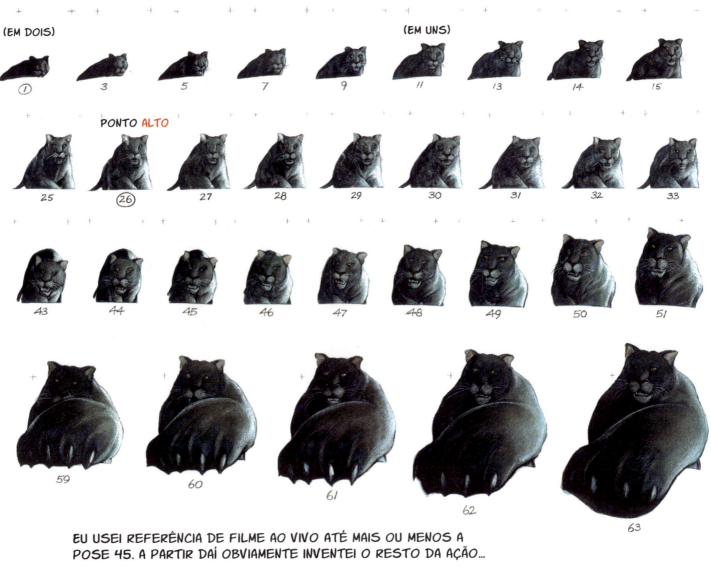

EU USEI REFERÊNCIA DE FILME AO VIVO ATÉ MAIS OU MENOS A POSE 45. A PARTIR DAÍ OBVIAMENTE INVENTEI O RESTO DA AÇÃO...

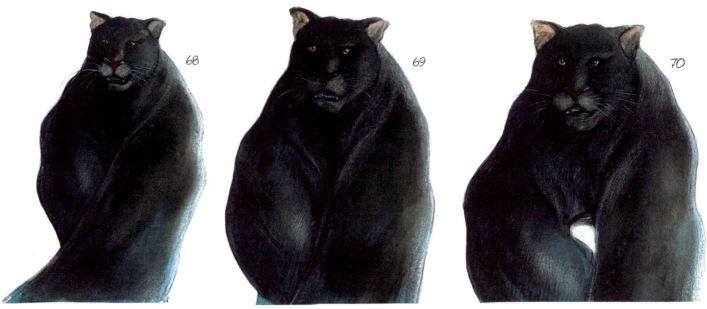

FLEXIBILIDADE ANIMAL

NAS DUAS PÁGINAS A SEGUIR, PERCEBEREMOS QUANTA FLEXIBILIDADE HÁ NA COLUNA VERTEBRAL!

AQUI TEMOS O GATO DAS PÁGINAS 330/331 ANIMADO EM UNS. MOSTRAMOS AQUI A AMPLITUDE DO ESTICAR E DO COMPRIMIR, BEM COMO A MUDANÇA DO CÔNCAVO PARA O CONVEXO.

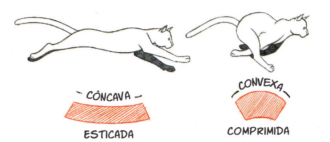

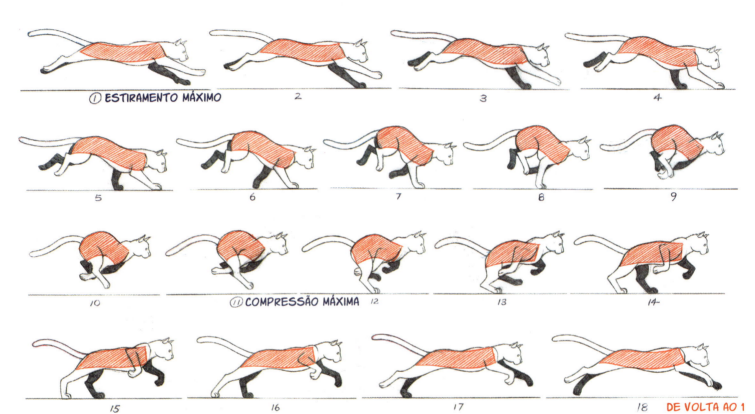

O MESMO COM UM ESQUILO – COMPRIMINDO E ESTICANDO.

352

AÇÃO DE UM CACHORRO CORRENDO

ESTA ANIMAÇÃO TEVE AÇÃO AO VIVO COMO REFERÊNCIA. VEJA QUANTO ESTIRAMENTO + COMPRESSÃO HÁ AQUI!

ALÉM DO ESTIRAMENTO E DA COMPRESSÃO, A CABEÇA, O TÓRAX E A PÉLVIS SE MOVEM EM ELIPSES OU ARCOS. GERALMENTE É A PÉLVIS QUE FAZ O MAIOR ESFORÇO. É ALI QUE ESTÁ A POTÊNCIA. A ÁREA DO TÓRAX É A QUE SE MOVE MENOS. É PESADA E CARREGA OS ÓRGÃOS MAIS SENSÍVEIS. A CABEÇA TENDE A CONTRABALANÇAR O TÓRAX.

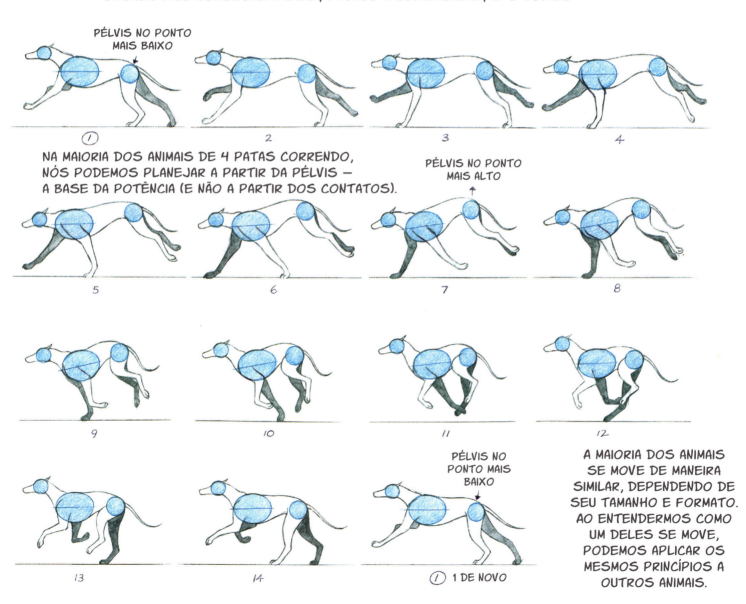

NA MAIORIA DOS ANIMAIS DE 4 PATAS CORRENDO, NÓS PODEMOS PLANEJAR A PARTIR DA PÉLVIS — A BASE DA POTÊNCIA (E NÃO A PARTIR DOS CONTATOS).

A MAIORIA DOS ANIMAIS SE MOVE DE MANEIRA SIMILAR, DEPENDENDO DE SEU TAMANHO E FORMATO. AO ENTENDERMOS COMO UM DELES SE MOVE, PODEMOS APLICAR OS MESMOS PRINCÍPIOS A OUTROS ANIMAIS.

353

E CLARO, VAMOS EXAGERAR ESSES PRINCÍPIOS AO APLICÁ-LOS A UM CACHORRO CARTUNESCO. ESTE AQUI ANDA EM PASSOS DE 12 FRAMES.

ELE TERMINA EM UM CICLO DE 24 FRAMES. OS ALTOS E BAIXOS SÃO OS DA MESMA CAMINHADA CANINA BÁSICA DAS PÁGINAS 330 E 331.

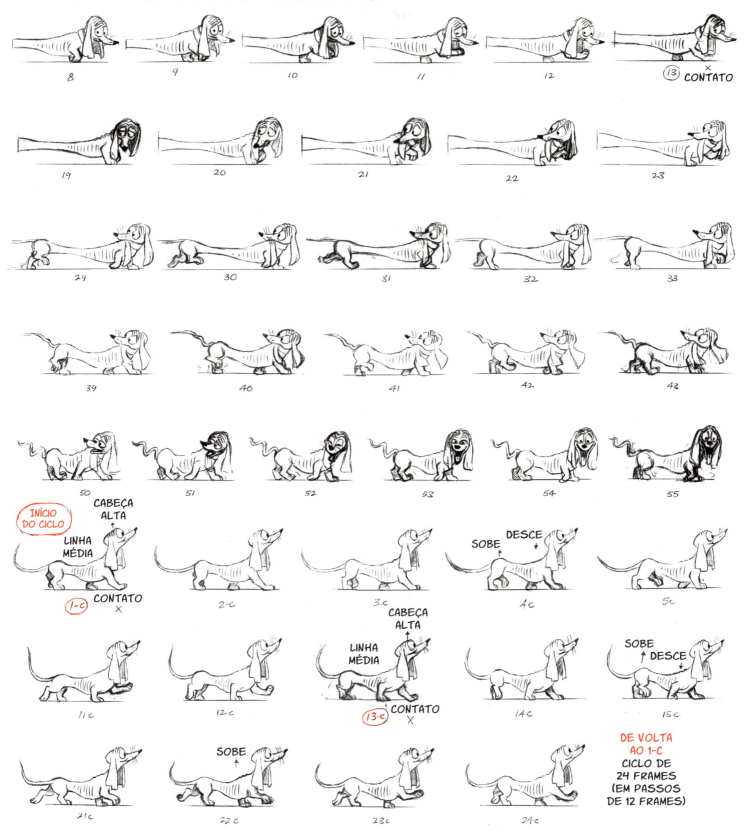

UM CAVALO CAMINHA COMO  UM AVESTRUZ E UM HOMEM?
RESPOSTA: BOM, QUASE!

COMO UM CAVALO REALMENTE ANDA?

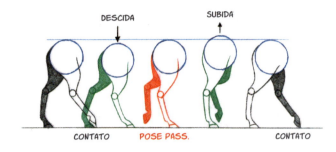

AQUI ESTÃO OS ALTOS E BAIXOS DAS PERNAS TRASEIRAS

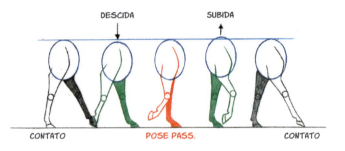

E ESTES SÃO OS ALTOS E BAIXOS DAS PERNAS DIANTEIRAS

E COMO JUNTAR TUDO? EIS COMO ELAS SE COMBINAM (PLANEJADAS A PARTIR DOS CONTATOS DAS PERNAS TRASEIRAS, DE ONDE VEM A POTÊNCIA)

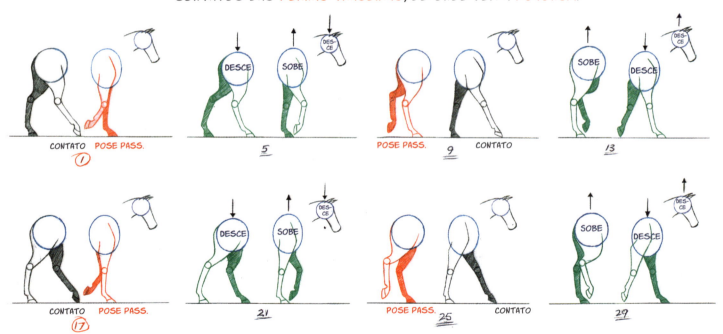

AS PERNAS TRASEIRAS (FONTE DA POTÊNCIA) SÃO MEIO DESAJEITADAS...

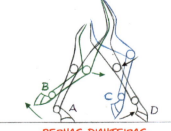

PERNAS DIANTEIRAS

MAS É NAS PERNAS DIANTEIRAS QUE SE ENCONTRA A ELEGÂNCIA. É COMO UMA BAILARINA "QUEBRANDO AS ARTICULAÇÕES".

E AQUI ESTÁ, EM DOIS (FUNCIONA BEM). OBVIAMENTE, SAIRIA MUITO MELHOR COM INTERVALOS EM UNS PARA DAR FLUIDEZ. PARA FICAR MAIS NÍTIDO, OS EXTREMOS ESTÃO CIRCULADOS E OS *BREAKDOWNS*, SUBLINHADOS.

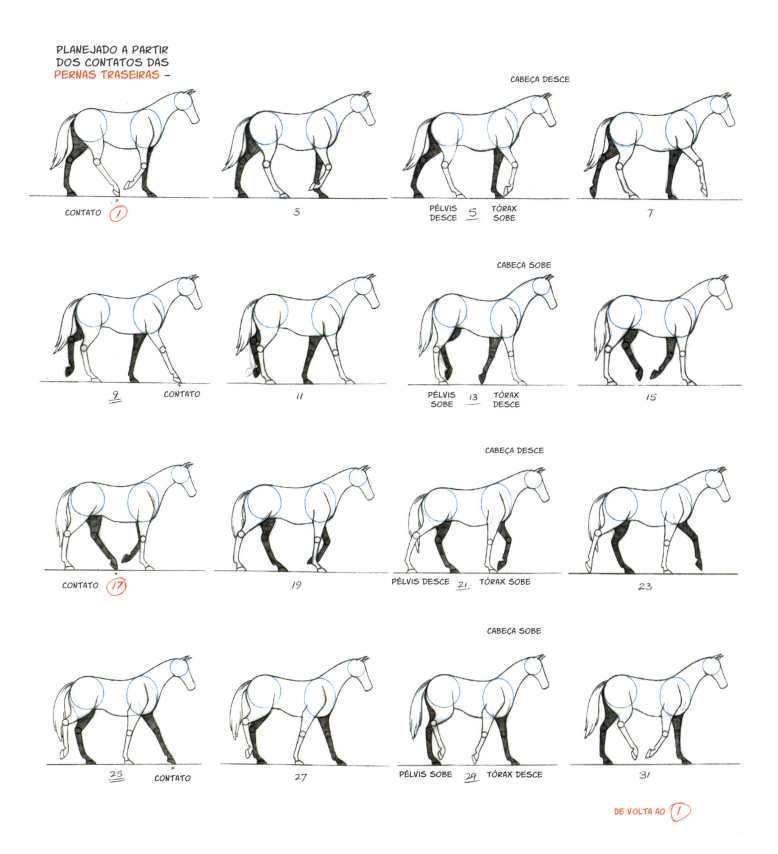

CAVALO TROTANDO

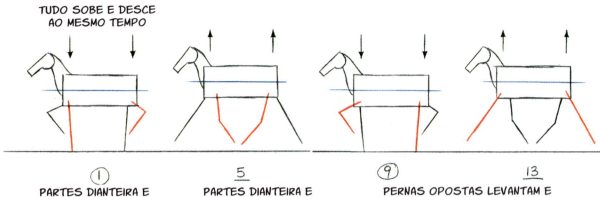

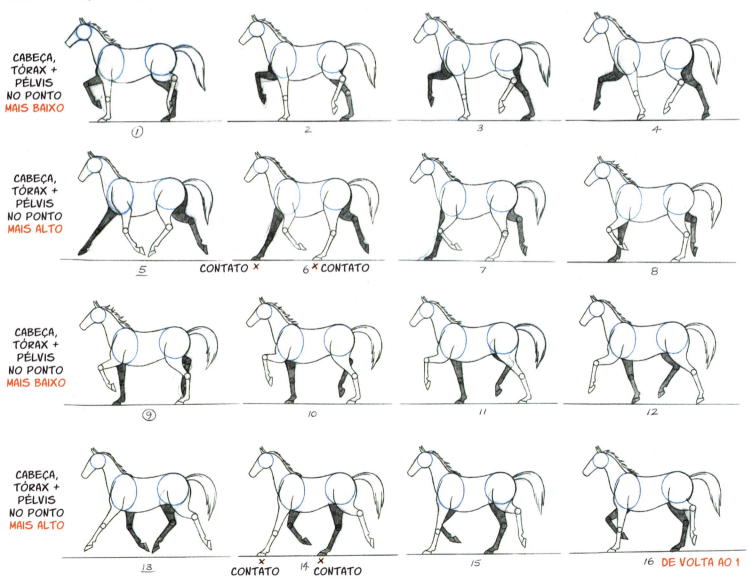

CAVALO GALOPANDO

A COLUNA DE UM CAVALO É BEM MENOS FLEXÍVEL QUE A DE MUITOS OUTROS ANIMAIS.
(SERÁ QUE É POR ISSO QUE CONSEGUIMOS MONTAR NELES?)
PADRÃO **EXAGERADO** DE GALOPE

QUANTO MAIS RÁPIDO CORRE UM ANIMAL, MAIS PLANEJAMOS A PARTIR DO CORPO E NÃO DOS CONTATOS DAS PERNAS.

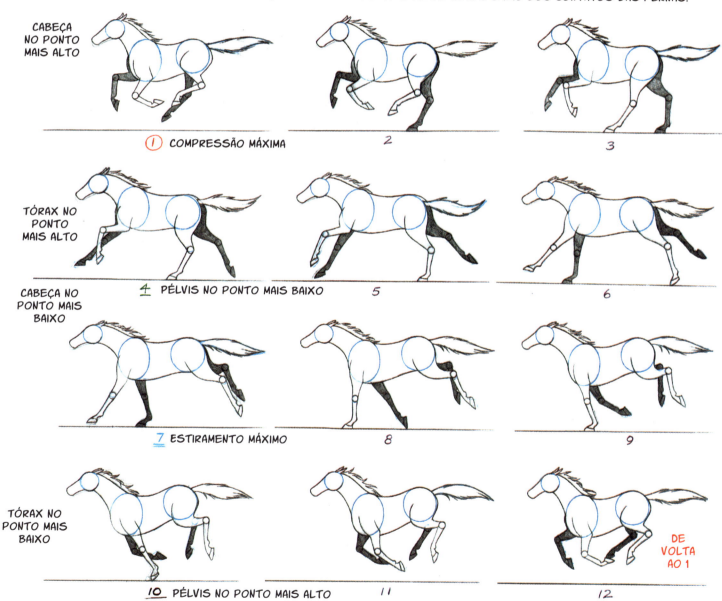

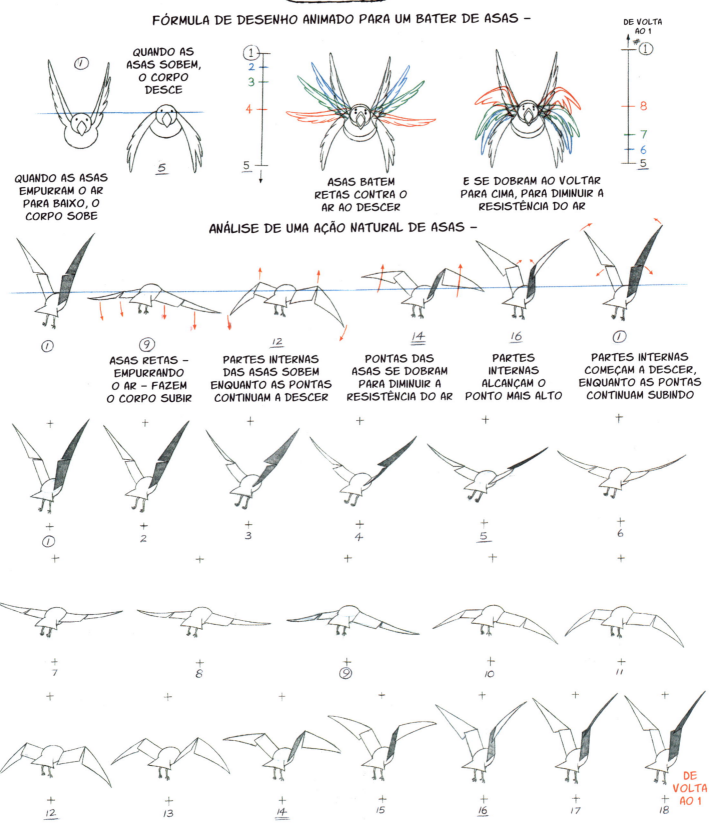

UMA TAREFA DESAFIADORA EM "REALISMO" E PESO

QUANDO ANIMEI O HOMEM QUE APARECE NA CAPA DESTE LIVRO, USANDO ESTILO "MODELO-VIVO", DECIDI FAZÊ-LO "NADAR" TELA ADENTRO, DEPOIS SAIR DA PISCINA IMAGINÁRIA E COMEÇAR A CAMINHAR. MUITAS PESSOAS QUE VIRAM A CENA DISSERAM QUE FIZ ROTOSCOPIA – OU SEJA, TRACEI UMA ANIMAÇÃO POR CIMA DE UM FILME AO VIVO. ERRADO. EU CRIEI TUDO. NA VERDADE, ATÉ PROCUREI FILMES PARA REFERÊNCIA, MAS NÃO ENCONTREI NADA QUE PUDESSE USAR.

É BEM MAIS FÁCIL PARA NÓS ANIMAR QUALQUER ESPORTE EM QUE SEJAMOS HÁBEIS, OU COM OS QUAIS TENHAMOS FAMILIARIDADE, JÁ QUE INSTINTIVAMENTE "CONHECEMOS" AS POSIÇÕES. EU COMPETIA EM PROVAS DE NATAÇÃO; ASSIM, DECIDI SIMPLESMENTE TENTAR LEMBRAR AS POSIÇÕES DO NADO E O MODO COMO COSTUMAVA SAIR DA PISCINA AO FIM DA PROVA.

RASCUNHEI AS POSES PRINCIPAIS PRIMEIRO, IMAGINANDO COMO ERAM. DEPOIS, CONTRATEI UM AMIGO LUTADOR DE ARTES MARCIAIS PARA POSAR EXATAMENTE COMO ESSES RASCUNHOS INICIAIS, E FIZ NOVOS RASCUNHOS A PARTIR DAÍ, A FIM DE DOMINAR AS MINÚCIAS DA ANATOMIA.

O RESULTADO ESTÁ NAS PÁGINAS A SEGUIR...

Foram aproximadamente 400 desenhos. Estes são meus rascunhos. Infelizmente, por causa do "velho" sistema de acetato que escolhi para animar a maioria dos doze personagens da capa, tive de refazer todos esses desenhos a lápis em folhas de acetato fosco, para que pudessem ser pintadas.

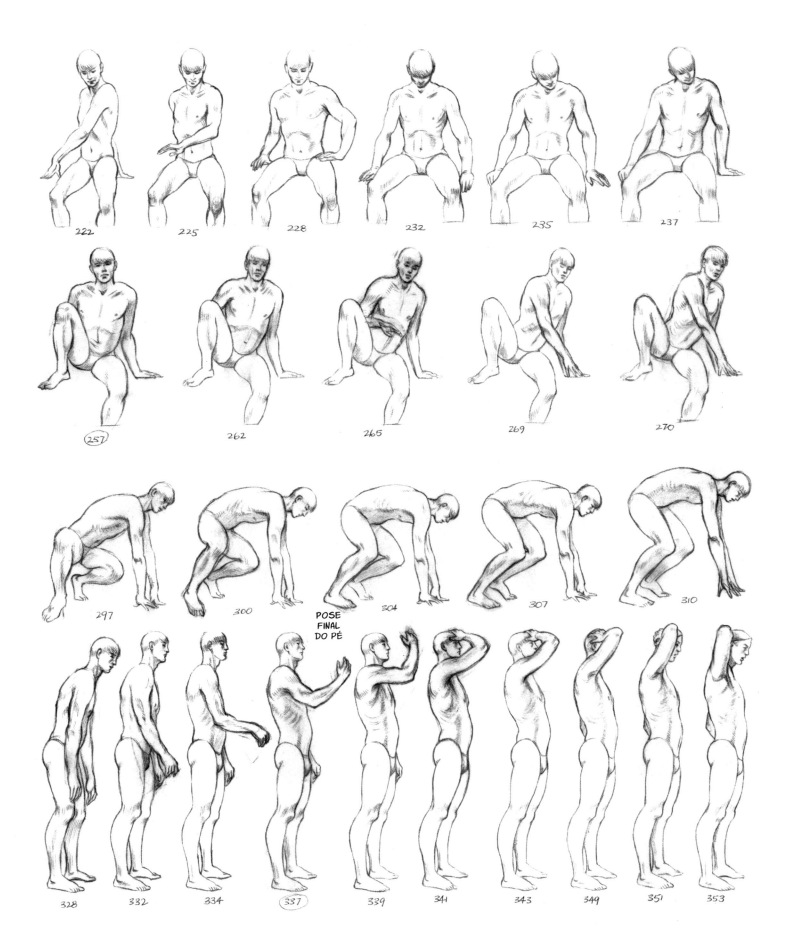

AQUI ESTÁ MINHA PERSONAGEM "VERONIQUE" DA CAPA DESTE LIVRO. NATURALMENTE, EU COMECEI COM RASCUNHOS PRELIMINARES, A FIM DE CONHECÊ-LA UM POUCO MELHOR...

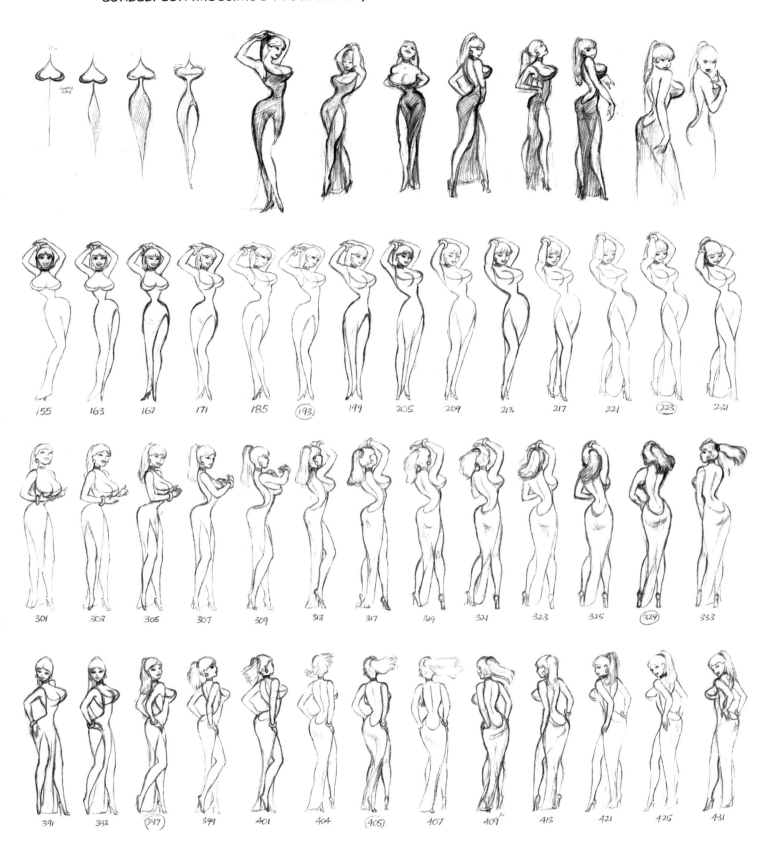

E DEPOIS FIZ AS (POSES-CHAVE,) QUE ESTÃO CIRCULADAS. O RESTO SÃO EXTREMOS, JÁ QUE NÃO HÁ ESPAÇO AQUI PARA TODOS OS DESENHOS. INFELIZMENTE, PARA MIM ELA TEVE DE SER ANIMADA QUASE TODA EM UNS, PORQUE ELA SE DESLOCA DE UM LADO PARA O OUTRO DA TELA E, SE ESTIVESSE EM DOIS, IRIA SOFRER TREMULAÇÃO ESTROBOSCÓPICA. ELA SÓ ESTÁ EM DOIS QUANDO FICA "ESTÁTICA" NO LUGAR.

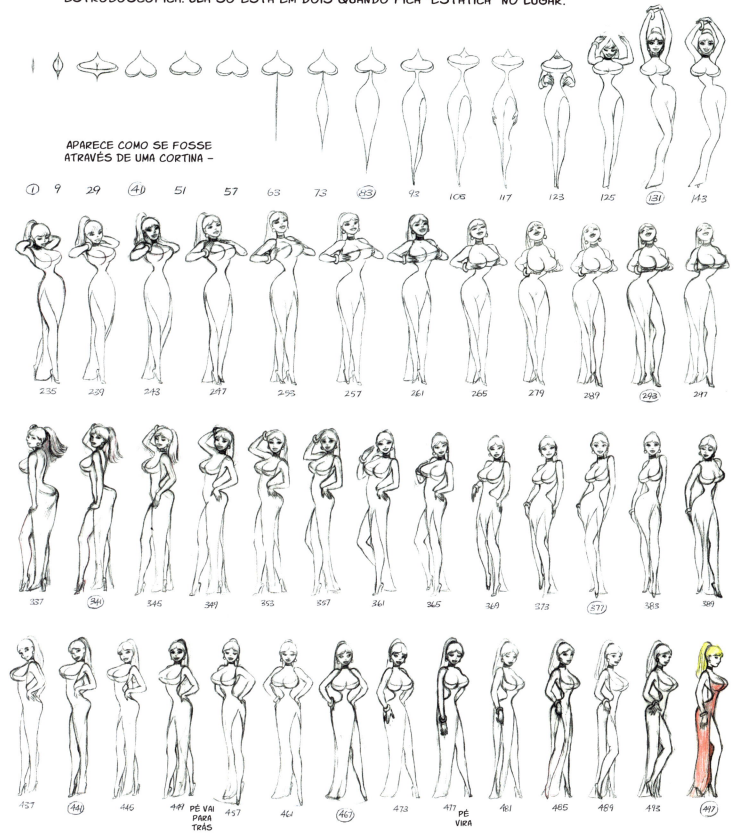

PAUSAS

MUITAS VEZES UMA PAUSA É A AFIRMAÇÃO MAIS ASSERTIVA QUE PODEMOS FAZER!

MAS COMO EVITAR A FALTA DE NATURALIDADE DE UMA PARADA BRUSCA? COMO ENTRAMOS E SAÍMOS DE UMA PAUSA? OBVIAMENTE, COM ACELERAÇÃO E DESACELERAÇÃO. MAS É IMPORTANTE QUE AS PARTES NÃO PAREM DE SE MOVER (OU COMECEM) TODAS AO MESMO TEMPO. UMA OU OUTRA VAI CONTINUAR SE MOVENDO DE LEVE = SOBREPOSIÇÃO DE AÇÕES. TENTE ATUAR UMA PARADA SÚBITA, E VOCÊ VAI VER QUE ALGUMAS PARTES, COMO MÃOS, CABELOS E ROUPAS, VÃO CONTINUAR EM MOVIMENTO POR UM INSTANTE.

UM RECURSO USADO COM FREQUÊNCIA PARA AMENIZAR UMA PAUSA REPENTINA –  DESACELERA E PISCA – É FAZER O PERSONAGEM PISCAR ASSIM QUE PARA.

(ALÉM DISSO) É BASTANTE EFICAZ TERMOS UMA PAUSA COMPLETA COM APENAS UMA PEQUENA PARTE EM MOVIMENTO:

OLHOS REVIRANDO

PÉ BATENDO

TAMBORILANDO

LÁGRIMA ROLANDO

E TEMOS TAMBÉM –

A PAUSA MÓVEL

Ⓐ

PAUSA Ⓑ

EM VEZ DE APENAS AMORTECER O RECUO DE A ATÉ B, FAÇA UMA POSIÇÃO AINDA MAIS ACENTUADA, C, E DESACELERE RUMO A ESTA. PODEMOS TAMBÉM MANTER OS DEDOS EM MOVIMENTO – UM OLHO PISCANDO, A ROUPA SE ACOMODANDO, ETC.

Ⓐ

Ⓑ PAUSA Ⓒ

DÁ MAIS VIDA

368

O GRANDE DEBATE EM TORNO DO "REALISMO"

A QUESTÃO IMPORTANTE AQUI É:

QUANTO DE REALISMO QUEREMOS CONSEGUIR?

ESSA PERGUNTA EXISTE HÁ QUASE 100 ANOS, MAS TEM ATINGIDO UM PONTO CRÍTICO POR CAUSA DOS ATUAIS AVANÇOS DE "REALISMO" TRAZIDOS PELA COMPUTAÇÃO GRÁFICA E PELAS TECNOLOGIAS DE CAPTURA DE MOVIMENTOS. DESDE A PRIMEIRA PUBLICAÇÃO DESTE LIVRO, ISSO SE TORNOU UM VERDADEIRO DEBATE.

OS PRODUTORES HOJE EM DIA DIZEM:

"TUDO O QUE PRECISAMOS É DECIDIR **O QUE** FAZER, PORQUE AGORA QUE A TECNOLOGIA EXISTE, NÓS PODEMOS FAZER **QUALQUER COISA!**".

AQUI VÃO OS ARGUMENTOS (DO MODO COMO EU VEJO). TIRE SUAS PRÓPRIAS CONCLUSÕES.

VAMOS COMEÇAR COM A **HISTÓRIA CLÁSSICA DO 2D**, E IR PROGREDINDO ATÉ A ATUAL **CAPTURA DE MOVIMENTOS**.

EM 1916, OS ANIMADORES JÁ DIZIAM:
"SE AS PESSOAS CONSEGUEM FAZER ISTO NA VIDA REAL, **NÃO** FAÇA EM ANIMAÇÃO".

NOS ANOS 1940, O DIRETOR TEX AVERY DISSE:
"VOCÊ PODE FAZER **QUALQUER COISA** EM UM DESENHO ANIMADO!"

O DIRETOR CHUCK JONES DISSE:
"A ANIMAÇÃO, COMO EU A VEJO, É A **ARTE DO IMPOSSÍVEL**".

WALT DISNEY DISSE:
"FAÇA COISAS QUE OS HUMANOS SEJAM INCAPAZES DE FAZER".

O ANIMADOR ART BABBITT DISSE:
"SOMOS CAPAZES DE REALIZAR AÇÕES QUE HUMANO ALGUM CONSEGUIRIA. É A **FANTASIA/IMAGINAÇÃO/CARICATURA** O QUE SEPARA A ANIMAÇÃO DO FILME COM PESSOAS REAIS".

O ANIMADOR PRESTON BLAIR DISSE:
"ANIMAÇÃO FEITA A PARTIR DA **IMAGINAÇÃO**; ESTA É A ARTE QUE PODE CONDUZIR O ESPECTADOR A **OUTRA DIMENSÃO**".

EM 1972, EU GANHEI MEU PRIMEIRO OSCAR POR ANIMAR DE FORMA REALISTA UMA VERSÃO DE MEIA HORA DE *UM CONTO DE NATAL*, DE CHARLES DICKENS. O PRODUTOR EXECUTIVO CHUCK JONES FOI QUEM ME DEU ESSE TRABALHO E INSISTIU QUE EU ME MANTIVESSE FIEL AO ESTILO DE ILUSTRAÇÃO REALISTA DO PERÍODO DE 1850. DEPOIS DA CERIMÔNIA DO OSCAR, O GRANDE DIRETOR E ANIMADOR BILL MELENDEZ E O GÊNIO DA ANIMAÇÃO DA DISNEY, WARD KIMBALL, ME ENCURRALARAM, DESFERINDO SEUS ATAQUES –

ELES ACHAVAM QUE EU ERA UM TRAIDOR DESSE MEIO DE COMUNICAÇÃO, PORQUE CHEGUEI PERTO DEMAIS DO "REALISMO". (A PROPÓSITO, USAMOS MUITO POUCAS REFERÊNCIAS DE FILME COM PESSOAS REAIS. A MAIOR PARTE NÓS INVENTAMOS.)

NOS ANOS 1930, WALT DISNEY ESTAVA DESENVOLVENDO ESSA FORMA DE ARTE, INCENTIVANDO SEUS ANIMADORES A ALCANÇAREM ALGO MAIS CONVINCENTE – NÃO O REALISMO PROPRIAMENTE DITO, MAS UM ESFORÇO PARA FAZER SEUS PERSONAGENS FANTASIOSOS SE MOVEREM DE FORMA CRÍVEL.

PARA CHEGAR A ISSO, ELES NATURALMENTE SE VOLTARAM PARA O ESTUDO DE MODELOS-VIVOS.

DISNEY DISSE:

"DEFINITIVAMENTE SINTO QUE NÃO SEREMOS CAPAZES DE REALIZAR COISAS FANTÁSTICAS BASEADAS NA REALIDADE – A MENOS QUE, PRIMEIRO, CONHEÇAMOS O REAL".

E DISSE TAMBÉM:

"ESTUDE AÇÃO AO VIVO PARA APRENDER A MECÂNICA, DEPOIS OLHE-A POR OUTRO ÂNGULO: O QUE ESSES HUMANOS CONSEGUIRIAM FAZER SE NÃO FOSSEM RESTRITOS PELAS LIMITAÇÕES DO CORPO HUMANO E DA GRAVIDADE?

NÃO COPIE A AÇÃO REAL OU AS COISAS COMO ELAS DE FATO ACONTECEM – EM VEZ DISSO, FORNEÇA UMA CARICATURA DAS AÇÕES DA VIDA... NOSSO TRABALHO É UMA CARICATURA DA VIDA".

ELE CHAMAVA ISSO DE "IMPOSSÍVEL PLAUSÍVEL". ANIMAVA COISAS IMPOSSÍVEIS, MAS CONSEGUIA FAZÊ-LAS PARECER REAIS DE MANEIRA CONVINCENTE.

O GRANDE ANIMADOR DA DISNEY, BILL TYTLA, DISSE:

"FOI UMA REVELAÇÃO TER ACESSO A REFERÊNCIAS AO VIVO! REPRODUZIR OS FILMES EM CÂMERA LENTA TEM SIDO UMA VERDADEIRA SALVAÇÃO PARA MIM!".

- COMO USAR REFERÊNCIAS AO VIVO?
- NÓS DEVEMOS SEQUER USÁ-LAS?
- OU APROVEITAMOS SÓ ALGUMAS PARTES?

NO INÍCIO DOS ANOS 1930 DESCOBRIRAM QUE, SE UM ARTISTA TALENTOSO FIZESSE UMA CENA TRAÇADA EXATAMENTE POR CIMA DE UM FILME DE UMA MULHER ANDANDO (OU SEJA, FIZESSE ROTOSCOPIA), QUANDO A ANIMAÇÃO FOSSE FILMADA, ELA IRIA "FLUTUAR" SEM PESO. RODE O FILME COM A ATRIZ E ELA VAI TER PESO, É CLARO. MAS RODE O TRAÇADO A LÁPIS E ELA PERDE TODO O PESO E A CREDIBILIDADE.

ISSO PORQUE EXISTE UMA QUANTIDADE ENORME DE INFORMAÇÃO A SER LIDA! NOSSO CÉREBRO NORMALMENTE ASSIMILA TODA ESSA INFORMAÇÃO – MAIS DO QUE TEMOS CONSCIÊNCIA –, AO PASSO QUE OS DESENHOS NÃO POSSUEM INFORMAÇÃO SUFICIENTE. (ALÉM DISSO, QUANDO VEMOS UMA CENA DE ANIMAÇÃO AO VIVO RETRAÇADA POR CIMA, SENTIMOS QUE HOUVE UMA TRAPAÇA ALI. NÃO É AÇÃO AO VIVO, NEM É ANIMAÇÃO.)

A SOLUÇÃO

ERA EXAGERAR BEM DE LEVE OS ALTOS E BAIXOS E ALGUNS EXTREMOS – E ISSO TUDO SE TORNAVA CONVINCENTE.

PARA OS PERSONAGENS REALISTAS DE SEUS LONGAS ANIMADOS, DISNEY GERALMENTE FILMAVA ATORES REAIS, ATUANDO AS PARTES PRINCIPAIS COMO REFERÊNCIA PARA OS ANIMADORES.

O MAIOR MESTRE DOS PERSONAGENS REALISTAS NA DISNEY FOI MILT KAHL. ELE RECLAMAVA QUE GERALMENTE FICAVA PRESO AOS PERSONAGENS MAIS "SÉRIOS", PRINCIPALMENTE PORQUE NINGUÉM CONSEGUIA DESENHAR TÃO BEM QUANTO ELE.

EU COSTUMAVA CONVERSAR COM MILT SOBRE COMO ANIMAR REALISMO DE FORMA CONVINCENTE, E ANOTAVA MUITAS DAS COISAS QUE ELE DIZIA.

EIS AQUI UMA COMPILAÇÃO:

"COSTUMÁVAMOS USAR MUITOS FILMES AO VIVO COMO REFERÊNCIA. EU MESMO OS USAVA, MAS NÃO CEGAMENTE. SÓ APROVEITAVA PARTES DELES, AS QUAIS EU JULGAVA SEREM MUITO BOAS, E ISSO ME ECONOMIZAVA BASTANTE TEMPO.

TRAÇAR POR CIMA DE UM FILME PODE SER FATAL. COMO TRAÇAR UMA FOTOGRAFIA. A MAIORIA DOS ANIMADORES NÃO SABIA COMO FAZER ROTOSCOPIA ADEQUADAMENTE. USAVAM-NA COMO MULETA. MAS NA REALIDADE É SÓ UMA FERRAMENTA – MATERIAL DE REFERÊNCIA. VOCÊ SÓ USA O QUE PRECISA; O RESTO, JOGA FORA.

MAS OS RAPAZES MUITAS VEZES COPIAVAM A COISA TODA, PORQUE AÍ NÃO PRECISAVAM PENSAR. ELES DESENHAVAM O PERSONAGEM POR CIMA DAS FOTOCÓPIAS E DEPOIS O AJUSTAVAM DE ACORDO COM SUA CONSTITUIÇÃO FÍSICA. E ERA SÓ ISSO. VOCÊ CONSEGUIA UM RESULTADO ACEITÁVEL – MAS NÃO INTERESSANTE. ISSO NÃO É JEITO DE TRABALHAR!

VOCÊ TEM UMA OBRIGAÇÃO CONSIGO MESMO E COM ESTA ARTE – CONHECER COMO AS COISAS FUNCIONAM – PARA QUE POSSA FAZÊ-LAS SEM TER DE RECORRER À MULETA DA AÇÃO AO VIVO".

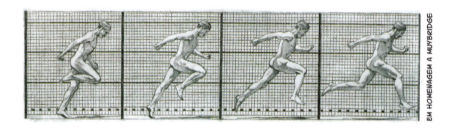

MILT CONSIDERAVA OS LIVROS DE FOTOS DE MUYBRIDGE MARAVILHOSOS. DIZIA QUE TÊ-LO ESTUDADO LHE PROPORCIONOU MAIS CONHECIMENTO DO QUE, PRATICAMENTE, QUALQUER OUTRA COISA EM ANIMAÇÃO. COMO AS IMAGENS TINHAM POR TRÁS DELAS UMA GRADE DE LINHAS QUADRICULADAS, ERA POSSÍVEL ENXERGAR AS RELAÇÕES ENTRE AS PARTES, QUÃO ALTAS OU BAIXAS ESTAVAM. PODÍAMOS VER O MOVIMENTO DO ESQUELETO. PODÍAMOS VER ONDE FICAVA A ESCÁPULA, OU QUAIS PARTES ERAM FLÁCIDAS E QUAIS NÃO ERAM. NUNCA HOUVE NADA TÃO ABRANGENTE QUANTO OS LIVROS SOBRE O MOVIMENTO DE HUMANOS E DE ANIMAIS DE MUYBRIDGE.

MILT NOVAMENTE:

"É UMA ÓTIMA FONTE DE ANÁLISE – ASSIM COMO APRENDER UM IDIOMA. VOCÊ FICA SABENDO EXATAMENTE ONDE O PESO ESTÁ, ONDE ESTÁ SENDO APLICADO ESFORÇO MUSCULAR, E ONDE AS PARTES ESTÃO SÓ ACOMPANHANDO O IMPULSO, BALANÇANDO – ESSE TIPO DE COISA.

E NÃO SÓ ONDE ESTÁ O PESO, MAS ONDE O DESLOCAMENTO DE PESO OCORRE. UMA PERNA FAZ CONTATO COM O CHÃO SEM PESO SOBRE SI, E A SEGUIR MUDA DE FORMA QUANDO RECEBE O PESO. É MUITO INTERESSANTE!

É QUASE COMO ESTUDAR FILMES, SÓ QUE VOCÊ TEM TEMPO DE SOBRA PARA A PESQUISA, E NÃO PRECISA FICAR INDO E VOLTANDO PARA ENTENDER A AÇÃO. VOCÊ TEM A AÇÃO TODA EM UMA ÚNICA PÁGINA".

SIM, MAS...

COMO CONCILIAR TUDO ISSO COM A NOTÁVEL E IMPRESSIONANTE EXPLOSÃO DAS TECNOLOGIAS DE COMPUTAÇÃO GRÁFICA E DE CAPTURA DE MOVIMENTOS?

CLARO, HOJE EM DIA TODO ANIMADOR (CLÁSSICO, DIGITAL, DE STOP MOTION OU DE JOGOS) USA REFERÊNCIAS AO VIVO ATÉ CERTO PONTO, E COM EFICÁCIA CONSIDERÁVEL. MAS O DESENVOLVIMENTO BEM-SUCEDIDO DA CAPTURA DE MOVIMENTOS (OU *MOTION CAPTURE*) NOS CONDUZ A UM TERRITÓRIO ESTRANHO E DESCONHECIDO, EM QUE PODEMOS LITERALMENTE CAPTURAR A REALIDADE E TRANSFORMÁ-LA EM UM PERSONAGEM GERADO POR COMPUTADOR.

PETER LORD, DIRETOR DE ANIMAÇÃO DA AARDMAN, FEZ UMA EXCELENTE OBSERVAÇÃO:

"NO MUNDO DOS COMPUTADORES, PESSOAS COM CÉREBROS CADA VEZ MAIORES CONSEGUEM CRIAR CADA VEZ MAIS REALISMO, COM NÚMERO MAIOR DE DETALHES –

COMO SERES VIVOS DE CARNE E OSSO, NOSSOS SENTIDOS SÃO TÃO AGUÇADOS, QUE SENTIMOS CHEIRO DE COISA FALSA A UM QUILÔMETRO DE DISTÂNCIA! QUANTO MAIS PRÓXIMOS CHEGAM A IMITAR A REALIDADE, MAIS PODEMOS FAREJAR A FARSA! E À MEDIDA QUE VÃO SE APROXIMANDO AINDA MAIS DA REALIDADE, PEQUENAS COISAS COMEÇAM A SALTAR AOS OLHOS DE FORMA BEM GRITANTE. AO COPIAR A VIDA, QUANTO MAIS PERTO CHEGAM, MAIS PROFUNDO É O ABISMO".

A PARTIR DE CERTO PONTO, UM NÍVEL MUITO GRANDE DE REALISMO CAUSA REPULSA E MAL-ESTAR.

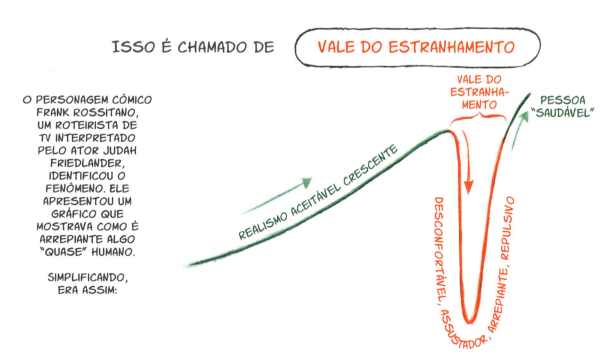

ACREDITO QUE UM ANIMADOR DEVERIA SER METICULOSO E CONHECER TODAS ESSAS COISAS. NÃO HÁ MANEIRA MAIS FÁCIL DE FAZER ALGO DO QUE COMPREENDENDO SEU FUNCIONAMENTO. A ANIMAÇÃO NEM É TÃO DIFÍCIL ASSIM.

ENTÃO, SE USAMOS OS LIVROS DE MUYBRIDGE OU A AÇÃO AO VIVO COMO REFERÊNCIA, PODEMOS ESTUDAR METICULOSAMENTE AS AÇÕES E APLICAR ESSA ANÁLISE A NOSSO TRABALHO.

MILT:

"EU TENHO O HÁBITO DE ESTUDAR A AÇÃO EM TUDO O QUE VEJO, E DESCOBRIR POR QUE AS COISAS SE MOVEM DE DETERMINADO JEITO. PROCURO SEMPRE DESVENDAR A MECÂNICA QUE HÁ POR TRÁS. ACHO QUE ACABA VIRANDO UMA SEGUNDA NATUREZA PARA VOCÊ, E APESAR DE ISSO NÃO SER A PARTE MAIS IMPORTANTE DA ARTE – O CARISMA, A PERSONALIDADE E O PROCESSO DE PENSAMENTO DO PERSONAGEM SÃO –, É UMA DAS FERRAMENTAS DE QUE VOCÊ MAIS VAI PRECISAR".

E FINALMENTE:

"O MELHOR JEITO DE USAR REFERÊNCIAS, PENSO EU, É APRENDER TANTO COM ELAS, QUE DEPOIS VOCÊ NÃO TENHA MAIS DE USAR REFERÊNCIA ALGUMA".

UM DIA EU CONTEI AO VELHO NOVENTÃO GRIM NATWICK (QUE HAVIA ANIMADO METADE DAS CENAS DA BRANCA DE NEVE) QUE MINHA CENA FAVORITA ERA QUANDO BRANCA DE NEVE DESCIA CORRENDO AS ESCADAS DA CABANA DOS ANÕES – EU SEMPRE ACHEI QUE ESSA CENA ABRIA AS PORTAS PARA UM MEIO DE LIDAR COM O REALISMO DE MANEIRA CONVINCENTE.

"EI!", GRITOU GRIM, "EU FIZ ESSA CENA! É MINHA CENA FAVORITA TAMBÉM! E FOI A ÚNICA EM QUE EU DESCARTEI A REFERÊNCIA DE PESSOAS REAIS E FIZ DO MEU JEITO – PRECIPITANDO-A ESCADA ABAIXO!".

A CONCLUSÃO ATÉ AGORA

USAMOS AS REFERÊNCIAS DE AÇÃO AO VIVO COMO UMA BIBLIOTECA DE INFORMAÇÃO. ENFATIZAMOS O QUE QUEREMOS E EDITAMOS OU IGNORAMOS O QUE NÃO FOR IMPORTANTE – E ASSIM CONSTRUÍMOS NOSSO PONTO DE VISTA.

QUANDO TIVERMOS A OPORTUNIDADE DE INVENTAR, TEREMOS NAS MÃOS O MEIO DE COMUNICAÇÃO CERTO! ISSO É O QUE NOS SEPARA DO FILME AO VIVO. PODEMOS INVENTAR!

PRATICAMENTE, QUALQUER PARTE DE UMA ANIMAÇÃO PODE SER INVENTIVA. NÃO TEMOS A OBRIGAÇÃO DE IMITAR A VIDA. PARA ISSO TEMOS AS CÂMERAS.

SABEMOS QUE PERSONAGENS CARTUNESCOS OU LIGEIRAMENTE ABSTRATOS (OS SIMPSONS, WALLACE E GROMIT, MICKEY MOUSE, PERNALONGA) GERAM EMPATIA IMEDIATA, MAS ESTAMOS DESCOBRINDO QUE ANIMAÇÕES (OU ROBÔS) QUE SÃO MUITO SIMILARES A HUMANOS, MAS NÃO EXATAMENTE IDÊNTICOS, FAZEM-NOS SENTIR INQUIETUDE, ARREPIO, NERVOSISMO E DESCONFORTO.

PODEMOS FICAR CADA VEZ MAIS REALISTAS E CRÍVEIS SEM PERDER A EMPATIA, MAS A PARTIR DE CERTO PONTO, QUANDO OBTEMOS ALGO PARECIDO DEMAIS COM A REALIDADE, HÁ UMA QUEDA ABRUPTA, UM MERGULHO RUMO A ALGO INACEITAVELMENTE ARREPIANTE, E NOS RECOLHEMOS EM AVERSÃO. ESTAMOS ENTÃO NO "VALE DO ESTRANHAMENTO". É UMA ESPÉCIE DE REPUGNÂNCIA ESTÉTICA.

EXPECTADORES DE ANIMAÇÕES 2D CLÁSSICAS SEMPRE PREFERIRAM OS PERSONAGENS MAIS CARTUNESCOS AOS MAIS REALISTAS – PRÍNCIPES, PRINCESAS, ETC. A PIXAR E OUTRAS PRODUTORAS LÍDERES HOJE EM DIA FAZEM FIGURAS HUMANAS BASTANTE ESTILIZADAS PRECISAMENTE POR ESSE MOTIVO – PARA EVITAR O VALE DO ESTRANHAMENTO.

OS FILMES CLÁSSICOS DA DISNEY SEMPRE SE VOLTARAM MAIS PARA O NATURALISMO DO QUE PARA O REALISMO. BAMBI ERA NATURALISTA, MAS NEM UM POUCO REALISTA.

E AÍ VOLTAMOS ÀS VELHAS QUESTÕES:

> POR QUE GOSTAMOS DE UM RASCUNHO DE CERTO ARTISTA MAIS DO QUE DO SEU DESENHO FINAL?

> POR QUE DIZEMOS A ALGUÉM PRESTES A FINALIZAR UMA PINTURA OU DESENHO: "PARE, NÃO VÁ MAIS ADIANTE – VAI ESTRAGAR!"?

> POR QUE GOSTAMOS MAIS DE UM TESTE A LÁPIS (PENCIL TEST) RUDIMENTAR DO QUE DE UM POLIDO E BEM ACABADO?

> E POR QUE APRECIAMOS MAIS UM TESTE A LÁPIS DO QUE UMA CENA COLORIDA FINALIZADA?

ACHO QUE É JUSTAMENTE A "IMPERFEIÇÃO" APRESENTADA O QUE PERMITE A NÓS, O PÚBLICO, MERGULHAR NA EXPERIÊNCIA – AO DEIXAR ESPAÇO PARA QUE NOSSA IMAGINAÇÃO CRIATIVA PREENCHA OS DETALHES.

UM EXPERIENTE ANIMADOR DE COMPUTAÇÃO GRÁFICA, MIGUEL FUERTES, DIZ:

"QUANDO A ROTOSCOPIA, OU CAPTURA DE MOVIMENTOS, É USADA, OS MOVIMENTOS DEFINITIVAMENTE CONSERVAM A GRAÇA E A COMPLEXIDADE DO MOVIMENTO HUMANO, MAS O PESO E A CREDIBILIDADE SE PERDEM.

ISSO ACONTECE PORQUE O CÉREBRO VÊ E OUVE COISAS DAS QUAIS OS OLHOS E OS OUVIDOS NÃO TÊM CIÊNCIA. O CÉREBRO REGISTRA TUDO.

O CAMINHO PARA TORNAR A ANIMAÇÃO CONVINCENTE É FAZER AJUSTES NA INFORMAÇÃO COLHIDA PELA CAPTURA DE MOVIMENTOS – É EXAGERÁ-LA!".

LÁ ATRÁS, EM 1937, WALT DISNEY FEZ UMA PREVISÃO:

"UM DIA NOSSO MEIO VAI FORMAR ARTISTAS CAPAZES DE REPRESENTAR TODAS AS EMOÇÕES DA FIGURA HUMANA, MAS AINDA VAI SER A ARTE DA CARICATURA, E NÃO UMA MERA IMITAÇÃO DE EXCELENTES ATUAÇÕES DOS PALCOS OU DAS TELAS".

ACREDITO QUE O TRABALHO DO ARTISTA É EDITAR. VOCÊ ESTÁ PROPONDO AO PÚBLICO O SEU PONTO DE VISTA.

NÃO TENTAMOS SIMPLESMENTE PEGAR UM LÁPIS E RETRAÇAR UMA EXPRESSÃO SUTIL DE EMOÇÃO A PARTIR DE UM FILME AO VIVO (OU USAR UM MOUSE, COM MOCAP); MAS, DE ALGUM MODO, PROCURAMOS ENCONTRAR O EQUIVALENTE GRÁFICO DE UMA EMOÇÃO.

ESTAMOS EXAGERANDO O QUE É IMPORTANTE EM UMA CENA, E DEIXANDO DE FORA O QUE NÃO É.

MINHA CONCLUSÃO:

VOCÊ QUER REALISMO O BASTANTE PARA SER CONVINCENTE,

MAS NÃO A PONTO DE SE PERGUNTAR:

POR QUE NÃO TIRAR LOGO UMA FOTO?

ISSO É COM VOCÊ...

E, FINALMENTE, DESENHO DE MODELOS-VIVOS PARA ANIMAÇÃO

UMA MODELO ESPARRAMADA POR HORAS É ÚTIL PARA TREINAR O DESENHO E A COMPREENSÃO DA FORMA, ETC. MAS, DO PONTO DE VISTA DA ANIMAÇÃO, PRECISAMOS MOVER O CORPO A FIM DE ENXERGAR O PESO – O EQUILÍBRIO, A VITALIDADE, AS TORÇÕES, A FORÇA, O MODO COMO AS PARTES SE COMBINAM QUANDO O CORPO ESTÁ EM MOVIMENTO. OBVIAMENTE, A SOLUÇÃO É FAZER POSES RÁPIDAS –

COMEÇANDO RÁPIDO A PRINCÍPIO, COM POSES DE 30 SEGUNDOS, DEPOIS 45 SEGUNDOS, DEPOIS 1 MINUTO, REDUZINDO O RITMO À MEDIDA QUE O MODELO

(DE PREFERÊNCIA UM DANÇARINO, ATLETA OU ATOR)

E OS ARTISTAS FOREM SE CANSANDO DO ESFORÇO.

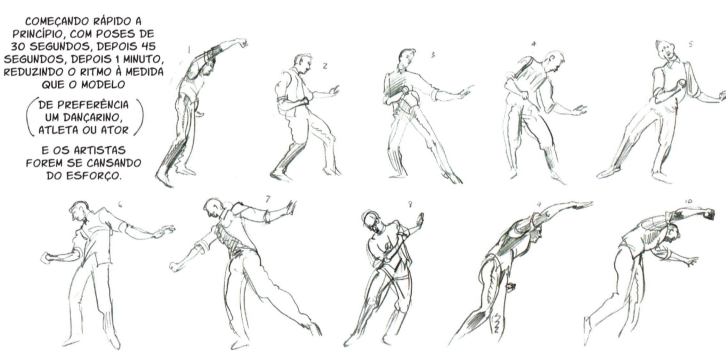

MINHA SUGESTÃO:

O MODELO VAI GERAR A ANIMAÇÃO AO PERCORRER A AÇÃO TODA EM POSES PAUSADAS. NÃO HÁ TEMPO PARA FAZERMOS "BONS" DESENHOS (PORTANTO, ESTAMOS LIVRES DESSA PREOCUPAÇÃO). ESTAMOS EM BUSCA DO ESTUDO DO MOVIMENTO, PESO E FORÇA. É DIFÍCIL PARA O MODELO E É DIFÍCIL PARA NÓS, MAS É UM MARAVILHOSO EXERCÍCIO.

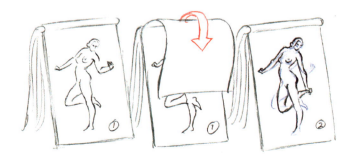

COMECE PELA PÁGINA DE BAIXO DE UM BLOCO CUJO PAPEL NOS PERMITA VER ATRAVÉS DAS FOLHAS. ENTÃO, PARA A POSE SEGUINTE, VIRE A PRÓXIMA PÁGINA SOBRE O 1º DESENHO E DESENHE A POSE, MANTENDO OS PÉS NO MESMO LUGAR (OU O QUE QUER QUE ESTEJA ANCORANDO A POSIÇÃO). DEPOIS VIRE MAIS UMA PÁGINA E FAÇA O PRÓXIMO DESENHO, ETC.
É CLARO, À MEDIDA QUE NOS CANSARMOS, REDUZIMOS O PASSO PARA POSES PARADAS TRADICIONAIS.

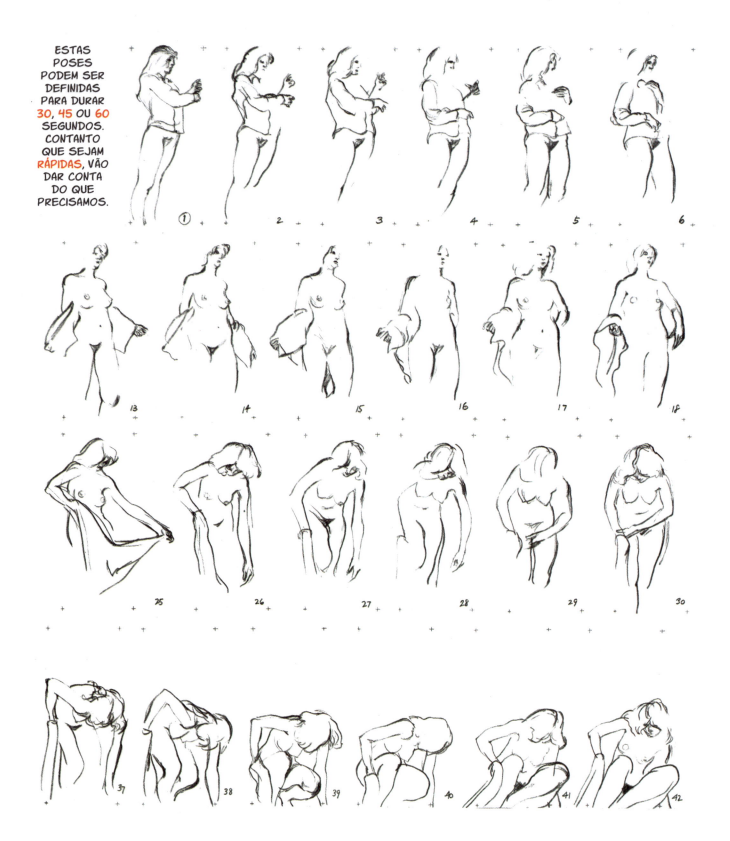

E É MUITO INTERESSANTE FILMAR CADA UMA DURANDO 6, 7 OU 8 FRAMES, COM TRANSIÇÕES EM TRANSPARÊNCIA, E DEPOIS REVER O TIMING DA ANIMAÇÃO E ADICIONAR INTERVALOS.

Comece com as coisas que você sabe e as coisas que você desconhece lhe serão reveladas.

Rembrandt, 1606-1669

AGRADECIMENTOS

Agora eu sei por que os autores agradecem profusamente a seus editores! Por isso, obrigado a Walter Donohue, da Faber & Faber, por ousar pensar que havia aqui um livro útil, e por seu entusiasmo e sua paciência enquanto eu lutava incessantemente para concluí-lo.

E obrigado à equipe de produção: Nigel Marsh, Kate Ward e Ron Costley, por lidar com meu formato pouco ortodoxo e com minhas exigências insanas. Linda Rosenberg, da Farrar, Straus and Giroux, foi uma entusiasta e apoiadora enérgica do livro em todo o percurso.

Também sou muito grato a Roy E. Disney, que me ajudou de diversas maneiras.

O Estúdio Disney foi bem generoso e cooperativo, como sempre tem sido durante o relacionamento que tive em todos esses anos com um pé dentro e um pé fora de lá. Agradecimentos especiais a Howard Green, por sua ajuda e encorajamento constantes.

Creio que o livro já mostra quanto eu devo a meus professores e amigos: Ken Harris, Art Babbitt, Milt Kahl, Emery Hawkins e Grim Natwick. Mas quero agradecer especialmente a Frank Thomas e Ollie Johnston por sua gentileza e aconselhamento ao longo dos anos. Foi um privilégio ter esses homens como aliados e amigos.

Obrigado ao autor/animador John Canemaker, por seus conselhos e seu apoio a longo prazo. Meu colaborador por 25 anos, Roy Naisbitt, salvou os velhos desenhos que eu teria jogado fora, e é por isso que temos as ilustrações. Obrigado, Roy. O animador/diretor Neil Boyle começou como meu protegido e acabou me dando bons conselhos ao longo dos 3 anos e meio que levei escrevendo. Catharine e Andy Evans, da Diamond Press, foram muito além dos deveres de sua função, quando levamos suas copiadoras a laser ao limite. Obrigado a Chris Hill por seu auxílio com as imagens computadorizadas da capa.

Quero agradecer a meu filho, Alex Williams, por me dizer constantemente que o livro seria útil. Meu velho amigo de escola, o animador Carl Bell, tem-me ajudado com várias coisas por anos. O autor Ralph Pred, também meu amigo, foi extremamente estimulante e encorajador.

Meu amigo fotógrafo Frank Hermann tirou as primeiras fotos. Obrigado, Frank. As fotos do "velho aqui" são de Jacob Sutton. Obrigado, Jake. Obrigado ao construtor Dennis Nash, por conceber um lugar inovador para eu trabalhar no livro.

E obrigado a todas as pessoas a seguir, que me ajudaram de diferentes formas: Chris Wedge, Tom Sito, Morten Thorning, Miguel Fuertes, Jane Miller, Nicola Solomon, Sue Perotto, Dean Kalman Lennert, Di McCrindle, Lyn Naisbitt, Julie Kahl, Heavenly e Scott Wilson, Phil e Heather Sutton, John Ferguson, Ted e Jill Hickford, Marilyn e David Dexter, Ellen Garvie, Mallory Pred, Saskia e Rebekah Sutton.

A capa na página ix é reproduzida com permissão da Animation Magazine. Roger Rabbit © Touchstone Pictures e Amblin Entertainment, Inc., usado com permissão da Touchstone Pictures e da Amblin Entertainment, Inc. A foto é de Jacob Sutton. As fotos nas páginas 2, 6, 8 e 45 são de Frank Hermann. Os fotogramas nas páginas 4 e 10 de *A carga da Brigada Ligeira* são reproduzidos com permissão da MGM. A foto na página 7 é reproduzida com permissão da Disney Enterprises, Inc. Os fotogramas nas páginas 18 e 19 de *Steamboat Willie*, *Dança dos esqueletos*, *Flores e árvores*, *Os Três Porquinhos* e *Branca de Neve e os Sete Anões* são reproduzidos com permissão da Disney Enterprises, Inc. O pôster na página 21 é reproduzido com permissão do British Film Institute. O "Epitáfio de um Artista Infeliz" vem dos *Trabalhos Completos* de Robert Graves, cortesia da Carcanet Press Limited, 1999. A foto na página 26 é reproduzida com permissão da Disney Enterprises, Inc. A foto na página 39, "Bola de golfe quicando" © Harold Edgerton, é cortesia da Science Photo Library. O rascunho de Ken Harris do Pernalonga na página 46 é reproduzido com permissão da Warner Bros. As fotos na página 328 são de Eadweard Muybridge, cortesia do Kingston Museum and Heritage Service. Os rascunhos nas páginas 336 e 337 são reproduzidos com permissão da Touchstone Pictures e Amblin Entertainment, Inc.

Todo esforço foi feito no intuito de contatar ou encontrar todos os detentores de direitos. Os editores terão prazer em reparar em edições futuras quaisquer omissões ou correções levadas a seu conhecimento.

SOBRE O AUTOR

Richard Williams é conhecido como o diretor de animação e designer dos novos personagens de *Uma cilada para Roger Rabbit*, filme pelo qual recebeu dois Oscars, incluindo um Prêmio por Realização Especial.

Nascido no Canadá, Williams conquistou três Oscars, três outros prêmios da Academia Britânica e um Emmy, entre 246 prêmios internacionais – a começar por seu primeiro filme, *A pequena ilha*, em 1958.

Williams também animou as sequências de título dos filmes *A volta da Pantera Cor-de-Rosa, A nova transa da Pantera Cor--de-Rosa, Que é que há, gatinha?, Casino Royale* e as sequências de ligação de *A carga da Brigada Ligeira*, além de inúmeros comerciais premiados.

Em 1990, foi eleito por seus colegas como "O Animador dos Animadores", e em 1995 começou a ministrar a nível mundial o "Curso de Animação de Richard Williams", para profissionais e estudantes em Londres, Hollywood, Nova York, São Francisco, Vancouver, Sydney, Hong Kong, França e Dinamarca. Seu curso encontra-se hoje disponível em uma série de 16 DVDs.

Atualmente, mora com sua família em Bristol e trabalha como diretor de filmes independente.